RHYWBETH YN ...ᴮᴸᴼ:
Straeon Ysbryd gan ein Prif Awduron

Creadigaeth y bedwaredd ganrif ar bymtheg yw'r stori ysbryd lenyddol neu ddychmygol, ac yn Lloegr a'r byd Saesneg y ffynnodd yn bennaf. Esboniad rhai ar ei hymddangosiad a'i phoblogrwydd yw fod cred wirioneddol mewn ysbrydion wedi lleihau, a thipyn o ddychryn wyneb yn wyneb â'r anesboniadwy wedi dod yn adloniant. Goroesodd o fyd y gannwyll frwyn i fyd y cyfrifiadur, ac ymddengys ei bod mor fyw heddiw ag erioed. Mae rhai awduron wedi arbenigo, megis, yn y gangen hon o lenyddiaeth, ond rhes o rai eraill, yn cynnwys rhai o'r llenorion gorau, wedi rhoi cynnig neu ddau arni. Yr un yw'r patrwm yn Gymraeg ag yn Saesneg, fel y tystia rhestr awduron y gyfrol hon: Lewis Morris, Twm o'r Nant, William Williams, Glasynys, Gweirydd ap Rhys, Daniel Silvan Evans, Daniel Owen, Richard Hughes Williams, W. J. Gruffydd, Kate Roberts, Evan Isaac, Awen Mona, Meuryn, J. E. Williams, Elizabeth Watkin-Jones, J. O. Williams, Rhiannon Davies Jones, Islwyn Ffowc Elis, E. H. Francis Thomas (sef D. Tecwyn Lloyd), Roy Lewis, John E. Williams, Geraint V. Jones, Gweneth Lilly, Irma Chilton, Gwyn Thomas. Agorwn ein detholiad ag ambell adroddiad honedig wir, yna ambell draddodiad lleol neu ddarn o lên gwerin, cyn dod ymlaen at storïau mwy 'creadigol'. Fel yn ein plith ni'r daearolion, ceir amrywiaeth ymhlith y dychweledig hefyd, rhai yn fygythiol, rhai'n drist a phathetig, rhai heb ddeall mai ysbrydion ydynt. Daw ambell un ar berwyl da, ac ambell un heb fod ar unrhyw berwyl neilltuol hyd y gallwn ddweud. Ond prif waith ysbryd yw dychryn. Dro neu ddau, does yna ddim byd wedi'r cyfan, – ond ni thâl gormod o hynny.

Mae DAFYDD GLYN JONES yn gyn-Ddarllenydd yn y Gymraeg, Prifysgol Cymru, Bangor.

A

RELATION

OF

APPARITIONS

OF

SPIRITS,

IN THE

PRINCIPALITY OF *WALES*;

TO WHICH IS ADDED

THE REMARKABLE ACCOUNT

OF THE

APPARITION IN *SUNDERLAND*,

with other

NOTABLE RELATIONS FROM *ENGLAND*;

TOGETHER WITH

OBSERVATIONS ABOUT THEM, AND

INSTRUCTIONS FROM THEM:

Defigned

TO CONFUTE AND TO PREVENT THE INFIDELITY OF DENYING

THE BEING AND APPARITION OF SPIRITS; WHICH TENDS TO

IRRELIGION AND ATHEISM.

Nam Sadducæi quidem dicunt non effe refurrectionem, neque
angelum, neque fpiritum. —— Acta xxiii. 8.

PRINTED IN THE YEAR, M,DCC,LXXX,

Tudalen deitl Edmund Jones, *A Relation of Apparitions of Spirits*, 1780.
(Darlun trwy ganiatâd Gwasanaeth Archifau a Chasgliadau Arbennig Prifysgol Bangor.)

Cyfrolau Cenedl 6

Rhywbeth yn Trwblo

Straeon Ysbryd gan ein Prif Awduron

Golygwyd gan
DAFYDD GLYN JONES

DALEN NEWYDD

2012

Argraffiad cyntaf – 2012

Rhif llyfr cydwladol (ISBN) 978-0-9566516-6-2

Cydnabyddir yn ddiolchgar gymorth Cyngor Llyfrau Cymru
tuag at gyhoeddi'r gyfrol hon.

Cynllunio gan Nereus, Tanyfron, 105 Stryd Fawr,
Y Bala, Gwynedd, LL23 7AE
e-bost: dylannereus@btinternet.com

Cyhoeddwyd gan Dalen Newydd,
3 Trem y Fenai, Bangor, Gwynedd, LL57 2HF
e-bost: dalennewydd@yahoo.com

Argraffwyd a rhwymwyd gan MWL Print Group Cyf.,
Unedau 10/13, Stad Ddiwydiannol Pontyfelin, New Inn,
Pont-y-pŵl, Torfaen, NP4 0DQ.

Rhagair

Mae arnaf ddiolch triphlyg i'r rhai a wnaeth y gyfrol hon yn bosibl drwy roi caniatâd parod a charedig i atgynhyrchu storïau. Yn gyntaf, i Rhiannon Davies Jones, Geraint V. Jones a Gwyn Thomas am gael cynnwys eu gwaith.

Yr un modd i'r canlynol, sy'n etifeddion hawliau llenyddol, neu'n ysgutorion ystadau, neu'n gynrychiolwyr teuluoedd yr awduron: Siân Solomon ('Y Tyddyn', Islwyn Ffowc Elis), John Llywelyn W. Williams ('Y Rhwyfwr', J. O. Williams), Meilyr Rowlands ('Y Garreg Saethau', Meuryn), H. D. Jones (pennod gyntaf *Y Cwlwm Cêl*, Elizabeth Watkin-Jones), Dafydd Chilton ('Colli'r Ffordd', Irma Chilton), Siwan Jones (golygiad Saunders Lewis o 'Y Plas a Gythryblid gan Rywbeth', Glasynys), Barbara Jones ('Dal yn Ffrindia'' a 'Y Ci', Gweneth Lilly), Plaid Cymru ('Y Gwynt', Kate Roberts), Siôn Rees Williams ('Wedi'r Ocsiwn', John E. Williams; a hefyd am gyfieithu'r stori).

Yr un modd eto i Wasg Gomer, Gwasg Gee, Gwasg Dinefwr, Gwasg y Bwthyn a'r Lolfa am bob cydweithrediad. Ar ddiwedd y llyfr fe welir rhestr o'r cyhoeddwyr oll, ynghyd â'r ffynonellau.

Mae awduron y methwyd cael gafael ar etifeddion nac ysgutorion iddynt; os oes rhai yn rhywle gallant gysylltu â Dalen Newydd Cyf.

Rydym yn ddyledus hefyd i Derek Lowe am ganiatâd caredig i argraffu darlun y clawr, o'i archif o luniau'r rheilffyrdd, ac i John Roberts, Y Bala, am ein rhoi ar drywydd y darlun hwn.

Medi 2012   D.G.J.

Cynnwys

Rhagymadrodd

Gallaf feddwl y bydd llawer o ddarllenwyr y gyfrol hon, mwyafrif efallai, fel finnau'r golygydd; heb erioed weld ysbryd – a gwybod hynny – ond yn adnabod rhywun sydd wedi gweld un. Yn wir rwy'n adnabod cryn hanner dwsin o'r cyfryw, ac yn eu plith y mae ci. Stori rhywun arall yw'r stori ysbryd yn aml iawn; hwn-a-hwn neu hon-a-hon oedd yn dweud, a hwnnw neu honno ran amlaf yn gymeriad geirwir, ymarferol, rhesymegol ac efallai bydol neu ryddieithol hefyd – nid un i lyncu pob rhyw hen lol.

Beth a wyddom am oroesiad yr unigolyn ar ôl ei fywyd daearol? I'w gosod yn erbyn dysgedigaethau crefyddau'r byd, oll yn ddyfaliadau pur, yr unig *dystiolaeth* sydd gennym yw tystiolaeth dameidiol, ansicr ac anfoddhaol y storïau ysbryd honedig wir. Mae'r storïau hynny, fe ddywedir i ni, wedi eu hadrodd ar hyd yr oesau ac mewn gwahanol wareiddiadau, gydag amrywiol raddau o goel. Gan rai pobloedd, ac mewn rhai cyfnodau yn fwy na'i gilydd, rhoddwyd arnynt wedd lenyddol, i'w diogelu fel adloniant, neu fel agweddau ar ddirgelwch bywyd.

Er amled a phwysiced yw'r gair 'ysbryd' ynddo, ni chynnwys y Beibl ond dwy 'stori ysbryd' yn ein hystyr ni. Mae ymddangosiad Samuel i Saul, drwy gyfryngdod Dewines Endor (I Samuel 28), yn ddisgrifiad clasurol o 'godi' ysbryd. Llai adnabyddus yw'r ysbryd a ymddangosodd i Eliffas y Temaniad, un o 'gysurwyr Job' (Job 4), a llefaru wrtho. Yn chwedloniaeth Groeg clywn am rai fel Perseffone ac Alcestis yn dychwelyd o fyd y meirwon, ond nid fel ysbrydion chwaith. O blith yr awduron Groegaidd, efallai mai Plutarch yw'r un a gyfrannodd fwyaf arwyddocaol i lên yr ysbrydion; gwnaeth hynny mewn adroddiad byr a geir, bron yr un fath y ddau dro, yn ei gofiannau i Brutus ac i Iŵl Cesar. A Brutus yn ei babell cyn ei frwydr olaf, yn flinedig a thrist, a'r lamp yn llosgi'n isel, ymddengys rhith yn y drws, gan ei gyflwyno ei hun fel 'dy ysbryd drwg di dy hun, Brutus', a dweud y bydd yn cwrdd ag ef yn fuan eto, yn Philipi. Shakespeare sy'n rhoi tro cynnil ond syfrdanol ar yr hanes drwy beri mai ar wedd

Cesar y mae'r ysbryd hwn yn ymddangos. Fel y Groegwyr, cynnil yw prif awduron Rhufain hwythau ar bwnc yr ysbrydion; yn yr isfyd y maent yn byw, a rhaid mynd yno os am eu gweld. Ond gan Fersyl cawn ailymddangosiad byr a thrist Creusa, gwraig gyntaf Aeneas; ac yn nes ymlaen mae'r Frenhines Dido yn bygwth Aeneas y bydd ei hysbryd hi yn ei ddilyn i bobman os bydd iddo'i gadael. Yn y gomedi *Mostellaria* (Stori Fwgan) gan Plautus, mae'r hogyn drwg Philolaches, gyda help ei was direidus, Tranio, yn dyfeisio llond tŷ o ddychryniadau i gadw'i dad draw oddi yno. Lleolir y ddrama yn Athen, a thybia'r awdurdodau ei bod wedi ei seilio ar o leiaf un o blith tair drama Roeg o'r enw *Phasma* (Ysbryd).

Yn chwedl a llenyddiaeth yr Oesau Canol mae'r fath amrywiaeth o swyngyfaredd, rhyfeddodau a dychryniadau eraill fel nad oes llawer o le i'r ysbrydion. Yng Ngheinciau Manawydan a Math, ac yn rhai o'r chwedlau Arthuraidd, creadigaeth dyn yw hud a lledrith; ac yn chwedl Lludd a Llefelys mae dyfeisgarwch dyn yn drech na'r hyn a all ymddangos yn oruwchnaturiol neu'n baranormal. Mewn rhannau o'r Mabinogi eto mae Annwn yn bresenoldeb cryf, a mynnodd W. J. Gruffydd unwaith mai 'Annwn sy'n ennill bob tro'. Nid 'llên ysbrydion' yw dim o hyn, a hyd y gwelaf ni chafwyd llawer ohoni gan neb o awduron pwysig yr Oesau Canol. Sonia Gerallt Gymro am rai rhithiau a drychiolaethau, a sonia Gwallter Map am fwy – digon i ddenu M. R. James i olygu ei waith: ond cythreuliaid neu ellyllon yw'r rhain yn amlach na dychweledigion o blith y meirw. Yr un modd ellyll, nid ysbryd, sydd yn y chwedl wir frawychus o Fôn am Einion ap Gwalchmai a Rhiain y Glasgoed.

Eto rhaid bod y gwir ysbrydion, sef dychweledigion, wedi goroesi mewn coel gwlad a llên gwerin. Yn nramâu William Shakespeare dônt yn sydyn i ganol llenyddiaeth, er nad i oedi'n hir: Cesar eto – 'Ay, at Philippi', Banquo yn y wledd, rhithiau lladdedigion Rhyfeloedd y Rhos yn dod i boeni Rhisiart III cyn brwydr Bosworth ac – ysbryd enwocaf llenyddiaeth – tad Hamlet ar ei dri ymweliad. Llyfr difyr o hyd yw *What Happens in Hamlet* (1935) gan John Dover Wilson, yn dangos yr hyn a gredai'r oes am fyd yr ysbrydion, a sut y cymhwyswyd hynny gan y dramodydd yn ei olygfeydd enwog. Ai'r diweddar frenin yw'r ysbryd? Ynteu rhywbeth sy'n cymryd ei wisg a'i wedd? Ochra'r ddrama at y dehongliad cyntaf, ar ôl caniatáu'r ail. Yn y pedwar achos a nodwyd, ymweld â chymeriad euog, ansicr neu niwrotig y mae'r ysbryd; ond gan fod rhai heblaw Hamlet wedi gweld ysbryd y tad, rhaid bod i hwnnw fodolaeth wrthrychol.

Cyfoeswr i Shakespeare oedd y llenor Sbaenaidd toreithiog Lope de Vega (1562-1635). Ef, meddai George Borrow, gŵr a oedd wedi byw yn Sbaen ac a wyddai lawer am ei llenyddiaeth, oedd awdur y stori ysbryd orau a sgrifennwyd erioed. Ni wn i ddim am y stori hon. Pwy sydd am ddod o hyd iddi a'i throsi i'r Gymraeg? Cyfoeswr eto oedd Robert Burton (1577-1640), awdur *The Anatomy of Melancholy* (1621). Rhydd y traethawd helaeth hwnnw gryn sylw i 'spirits' a'u dylanwad posibl ar dymherau dynion. Ond amwys yw 'spirits', pryd y mae'r Cymro'n gwahaniaethu bob amser rhwng 'ysbrydoedd' ac 'ysbrydion'. Barn bendant Burton, ar ôl cloriannu holl dystiolaeth yr hen awduron, fel y gwna ar bob cwestiwn, yw nad yw 'spirits' yn cynnwys dychweledigion, neu bobl a fu byw unwaith. Bodau tragwyddol ydynt, neu lawer mwy hirhoedlog na ni, ac o darddiad hollol wahanol.

Mae'n debyg mai Edmund Jones, 'Yr Hen Broffwyd' o'r Transh, Pont-y-pŵl, oedd y Cymro cyntaf i sgrifennu'n helaeth am fyd yr ysbrydion a chyhoeddi ei ymchwiliadau'n llyfr. Casgliad o'i brofiadau ei hun, a phrofiadau ei gydnabod, yw ei *Relation of Apparitions in Wales*, a gyhoeddwyd gan wasg Trefeca ym 1780, gyda nifer o straeon ysbryd ymhlith amrywiaeth o adroddiadau eraill am ddewiniaid, cythreuliaid, rhagargoelion, olwynion o dân, Cŵn Annwn, Tylwyth Teg a phethau o'r fath. Credai Edmund Jones yn ddiysgog yng ngwirionedd ei straeon, a dyfynna hwy fel tystiolaeth yn erbyn materoliaeth yr oes ac yn erbyn y 'grefydd resymol' a elwir weithiau yn Ddeistiaeth. Yn hynny o beth saif yn nhraddodiad awduron Saesneg a sgrifennai yn y ganrif flaenorol, yn cynnwys Richard Baxter a'i *Certainty of the World of Spirits* (1691). Rhybuddio ac argyhoeddi oedd amcan Edmund Jones, nid diddanu. Sylwodd mwy nag un sylwebydd fod rhywbeth solet iawn ynghylch ei 'ymddangosiadau', a gellid dadlau eto mai 'ysbrydoedd' yn hytrach nag 'ysbrydion' yw rhai ohonynt.

Ond dan bwysau deublyg rhesymoliaeth a'r adwaith rhamantaidd yr un pryd, troi yn adloniant yr oedd y stori ysbryd erbyn troad y bedwaredd ganrif ar bymtheg. Ymhlith yr 'ofergoelion' y croniclir hi gan awduron Cymreig gydol y ganrif honno, e.e. William Howells, *Cambrian Superstitions* (1831), T. Frimston, *Ofergoelion yr Hen Gymry* (d.d.) ac Elias Owen, *Welsh Folk-lore* (1896). (Mewn pennod fer rhydd Frimston ddosbarthiad digon diddorol ar wahanol fathau o ysbrydion, – ond nid oes ganddo'r un esiampl o Gymru!) Llyfrau yw'r rhain ar gyfer cynulleidfa newydd a allai fwynhau ychydig o ddychryn diniwed, yn sicrwydd y gred bod yr oes yn symud ymlaen o dywyllwch i oleuni. Yn yr un hinsawdd y tyfodd bri'r stori ysbryd ddychmygol neu lenyddol, sef yr hyn sydd gennym ni, gan mwyaf oll, yn y casgliad hwn. Deil rhai o'r prif awdurdodau mai 'Wandering Willie's Tale', rhan o nofel Syr Walter Scott, *Redgauntlet* (1824), yw'r enghraifft gynharaf o'r math, ac erbyn canol Oes Victoria yr oedd yn fath poblogaidd iawn. Nid yn unig yr oedd y wir gred mewn ysbrydion yn gwanhau, – neu, a bod yn fwy manwl, yr oedd cred fod y gred yn gwanhau; hefyd yr oedd bywyd yn dod yn ddiogelach i ran helaeth o'r boblogaeth, – heb anghofio fel y daeth golau nwy, a thrydan yn y man, i ymlid y cysgodion o dai a strydoedd. Yn yr amgylchiadau hyn fe ffynnodd y stori ddirgelwch neu dditectif, ac yn gyfochrog y stori ysbryd. Yn y math cyntaf daw'r sym allan yn iawn drwy graffter rhyw ddatgelydd; yn yr ail fath mae dau a dau yn gwrthod yn gyndyn wneud pedwar.

Wedi mwynhau bri mawr ddiwedd Oes Victoria, goroesodd y stori ysbryd ganrif arall fel ei bod yn ddigon byw o hyd, os nad yn wir wedi cael ail wynt yn ddiweddar. Yn y cyfamser bu datblygiadau yn agweddau pobl tuag at fyd yr ysbrydion. Daeth sect Gristnogol yr Ysbrydegwyr, a gynigiai'r cysur o ailgysylltu ag anwyliaid a gollwyd. O'r 1880au ymlaen daeth yr 'ymchwil seicig' a geisiai osod profion gwyddonol ar brofiadau a ffenomenâu honedig baranormal. A brofodd yr wyddor hon unrhyw beth eto sy'n gwestiwn; y pethau gorau a ddeilliodd ohoni oedd dwy ffilm ardderchog *Ghostbusters* a *Ghostbusters II*, ar y naill law yn gwneud tipyn bach o hwyl am ben yr ymchwiliadau, ac ar y llaw arall yn dathlu goruchafiaeth dyn, drwy gyfuniad o fenter a thechnoleg, dros unrhyw bwerau eraill, – rhywbeth digon tebyg i hen stori Lludd a Llefelys.

Creadigaeth Seisnig yw'r stori ysbryd lenyddol glasurol, ac ym Mhrydain ac America y mae wedi ffynnu fwyaf. Yn draddodiadol stori fer yw hi, maint hwylus ar gyfer cylchgrawn, ond yn ddiweddar cawsom gip ar beth go newydd ac anarferol, y nofel ysbryd. Daeth llwyddiant mawr i *The Little Stranger*, Sarah Waters ac i *The Woman in Black*, Susan Hill – campwaith mewn gyrru iasau oer drwy gyfrwng elfennau hollol gonfensiynol yr hen dŷ unig, y noson niwlog, y cerbyd lledrithiol a'r ci dychrynedig.

Ymhlith yr awduron mae rhai sydd wedi arbenigo mewn storïau ysbryd ac arswyd ar draul popeth arall, a'u bri yn gorffwys bron yn llwyr ar y rheini. Y tri enw amlwg yw Sheridan le Fanu, Algernon Blackwood ac M. R. James. Ond agorer unrhyw gasgliad safonol o storïau ysbryd Saesneg ac fe welir enwau fel Charles Dickens, R. L. Stevenson, Henry James, Arthur Quiller-Couch, H. G. Wells, Edith Wharton, G. K. Chesterton, D. H. Lawrence, Mary Webb, Rose Macaulay, Walter de la Mare, W. Somerset Maugham, L. P. Hartley, John Buchan, Elizabeth Bowen a T. H. White. Troer at restr ein hawduron ninnau ac fe welir yr un patrwm dros yr un cyfnod; un neu ddau yn ymdroi mwy na'i gilydd ym myd yr ysbrydion, ond y fath nifer o'n rhyddieithwyr gorau yn taro i mewn iddo ar dro. Ac os na ddychrynir chwi'r darllenwyr gan y straeon hyn, gobeithio o leiaf y cewch flas ar y rhyddiaith yn rhai ohonynt.

Agorwn ein detholiad â dau adroddiad byr am ddigwyddiadau yr honnir eu bod yn wir. Mewn llythyr at ei frawd Richard ddechrau 1760, mae Lewis Morris yn adrodd y diweddaraf am 'Fwgan yr Hafod', sef Hafod Uchdryd (neu Ychtryd), Ceredigion; try wedyn i'r Saesneg ac ymhelaethu ar gastiau yr hyn sy'n amlwg yn fwgan direidus neu *poltergeist*. Mewn paragraff o'i 'Hanes Bywyd', a gyhoeddodd yng nghylchgrawn *Y Greal*, 1805, mae Twm o'r Nant yn sôn am bethau a welodd â'i lygaid ei hun pan oedd yn cadw tollborth ger Llandeilo. Trown yn nesaf at ymgais i adrodd stori yn llawnach ac efallai i roi dychymyg ym mhen traddodiad. William Williams, Llandygái a'i piau, yn arloesol fel mor aml, ac fe welir iddo ei seilio ar ryw stori Ffrengig. Mentraf gyfrif hon y stori ysbryd lenyddol gyntaf yn Gymraeg, a dyma'r tro cyntaf iddi gael ei chyhoeddi. Ni waeth dweud yn awr, mae esboniad naturiol ar y dychrynfâu y tro hwn; mae storïau felly, a 'dim byd yno' wedi'r cyfan, 'storïau am ysbryd' yn hytrach na storïau ysbryd; bydd ambell un fach arall yn y casgliad hwn, ond ni thâl gormod. Yn nesaf daw un o 'Straeon Glasynys'. Ar yr un math o berwyl â William Williams, cydia'r awdur mewn hanesyn honedig wir, un lleol a Chymreig y tro hwn, gan helaethu a chywreinio. 'Pan oedd yno,' ysgrifenna, 'clywai, debygai, *rywbeth* yn llithro ar hyd y canllaw yn drwm, gan swnio'n bur debyg fel y bydd eira'n tyrfu wrth lithro'n araf ar hyd y to pan fo hi'n dadmer.' Hwyrach y dywedem ni y byddai'n well pe bai Glasynys wedi cadw mwy at y cywair hwn, ac mai lleihau'r dychryn yn hytrach na'i gynyddu y mae'r syrcas o fwganod amrywiol a gwrddwn yn y man, – yn union fel yn stori William Williams. Ond nid oes wadu cyfraniad arloesol Glasynys, yr awdur yn anad neb a wnaeth y stori ysbryd lenyddol Gymraeg yn ffurf gydnabyddedig, boblogaidd.

Ymlaen hyd at awduron y dydd heddiw, storïau ysbryd dychmygol neu lenyddol a gynrychiolir gan mwyaf yn y casgliad hwn, ond gydag ambell eithriad. Hanes *poltergeist* ar dyddyn ym Môn yw'r hyn a edrydd Gweirydd ap Rhys yn llawn a manwl fel rhan o'i hunangofiant. Llên gwerin yw dau gyfraniad byr Daniel Silvan Evans, ac edrydd H. Elwyn Thomas brofiad o'i eiddo ei hun. (Yn ei gyfrol *Rhag Ofn Ysbrydion*, 2008, mae J. Towyn Jones yn ailedrych ar y stori olaf.) Rhaid oedd cynnwys hefyd ddetholiad o bennod Evan Isaac yn *Coelion Cymru* (1938), gan fod yr awdur yn trin ei fater mor ddifyr a golau. O bori yn llyfrau atgofion gwerinwyr canol yr ugeinfed ganrif, diamau y ceid rhagor o straeon ysbryd 'gwir'.

Yn gyffredinol mae'r storïau ysbryd Cymraeg yn rhannu'r un nodweddion â'r rhai Saesneg, gyda'r un dewis o amrywiadau. Ar dro gall yr ysbryd fod yn gymeriad diddrwg neu hyd yn oed ddaionus, wedi dychwelyd i'r byd hwn ar ryw berwyl llesol; ond ni thâl hynny'n rhy aml. Nid yw'r ysbryd bob amser yn deall mai ysbryd ydyw, ei fod wedi marw; credaf fod gennym yma ddwy enghraifft ardderchog o'r math hwnnw. Rhyw fath o stori ysbryd hefyd yw honno lle mae rhywun o'r presennol yn diarwybod gamu'n ôl mewn amser, neu daro'n ddamweiniol ar ryw ddimensiwn arall.

Yr un rhai yw rhagoriaethau'r straeon ysbryd mwyaf llwyddiannus. Mae cynildeb yn gryfder, – beth arall sy'n peri fod 'Hir yw Aros Arawn' yn stori mor iasol, er ei symled? Mae lleoliad credadwy yn gymorth mawr, gyda hen westy cyfforddus, neu ystafell aros hen stesion, yn fannau cychwyn da. Addefaf hefyd ragfarn bersonol o blaid y 'stori led-ysbryd', honno lle nad ydym yn hollol siŵr a oes yna 'rywbeth' ai peidio. Dyma apêl rhai o storïau Walter de la Mare, ac fel enghraifft o'r dosbarth mae'n anodd curo 'Y Gwynt', Kate Roberts, – stori a all ein taro fel un annodweddiadol o'r awdures ar yr olwg gyntaf. Ai dim ond breuddwyd hanner-effro teithiwr blin ar noson wyntog?

A ddychrynir digon ar y darllenwyr, wn i ddim. Mae rhai ohonom, fel 'Yr Hen Gynffon Deryn', yn fwy dychrynadwy na'n gilydd. Nid wyf am ddweud pa stori a'm dychrynodd i fwyaf. Wrth wneud y detholiad tueddais i osgoi digwyddiadau gwir drasig a sefyllfaoedd gwir annymunol. Tipyn o hwyl yw'r stori ysbryd i fod. Rhaid derbyn, wrth gwrs, fod yna'r fath beth â 'thrasiedi gefndirol gonfensiynol'; ei phwrpas yw darparu ysbryd, yn union fel mae'r llofruddiaeth mewn stori dditectif yn darparu achos.

Dylid dweud efallai mai storïau gwreiddiol Cymraeg yw'r rhain oll ac eithrio un. 'Wedi'r Ocsiwn' yw'r un eithriad honno. Fe'i sgrifennwyd gyntaf yn Saesneg, gan awdur Cymraeg cynhyrchiol, a'i throsi wedyn gan ei fab.

Cysonwyd a moderneiddiwyd ychydig ar orgraff y storïau cynharaf. Teitlau a wnaed ar gyfer y detholiad hwn sydd i storïau Lewis Morris, Twm o'r Nant, Gweirydd ap Rhys, Elizabeth Watkin-Jones a John E. Williams.

Bwgan yr Hafod

Lewis Morris

Mae'n dra thebyg mai ar gownt yr *Election* yma y mae'r ysbryd drwg yn codi yn eu mysg fal tân iddw. Dacw'r bwgan yn yr Hafod yn chware'r pranciau yn rhyfeddol, yn dwyn y canhwyllau o flaen pobl. Nid oedd ef yn medlio ar y tân pan fu yn amser Siôn Rowlands. Mae'r Brych fal dyn gwallgo yn *siarsio* pawb i dewi, ac na sonient fod d–l yno am bris yn y byd, ond ni pheidia'r bobl yn eu byw. Mae'r Fall yn cusanu'r merched yn y tywyll, ac yn crechwen chwerthin, ac yn tyrfu. Fe ymrithiodd i'r Brych yn ferch lân iawn yn ceisio cusan. Fe aeth y Brych a'i fenyw i edrych beth oedd yn y seler, nid oedd yno ddim i'w weled, er ei fod yn cnocio, ond wrth fynd i'w gwelyau fe gipiodd y gannwyll ac a ymrwbiodd yn eu cefnau fal mochyn, ac mae yma sŵn mawr o'r achos. Fe fu *conjurer* o Sir Frycheiniog yno yn ceisio gostwng yr ysbryd, ond fe ballodd y Brych â rhoi canpunt iddo am ei boen; 'bid rhyngoch chi ag ef' ebr hwnnw. Mae hen forwyn i Siôn Rowland yn byw gyda'r Brych. Nid yw'n cusanu mo honno nac yn dwyn y gannwyll oddi arni. Nid oedd ef yn amser Siôn Rowland yn gwneuthur dim i'r tân na'r halen, ond fe garia gerrig, a llestri, a phob twls saer, etc., hyd y tŷ cefn dydd golau. Fe roe ebill i saer yn ei law, fe roe frethyn i deiliwr, fe roe gribau i hen wraig ac a roe edafedd i wehydd, ac a roe bric ac edafedd i ryw wreigen segurllyd i'w ddirwyn, ac mae rhai yn dywedyd weled ohonynt ymbell dro law ddu yn cario rhyw bethau, ac er hyn i gyd fe aeth gweinidogion i nôl rhyw bethau yn y tywyllwch. *Custom makes even the devil familiar.* Mae rhai'n taeru mai bwgan y Brych oedd hwnnw ar y cyntaf, *and a forerunner of his coming there to build a palace for the* bwgan. Bid a fynno, mae ef uwch ben fy nysgeidiaeth i. Ni choeliodd y Brych fod na Duw na diawl erioed o'r blaen.

(O lythyr Lewis Morris at ei frawd Richard, 4 Ionawr 1760. 'Y Brych' yw llysenw'r Morrisiaid ar John Paynter, gŵr a anfonwyd gan y Trysorlys i edrych cyfrifon Lewis yng ngwaith plwm Esgair-y-mwyn, Ceredigion, ac a lwyddodd wedyn i fynd â rheolaeth y gwaith oddi arno. Yr oedd Y Brych yn dân ar groen Lewis, ac yn fwy o felltith na'r bwgan. Ystyr 'gweinidogion' yma yw 'gweision a morynion'.)

Heibio i'r Tollborth

Twm o'r Nant

Ni a fyddem yn gweled llawer yn y nos yn myned trwodd heb dalu; sef y peth a fyddent hwy yn ei alw yn y *Gyheureth* neu ledrith; weithiau *hearsiau* a *mourning coaches*, ac weithiau angladdau ar draed, i'w gweled mor amlwg ag y gwelir dim, yn enwedig liw nos.

Mi a welais fy hun, ryw noswaith, *hears* yn myned trwy'r *Gate*, a hithau ynghauad; gweled y ceffylau a'r harnas, a'r hogyn *postillion* a'r *coachman*, a'r siobau rhawn fydd ar dopiau yr *hears*, a'r olwynion yn pasio'r cerrig yn y ffordd fal y byddai olwynion eraill: a'r claddedigaethau yr un modd, mor debyg, yn elor ac yn frethyn du; neu os rhyw un ieuanc a gleddid, byddai fal cynfas wen: ac weithiau y gwelid cannwyll gref yn myned heibio.

Unwaith pan alwodd rhyw drafaeliwr yn y *Gate*, 'Edrwch acw,' ebr ef, 'dacw gannwyll gorff yn dyfod hyd y caeau o'r ffordd fawr gerllaw'; felly ni a ddaliasom sylw arni yn dyfod, megis o'r tu arall i'r lan; weithiau yn agos i'r ffordd, waith arall ennyd yn y caeau; ac ymhen ychydig bu raid i gorff ddyfod yr un ffordd ag yr oedd y gannwyll, oblegid fod yr hen ffordd yn llawn o eira.

A thro arall rhyfedd am hen ŵr o Gaerfyrddin, a fyddai yn cario pysgod i Aberhonddu, a'r Fenni, a Monmouth, ac yn dyfod â *Gloucester cheese* teneuon gantho yn ôl; yr oedd fy mhobl i yn gwybod ei fod ef ar ei daith, ac yr oedd yr hin yn ddrycinog iawn, o wynt ac eira lluchio; a chanol y nos, fe glywai fy merched i lais yr hen ŵr yn y *Gate,* a'u mam a'u galwodd hwynt i agor ar frys, ac erchi'r hen ŵr ddyfod i'r tŷ at y tân. Codi a wnaeth y ferch; erbyn mynd allan nid oedd yno neb; a thrannoeth dyma gorff yr hen ŵr yn dyfod ar drol, gwedi marw yn yr eira ar fynydd Tre'r Castell: a dyna'r gwir am hwnnw.

Llawer yn rhagor a ellid adrodd o'r fath bethau; ond nid ydynt ddim gwerth eu hadrodd, am nad oes fawr a'u coeliant.

(O 'Hanes Bywyd Twm o'r Nant', 1805.)

Ynghylch Ysbrydion a Drychiolaethau

William Williams

Llawer o chwedlau a sgrifennwyd ac a draethwyd o amser bwygilydd am ysbrydion a gwyllon y nos; a thai, yn enwedig hen balasau, yn cael eu haflonyddu gan ysbrydion y meirw neu ryw hanfodau anweledig eraill yn curo ac yn oernadu er dychryn i bawb o amgylch. Braidd erioed, neu yn anaml iawn, y chwiliwyd allan yr achosion a barai yr aflonyddwch yma, – pa un ai rhyw hanfod anweledig, ai rhyw ddichell ystrywgar dyn er mwynhau rhyw amcan fuddiol, a fyddai yr achos. O'm rhan i, nid wyf yn gwadu nad oes, neu nad all fod, ysbrydion yn ymweld â'r ddaear, er na fedraf drwy reswm dynol ddangos yr achos a bâr i'r cyfryw drefniad fod, gan nad oes dichon olrhain allan paham neu i ba ddiben y pennwyd y fath osodedigaeth yng nghorff anian. Nid all dyn chwilio dim pellach.

Gwir yw, po mwya y mae gwybodaeth yn ymledu, mwya y mae gwyllon y tywyllwch yn diflannu, a'r gwledydd ym mha rai y mae anwybodaeth yn teyrnasu, mwya sydd o ellyllon yn ymddangos: wrth hynny ni allwn farnu nad ydyw y chwedlau yma ond dychymygaeth anwybodion, ac mai creaduriaid y meddwl ydyw y rhan fwyaf o'r ellyllon dychrynllyd hyn. Mae o'm blaen hanes antur ryfeddol a ddigwyddodd i ŵr mawr yn Ffrainc gyfarfod â hi ers rhyw nifer o flynyddoedd a aeth heibio; pa hanes sydd fel y canlyn.

Antur y Cownt neu'r Iarll Beaumont

Y gŵr bonheddig hwn oedd bendefig a adweinid yn dda yn y llys Ffreinig dan yr enw Cownt Beaumont, yr un gradd ag Iarll yw ym Mhrydain. Yr oedd ef o natur yn ddewr ac yn ddifrawychus, ac wedi ei amlygu ei hun yn wrol ar bob achosion, yn enwedig yn y rhyfel diweddaf, pa un a ddiweddodd yn 1763, ym mha un y gwasanaethodd megis ail lywydd neu flaenor mintai o filwyr. Y pendefig hwn a genhadwyd i fwrw y gaeaf yn un o'i blasau gwladol: efe a gychwynnodd yno gyda'i deulu o gylch mis Hydref, pa un oedd wlawog iawn yn y flwyddyn honno. Pan nesaodd ef i gyffiniau ei wlad gartrefol, efe a ymddangosodd yn ei fraint, ei radd a'i fawredd, ac a anfonodd beunydd o'i flaen redegwyr i ragddarparu a pharatoi llety erbyn ei ddyfodiad. Ar un diwrnod, pan oedd y gwlaw wedi gwaethygu y ffyrdd fel na allai ei gerbyd a'i osgordd gyrraedd y dref yr amcanasai letya ynddi, ei redegwr a arhosodd mewn pentref gwael yn sefyll ar waelod dyffryn anial a dyfrllyd, ac a bennodd lety ei feistr yn nhŷ yr offeiriad, pa un oedd dlawd a gwael, ond nid oedd yr un gwell i'w gael yn y lle; ond eto braidd y cysgodai hwn rhag y gwynt a'r gwlaw. Pan gyrhaeddodd yr Iarll yno, yr offeiriad a'i derbyniodd yn groesawus, gan ddiolch iddo am yr anrhydedd a ddangosai yn ei barchus ymweliad â'i fwth tlawd, a chwyno na buasai mewn gallu i'w letya'n well ac yn fwy addas i'w radd a'i alwad. Yr Iarll a ddiolchodd iddo am ei wyllys da, ond ei fod yn gobeithio na byddai raid iddo fod yn rhwystr nac yn drwblaeth iddo, ac a orchmynnodd i'w redegwr ymofyn ymhellach yn y pentref. Yr offeiriad a ddeisyfodd arno'n daer aros, gan ei ysbysu nad oedd dichon iddo gael gwell cyfleustra yn y fath gyflwr; y rhedegwr a unodd â'r offeiriad gan wirio ei fod wedi ymweld â holl dai y pentref, ac nad oedd yr un cystal â'r tŷ hwn yn y fan. 'O'r gorau,' eb yr Iarll, 'paham nad allaf gael llety yn y castell acw a welaf yn y pen pellaf i'r pentref? Pwy bynnag sy'n byw acw, odid y llysa ef i mi ystafell. Ewch acw yn fy enw, mi a ddisgynnaf i aros am ateb.' 'Fy Arglwydd,' eb yr offeiriad, 'nid oes neb yn byw ynddo. Y tŷ a'r tir perthynol iddo sydd ar werth ers rhai blynyddoedd: mae y nifer o'r ystafelloedd heb ddrysau arnynt, – er hyn mae rhai ystafellau yn lled gymwys ac mae ychydig o hen ddodrefn ynddo.' 'Nid oes arnaf eisiau cymaint,' eb yr Iarll. 'Digon gennyf gael lle diddos cysgodol, ac acw y mynnaf osod fy ngwely am heno.' 'Myfi a ymofynnais ynghylch y lle o'r blaen, fy Arglwydd,' eb ei redegwr, 'ond mi a glywais ei fod yn lle enbydus, oblegid y mae'r adeilad yn cael ei feddiannu gan ysbrydion ac ellyllon yn tyrfu yn erchyll bob nos; mynegwyd i mi y munud yma fod y dewinesau yn cyfarfod yno, a bod ei feddiannydd, pa un sydd ar led oddi cartref, wedi gosod ei dŷ hwn i'r cythraul.' 'Pa beth?' eb yr Iarll yn ddicllon. 'Ai meddw ydych? Yr ych yn llefaru yn ynfyd! Digon o'r sothach yma! Gwnewch fy ngwely yno yn ebrwydd; mi swperaf gyda'r gwrda hwn, yr offeiriad.' Felly y bu orfod arnynt ufuddhau.

Yn y cyfwng yma, yr Iarll a ddeisyfodd gymdeithas yr offeiriad, a hanes o ddechreuad y chwedlau ynfyd yma. Yr offeiriad oedd ddyn bychan diniwaid, ond yn gwbl anwybodus ac yn hynod o grediniol o ofer chwedlau, megis y mae eglwyswyr gwladaidd yn fynych. Efe a fynegodd iddo nifer o chwedlau ynghylch ellyllon dychrynllyd o bob rhyw, ar fedr ei atal rhag myned i'r castell. Yr Iarll a wrandawodd arno nes diflasu ohono. Wedi hyn efe a alwodd am ei was, ac a barodd iddo ei ganlyn ef i'r castell. Y gwas oedd dra gwrthwynebus i'w orchymyn; efe a'i bwriodd ei hun wrth ei draed gan daer ddeisyfu arno na enbydai mono ei hun, ond nid oedd un rheswm a'i lluddiai. Efe a drodd allan, a'r gwas a'i goleuodd ef gyda phyg-gannwyll. Yr oedd y dynyn truan yn frawychus gerth, wedi clywed yn y pentref amryw chwedlau enbydus ynghylch y lle; efe a ganlynodd ei feistr fel pe buasid i'w ddihenydd; y braw a chwanegodd arno fel y nesaodd i'r castell. Yr oedd yr adeilad yn hen, ac wedi ei gylch-ffosio, yn dyrau ac yn furddunau candryll, ac yn gwbl o olygiad brawychus ynddo ei hun; yn gyniweirfa ystlumod a dylluanod; crechwenau a hediadau y creaduriaid nosawl hyn oeddynt i'r gwas truan yn ddychrynllyd ofnadwy, fel y tybiai fod ysbrydion yn ei amgylchu eisoes, er bod yr Iarll drwy resymau a siamplau yn ceisio ei annog ymlaen a'i gefnogi. Hwy o'r diwedd a gyraeddasant yr ystafell wely, ond er ei bod yn lled gymwys i letya, nid oedd dichon sicrhau y ddôr arnynt. Yr Iarll a ymddadwisgodd, ond cyn gorwedd ohono, efe a rwymodd ei bistolau wrth ei wregys ac a grogodd ei arfau uwch ben ei obennydd. Efe a oleuodd ddwy gannwyll o fewn y simnai, a dwy eraill wrth ei wely: wedi hyn efe a orweddodd, ond nid wedi cwbl ymddiosgi o'i ddillad; a'r gwas a orweddodd ar fatras a ddygasid yno i'r pwrpas.

Yr Iarll, er cymaint ei wroldeb, ni fedrai ymroi i gysgu; wrth ddal sylw ar yr enbydrwydd y rhedasai iddo, rhyw brudd-der brawychus a'i blinodd. Efe a barhaodd fel hyn o gylch dwy awr ac a amcanodd hepian; ond o gylch hanner nos efe a dybiodd glywed rhyw greglais erchyll yn y cyntedd pellaf i'r castell, ond yr oedd yn rhy bell i'w glywed yn eglur: efe a dybiodd ar y cyntaf mai rhyw anifail a droesid i mewn i bori, a chloch am ei wddf. Ond yn fuan efe a newidiodd ei dyb; y grechwaedd a chwanegodd fel yr oedd yn nesáu; efe a ddeallodd mai llais rhywbeth byw ydoedd, a'i fod, fel y tebygai, yn myned o amgylch y castell: efe a glywai yn eglur sŵn camrau un yn cerdded yn araf, ac yn rhuglo cadwynau ar y palmant. Y sŵn dychrynllyd yma a ddaeth i mewn i'r adeilad, ac a nesaodd tua'r ystafell lle yr oeddynt ynddi. Yr Iarll a ymbaratôdd i'w amddiffynfa drwy roi amdano hugan, a'i wregys arfau dros ei ysgwydd ac esgidiau am ei draed, ac fel hyn efe a lechodd yn ei wely, yn barod i bob digwyddol ymgyrch.

Yn y cyfamser y sŵn a'r twrf a gryfhaodd ar y grisiau, ac a ddeffrôdd y gwas, pa un i foddi ei ofn a'i meddwasai ei hun yn y dechreunos; braidd y medrai yr Iarll ei gadw rhag gweiddi allan; ofn a'i goresgynasai er meddwed oedd; ond ei feistr a'i bygythiodd yr anafai ef oni thawai ag ymleferydd; efe a ddistawodd. Yr ellyll a barhaodd yn ei amgylchiadau drwy'r ystafellau o gwmpas, ac yn ddiweddaf efe a riddfanodd yn dra gresynus. Efe a aeth i fyny i ddau bâr o risiau, ym mha le y gwnaeth rhugliad ei gadwynau dwrf dychrynllyd; ond y sŵn ofnadwy ni wnaeth y brawychiad lleiaf ar yr Iarll, ond efe a dybiodd mai er rhyw amcan ystrywgar y cyflawnwyd hyn oll. Meddai ef wrtho ei hunan: 'Os amcanu fy lladd y maent, nid yw y cynyrfiadau yma ond cwbl afreidiol; mae'n sicr gennyf ynte mai amcanu fy nychryn y maent; oblegid ni fedraf fi fyth gredu fod y cythraul, nac un o drigolion y byd arall, wedi dyfod yma'n unswydd i ddwyn ymlaen y coeg-chwarae yma.'

Ond yn y moment pan oedd efe yn ystyrio hyn, dyma'r bwgan yn ffyrnig daflu'r drws yn agored, ac yn dyfod i mewn i'r ystafell: ei ddull oedd erchyll, – yr oedd efe i gyd yn flewog fel arth, ac wedi ei lwytho â chadwynau, pa rai a gurodd ef ar y pared gyda griddfanau erchyll; efe a symudodd yn ddifrifol hyd at y fatras lle yr oedd y gwas yn gorwedd, yr hwn nid ynganodd air rhag ofn ei feistr, ond efe a'i hamblygasai ei hun yn ei gôb gan ddisgwyl marwolaeth ddisymwth gan naill ai ei feistr neu'r ysbryd, pa un a ysgydwodd ei gadwynau wrth glust y truan gan ei ddychryn nes llewygu ohono, a'r Iarll yn distaw ddal sylw ar hyn drwy gaeadlen ei wely; ond wrth glywed ei was yn llefain allan, efe a dybiodd i'r bwbach wneuthur niwaid iddo. Efe a neidiodd allan o'i wely â'i bistol yn ei law, a chan afael yn y gannwyll a rhedeg tua'r ddrychiolaeth a llefain allan, 'Llofruddiaeth! Llofruddiaeth!' cyn uched ag y gallai. Yr ysbryd yn ddifraw a'i trodd ei hun yn ddifrifol i edrych ar yr Iarll, a chan ysgwyd ei gadwynau, a ddywedodd wrtho, 'Canlyn fi y marwol bychan'. Y calonnog Iarll, er mwyn gweled amcan a diben y ddyfais yma, ac yn ofidus o'r golled am ei was, pa un a dybiodd ei fod wedi marw, a ganlynodd sawdl y ddrychiolaeth i lawr y grisiau, gan gadw ei bistol yn ei law, ond yn bwriadu na thaniai monaw ond yn y perygl mwyaf.

Yr ellyll a ddaeth allan i fuarth y castell, dros ba un y llamodd yn brysur, a'r Iarll ar ei ôl mor fuan ag yntef drwy dywyllwch y nos. Yn ddiweddaf hwy a ddaethant i ddrws tramwyfa gul mewn gwal, dan fwa maen; wedi myned i mewn, yr ysbryd a ddiflannodd gan suddo i'r ddaear gydag erchyll waedd. Gwynt cryf o'r twll a chwythodd ac a ddiffoddodd gannwyll yr Iarll, pa un oedd yn olau hyd yn hyn; ac felly efe a adawyd mewn lle anial ac mewn dudew dywyllwch. Efe, yn frwd yn ei gorff a meddwl, a daniodd ei bistol, a chan ymsymud ychydig rhagddo yn ei flaen, efe a suddodd yn ddisymwth i drigfan yr ellyllon yma, – megis yn gerydd am ei anghrediniaeth. Er mor enbyd y tybid y codwm hwn, ni ddigwyddodd iddo yr un math o niweid. Nid oedd y pwll mor ddwfn â'i waelod; magl, neu y peth a alwn brad-ddrws, neu trip-ddôr, oedd, wedi ei gywrain osod ar y twll; pan sangid ar ei fin, efe a droe'n ebrwydd ar ei begynau ac a ollyngai y dyn i'r gwaelod, ym mha le yr oedd gwellt a gwair wedi ei osod i wneuthur y codwm yn esmwyth a dienbyd.

Cyn gynted ag y disgynnodd yr Iarll i'r lle daearol hwn, dyma ef yn ebrwydd wedi ei amgylchu â nifer o ysbrydion mewn dull dynol, pa rai a ddygasai ei godwm o'i gylch. Efe a farnodd wrth yr edrychiad arnynt eu bod yn anadlu, a'u bod wedi cryn synnu o'r ymweliad annisgwyliadwy yma, fel ag yr oedd yntef wrth weled ei amgylchu ganddynt. Ni adawsant iddo amser i ystyrio ei sefyllfa, nac i graffu arnynt. Hwy a'i rhwymasant ac a'i diosgasant o'i arfau, ac a'i tywysasant i geudwll oedd yn agos, ym mha le y cauasant ef i fyny. Yr oedd yr Iarll er hyn â'i synhwyrau yn ei gylch, ac er gwaetha ei anhap a'i enbydrwydd, efe yn ddiatreg a ddeallodd mai nifer o fferylliaid oeddynt, yn chwilio allan am y dirgelwch ffilosoffyddaidd, drwy ba un y dywedir y gellir troi pob metel yn aur, pa'r un bynnag ai copr, pres, alcam, plwm &c; neu gwtocwyr arian neu fathwyr; neu ond odid pob un o'r twyllwaith hyn. Pa fodd bynnag, ni fedrodd ef byth wneuthur iawn ddatguddiad ar ba ddyfais yr oeddynt; ond y rhagocheliadau a gymerasant i gelu eu gorchwyl rhagddo; eu sefyllfa mor agos i'r cyffiniau, modd y gallant ymadael â'r deyrnas os digwyddai yr amheuaeth neu'r datguddiad lleiaf amdanynt; a'r twrf a'r lleisiau dychrynllyd, y rhai a wnaethant bob nos, i yrru ymaith rai manylaidd ac ymyrrus: y pethau hyn a barodd iddo gredu eu bod yn dilyn rhyw orchwyl enbydus.

Yr ystyriaethau yma a ddygodd ar gof i'r Iarll yr holl erchyll enbydrwydd y taflasai ef ei hun iddo, a buan y canfu ef ei hun ar y dibyn enbyd hwnnw. O'r lle hwn yr oedd ynddo, efe a'u clywai yn eglur yn ymgynghori pa beth a wnaent iddo: pawb a gydunasant yn rhoi arno farn marwolaeth; un llais yn unig oedd am ganiadu iddo ei fywyd, yr hwn a fynnai ei anfon yn ei ôl, wedi iddo fynegi iddynt ei radd a'i alwad. Er bod yr Iarll yn tybiad fod ei farwolaeth yn anocheladwy, ac er nad oedd dichon iddo gael ymwared, er hynny efe a ddeisyfodd gael siarad â hwynt cyn rhoi ohonynt eu barn ddiweddaf arno. Hwy a'i harweiniasant allan i'r cyngor, a chanadasant iddo lefaru.

'Rwyf yn deall, wŷr boneddigion,' eb ef, 'pa faint o achos sydd i chwi gael ymwared â mi. Fy anghallineb a'm hyfder sy'n haeddu marwolaeth, ac yr wyf yn ei fodlon dderbyn: ond rhowch gennad imi osod o'ch blaen, mai eich distryw yn anffaeledig a ganlyn hynny. Rwyf yn tybied yn ddyledus arnaf fynegi fy enw a'm gradd. Myfi yw Iarll Beaumont, ail flaenor byddinoedd y Brenin. Yr oeddwn yn myned o'r fyddin i'm cartref fy hun; tywydd drwg a'm ataliodd yn y pentref hwn, ple y mae gennyf fy ngweision a'm gosgordd. Fy ngwas pennaf, pa un oedd yn gorwedd wilh droed fy ngwely, sydd raid iddo cyn hyn fod wedi ysbysu fy mhobl o'r ddamwain a ddaeth i mi; hwy yn ddiamau a chwiliant yr achos; a bydded hysbys i chwi, os na'm caent y mynnant wybod beth a ddaeth ohonof, pe gorfyddai arnynt dynnu i lawr y castell. Ystyriwch, wŷr boneddigion, nid wyf yn amcanu eich bygwth. Ond pa angenrheidrwydd bynnag y tybiwch fod yn addas fy rhoi i farwolaeth er eich diogelu eich hunain, rwyf yn tybied fy hun yn rhwymedig i'ch hysbysu yr andwyir chwi yn ddiamau. Os ydych yn amau fy ngradd, y llythyrau yn fy mhoced, gyda gorchymyn oddi wrth y Brenin, a sicrha fy nhystiolaeth.'

Yr Iarll a dynnodd allan ei lythyrau, a thra y bu yr eurychod duon yma yn edrych drostynt, efe a chwanegodd: 'Wŷr boneddigion, gŵr bonheddig wyf fi, ac mi a fedraf gadw cyfrinach, heb ddeisyfu treiddio i'ch dirgelwch chwithau, ac yr wyf yn tyngu i'm cred a'm hanrhydedd na fradychaf monoch.' Y geiriau hyn, pa rai a wnaeth ef â'r urddas honno, pa un na edy gwŷr ardderchog mewn cyfyngder, a'u synnodd hwynt oll. Hwy a'i dygasant ef yn ôl i'w ogof, fel yr adnewyddent eu hystyriaethau yn ei gylch. Eu dadleuon oeddynt feddalach, er bod rhai fyth am ei roi i farwolaeth, a'r rhai hynny gyda llai o egnïaeth nag o'r blaen: eu dadleuon, y rhai a glywai yr Iarll yn eglur, a fuasai yn brawychu calon llai gwrolaidd na'r eiddo ef. Oblegid, heblaw y dyb am farwolaeth, pa un oedd eto heb ei diddymu, pob un a luniodd y fath gerydd ag oedd gyfiawn iddo ei dioddef yn ôl ei dyb ei hun, ac a barodd iddo deimlo eu dychrynedigaethau: ie, angau ei hun, i'm tyb i, sy'n fwy dewisol na'r creulon gyfnewidiadau o obaith ac anobaith. Yr Iarll er hynny yn amyneddgar a ddisgwyliodd am eu barn: ond yr oedd y nifer mwyaf am ei arbed. Hwy a'i dygasant ef allan drachefn; ac un o'r giwed daearol hyn a gyhoeddodd ei ryddid iddo, dan amod iddo adael y pentref, a'i weision, yn y dyb mai ysbrydion oedd yn peri cynnwrf yn y castell, fel yr oeddynt eisioes yn credu; a phan y cyrhaeddai allan o'r dalaith honno, na chrybwyllai air o'i antur. Ar ôl rhoi iddo y llwon yma, hwy a adferasant iddo ei arfau a'i lythyrau, heblaw un a gadwasant. Hwy a wnaethant iddo yfed rhai cwpanau

o win; a phawb a yfasant ei iechyd iddo. Ac wedi atgofio iddo yr
enbydrwydd y rhedasant iddo yn arbed ei einioes, hwy a agorasant y
tripddor, a dau gyfarwyddwr a'i tywysodd tua'i ystafell; ac ar y grisiau
hwy a'i diosgasant ef o'i rwymau ac a ddychwelasant i'w hogof.

Yr Iarll a ddychwelodd i'w ystafell yn llawn o syndod o'i antur; ef
a fu agos â chyfarfod â thynghedfen mwy sydyn a dychrynllyd oddi
wrth ei was: y truan wedi cwbl sobri drwy yr arswydon a oddefasai,
oedd mewn anobaith wedi colli ohonaw ei feistr. Efe a fwriasai fod
yr ysbrydion wedi ei dagu ef, yn ôl yr hanesion a gawsai yn y pentref
o'u harfer. Yn llawn o alar am ei annwyl feistr, a thybiad mai un o'r
ellyllon oedd pan ddychwelodd, efe a daniodd ei bistol ato ef; ond
yn rhagluniaethol y tân a ffaeliodd ag enynnu, a'r Iarll a'i gwnaeth ei
hun yn gydnabyddus. Y gwas truan oedd yn barod i farw o gwilydd
a dychryn o'r anffawd a ochelasid, ac a ddeisyfodd faddeuant am ei
hurtrwydd. Yr Iarll, heb sefyll i wrandaw arno, a orchmynnodd iddo
ei ganlyn ef, oblegid efe a dybiodd mai gadael y castell oedd y sicrwydd
gorau. Hwy a aethant ynghyd ac a ddisgwyliasant oleuni dydd yn y
cyntedd yn arwain i'r pentref. Efe a ddywedodd i'r gwas iddo ganlyn yr
ellyll a'i arfau yn ei ddwylaw, ac wedi amryw amgylchiadau iddo yn y
diwedd suddo i fath o bydew, i ba un y bu'n agos iddo yntef â syrthio;
ac iddo ymron fethu y ffordd yn ôl i'w ystafell. Efe a ddywedodd yr
un hanes i'r offeiriad, pa un a daenwyd hyd y pentref yn fuan iawn;
ac wedi danfon am ei wely a'i ddillad, efe a ymdeithiodd rhagddo.

Swrn o flynyddoedd a aethai heibio cyn i'r Iarll grybwyll gair am yr
antur yma, ac ni buasai ef yn ei ddatguddio heb gennad pendant, pa
un wedi a dderbyniodd. Un diwrnod pan oedd ef yn ei dŷ yn y wlad,
hwy a ddywedasant wrtho fod dyn ar farch, a chanddo ryw achos
pwysfawr i'w ysbysu ef ohonaw, ac nad all aros na dyfod i mewn i'w
lys. Yr Iarll a synnodd wrth y genadwri, ac a orchmynnodd i'w bobl
ymofyn o ba le y daethai y dyn. Y dieithr drachefn a atebodd nad oedd
efe i ddyfod i'r tŷ, nac aros, nac enwi ei feistradoedd. Ac er maint ei
ddeisyfiadau, efe a safodd ar y bont neu yr ysgrogell o flaen y plas. Yr
Iarll, yr hwn oedd ar ei giniaw, a fynegodd y genadwri hynod hon
i'r gwŷr boneddigion ar y bwrdd gydag ef, ac efe a ofynnodd iddynt

am eu cyngor. Rhai a dybiasant fod rhyw achos anhyderus mewn cymaint dirgelwch, ac a dybiasant mai addas dal y cenhadwr. Ond y nifer mwyaf a gynghorodd yr Iarll i fyned i siarad ag ef, rhag ofn colli rhyw hysbysrwydd o bwys i'w ddiogelwch, ac a gynigiasant ddyfod gydag ef; felly efe a ymrodd i'r cyngor diweddaf, ac efe a gyfododd oddi ar y bwrdd ynghyd â'r gwŷr boneddigion oll, ac a aethant at y bont lle yr oedd y cenhadydd yn disgwyl. Pan ddaeth yr Iarll i'r golwg, y dieithr a lefodd allan: 'Nac ofnwch, syr. I amlygu i chwi nad oes gennyf un amcan niweidiol, mi a fwriaf allan fy ergydion.' Ac felly efe a daniodd ei arfau tua'r meysydd. Yna'r Iarll a nesaodd ato, a'r cenhadwr heb ddisgyn i lawr a roddodd yn ei law ddau farch Hisbaenaidd o foddgar gyflwr, pa rai yr oedd efe yn eu tywys, ynghyd â llythyr, ac a ddywedodd; 'Hwn, syr, a'ch hysbysa ymhellach o'm neges; mi a orffennais fy ngwaith yn ôl y gorchymyn a dderbyniais, fy nyletswydd bellach yw dychwelyd.' Ar hyn efe a symbylodd ei farch ac a yrrodd yn brysur ymaith; ac ni wybuwyd byth o ba le y daeth nac i ba le yr aeth.

'Yr ydym yn diolch i chwi, syr, am i chwi hyd yn hyn gelu dirgelwch a fu'n fanteisiol i ni, a ni a ddanfonasom y ddau farch hyn, megis arwyddion o'n diolchgarwch. Danfonasom hefyd lythyr o fawrbwys pa un a adawsoch y dydd —— a'r flwyddyn —— yng nghastell ——. Hyn a all eich dwyn ar gof o antur ddieithrol a ddigwyddodd i chwi yno. Nyni a orffenasom yn foddol y gorchwyl yr oeddym yn ei gylch ac a ddychwelasom i'n cartrefau. Yr ydym yn eich rhyddhau o'ch llwon a'ch dirgelwch; nyni a fynegwn ein hunain eich antur, ac yr ydym yn eich cenhadu chwithau i'w gyhoeddi. Bid iach y byddoch, haelionus Iarll. Hyn sy'n dyfod oddi wrth y chwech gŵr bonheddig pa rai a'ch rhoes i'r fath ddychryn yn selerau castell ——.'

Ar ôl darllen y llythyr, yr Iarll oedd eto yn amau ai iawn oedd iddo amlygu y dirgelwch oblegid ei lwon, ond yn ôl cyngor a deisyfiad y gwŷr boneddigion presennol, efe a fynegodd iddynt yr hynod antur hon, ac a gymerodd ddifyrrwch yn ei hadrodd ar bob odfa.

Y Plas a Gythryblid gan Rywbeth

Glasynys

Rhywbryd yn ystod mis Awst, tua naw mlynedd yn ôl, yr oeddwn
ar 'daith yn nhir y de,' ac ar fy hynt deuthum i le o'r enw Pont
Newydd, ar y ffordd rhwng Llanfair-ym-Muallt a Rhaeadr Gwy.
Pan oeddwn yn dyfod ar hyd y ffordd fawr, yr oedd rhyw deimladau
trymluog yn llenwi fy mynwes. Yr ydoedd yn nosi'n drwm, a phob
peth o'm deutu'n swnio ac yn edrych yn bruddglwyfus. O'r diwedd,
cyrhaeddais y lle a enwyd, ac euthum i'r gwesty er mwyn cael tamaid
o fwyd a llymaid o ddiod; ac os oedd modd, lety noson. Erbyn myned
i mewn, yr oedd yno chwech neu saith o ddynion pur barchus yr
olwg arnynt yn 'difyrru uwch ben diferyn' o rywbeth, pe buasai'n
waeth o ran hynny pa beth.

Yr oedd yno gegin lanwaith helaeth, a phob peth ynddi yn edrych
yn lân a threfnus. Eisteddais i orffwyso yn eu cwmni, a ches lasaid o
sider o dan gamp gan wraig y tŷ, yr hon a edrychai'n llawen, mwyn,
a charedig. Pan euthum yno, fel y deëllais wedyn, yr oedd un o'r
rhai oedd yn eistedd yn adrodd chwedl yr oedd wedi ei chlywed yr
wythnos cynt, am ddigwyddiad hynod oedd wedi cymryd lle mewn
cwr o Sir Faesyfed, heb fod yn rhyw bell iawn o Fynachlog y Cwm
Hir. A thyma'r hyn a loffais i ohoni. Yr oedd yno ŵr a gwraig newydd
briodi, ac mewn awydd mawr am gael lle i fyw. Gan fod gan y wraig
gynhysgaeth dda, a chan y gŵr lawer o ddyddynnod yn ei eiddo ei
hun, heblaw swm mawr o arian a gafodd ar ôl hen ewyrth iddo, yn ôl
llythyr cymun ei dad – felly yr oeddynt yn gyfoethog, ac yn naturiol
yn chwilio am le amgen na chyffredin. Bu'r ddau, a'u teuluoedd, yn
edrych am le cymwys am yn hir, ac yn ffaelu cael eu plesio am dro:
ond o'r diwedd cawsant ar ddeall bod Syr Hwn-a-Hwn (gwell peidio
â rhoddi'r enw'n llawn, gwna'r ffugenw hwn am y tro), am osod hen
blas oedd wedi bod yn wag ers amryw flynyddoedd – yn wag ers rhai
ugeiniau, oddieithr fod yno un hen wreigan yn cysgu ynddo, ac yn

cadw tân o'r naill ystafell i'r llall. Ni chysgai'r un o'r gweision yn y tŷ pe blingid hwy: os arhosent yno ddwy noson pan ddeucnt yno gyntaf, byddent yn sicr o fynnu cael myned allan i'r ystablau neu rywle, neu ymadawent oddi yno rhag blaen. Er nad oedd y perchennog yn ei ollwng ef o'i law un amser; oblegid yr oedd hynny yn ewyllys yr hen lanc a'i rhoddes ef i'r teulu, sef nad oedd y lle fyth i gael ei osod i eraill, ond i gael ei gadw yn rhan o leoedd byw Syr Hwn-a-Hwn o oes i oes yn ddi-ball. Yr oedd o leiaf dair oes wedi myned drosodd er pan oedd wedi dod yn eiddo'r teulu anrhydeddus, ac yr oedd pob un o'r teulu, rywbryd yn eu hoes, wedi gwneud cais am fyw ynddo, ond ni bu'r un ohonynt erioed ynddo fwy na dwy noson olynol, ac nid oedd neb yn medru dyfalu paham ar y cyntaf; ond daeth y peth yn chwedl pen gwlad o dipyn i beth, ac nid oedd dim cyfrinach ymysg y bobl oedd yn byw o gwmpas paham nad oedd yno neb yn aros yno ddim ond am gyn lleied ag y medrent. Bu'r lle yn wag am hir feithion flynyddoedd; er hynny, cedwid ef yn drefnus; oblegid yr oedd yn rhaid gwneud hynny yn ôl y rhoddiad.

Aeth si ar led fod y plas ar osod, ac nid oedd na byw na bywyd i'r gŵr ieuanc oedd newydd briodi, gan ei wraig, nad elai heb atreg i chwilio amdano. Myned a wnaeth ryw ddiwrnod hefog ewyrth iddo at y neb a edrychai ar ôl y lle, er mwyn cael gwybod a oedd rhyw sail i'r sôn a wneid, a cha'dd wybod gan hwnnw na osodid mo'r lle, ond ei fod yn meddwl 'y câi fyned yno i fyw, heb na threth na degwm, am yr hyd y mynnai; yr oedd yr un oedd wedi bod yno y rhan orau o gan mlynedd newydd farw, ac nid oedd neb yn tywyllu mo'r fan ond gefn dydd golau er pan fu hi farw.' Dywedodd y deuai, os ewyllysient, y diwrnod hwnnw at yr hwn a'i pioedd, ac y caent felly sicrwydd ynghylch y peth. Myned a wnaethant, a chawsant Syr Hwn-a-Hwn yn ei lyfrgell: caed derbyniad croesawus, a phan glywodd eu neges, dywedodd ar unwaith na osodai mo'r plas, ond bod cyflawn groeso i'r gŵr ieuanc fyned yno i fyw am yr hyd a ddymunai, ac y câi le i gadw ychydig o wartheg a cheffylau am ardreth resymol yn y dolydd gerllaw iddo. Gwnaed y cytundeb yn ddi-nag, ac wedyn cychwynnwyd tua thref yn llawen oherwydd pa mor ffodus a fuont y diwrnod hwnnw.

Wedi cyrraedd adref nid oedd yno ddim ond llawenydd, ac nid neb a lawenychai'n fwy na'r wraig ieuanc pan wybu fod y plas i'w gael. Yr oedd hi ar unwaith yn ei meddwl yn dechrau trefnu pethau ynddo. Yr ystafelloedd a'r dodrefn. Y morynion a phob peth; a chan eu bod yn cael y lle am ddim yr oedd am dorri tipyn o gyt er mwyn dangos i'r wlad, yn enw dyn, eu bod hwythau'n rhywun. Garw ydyw'r byd am fod yn *rhywun*!

Paratowyd i fyned yno'n union deg, a lle hynod o dlws ydoedd. Safai'r tŷ ar gwm gwastad lled eang; drwy ganol hwn ymddolennai afon loyw. Ar gyfencyd yr oedd bryniau coediog yn graddol a diog ymgodi: tra o'r ochr arall ymsythai mynydd serth wedi ei wisgo'n dewglyd hefo grug a mwsogl. Yr oedd y gwastadedd wedi ei rannu'n ddolydd mawrion, a'r cloddiau'n llawn o goed iraidd – gan mwyaf o goed afalau perion. Yn gylch o gwmpas y plas yr oedd derw canghennog, ynn talfrigog, masarn deiliog, a phinwydd talog: mewn gair, yr oedd yn un o'r lleoedd prydferthaf a welid yn y rhan honno o'r wlad. Yr oedd yno hefyd bysgodlyn o flaen y drws, ac elyrch cyn wynned ag eira yn araf nofio, hefo'u gyddfau bwâog a'u hesgyll ymchwyddog, ar hyd ei wyneb mân-donnog. Ofer crybwyll am y gwelyau o flodau symudliw a'r gerddi ffrwythlon, ynghyd â'r berllan drefnus oedd gerllaw iddo; gan hynny, awn i mewn i edrych pa fath olwg sydd yno.

Nid oedd modd fod dodrefn gwell; eu hunig fai a'u prif brydferthwch ydoedd eu bod yn bur hen. Y mae'n wir bod rhyw fath o leithder awyrol yn yr ystafelloedd: ond nid oedd hyn ond effaith peidio ag agor y ffenestri, a diffyg golau tanau: deuai pethau fel hyn i'w trefn yn bur fuan wedi cael pobl iawn i fyw ynddo. Daeth y pâr ieuanc yno hefo'u gweision a'u morynion, ac yr oedd pob peth yn addo hawddfyd iddynt yn eu lle newydd. Caed pob peth i drefn yn fuan, a choeliai pawb fod llawenydd a dedwyddyd yn aros ac am fod yn eu plith. Ond, 'Nid wrth ei big y mae prynu cyffylog,' ac nid wrth y diwrnod a'r noson gyntaf yr oedd barnu pa fodd y digwyddai yn y plas. Tua hanner nos, pan oedd pawb yn eu gwelyau y noson gyntaf, clywid y drysau yn dechrau clepian, a sŵn gwynt mawr yn

suo drwy'r coed llwyfen oedd yn rhes yr ochr draw i'r pysgodlyn, a
rhyw dwrw cerdded hefyd o'r naill fan i'r llall. Deffroes pawb drwy'r
tŷ, ond ni fedrodd neb gael ar ei feddwl godi. Ysgydwai'r muriau fel
llong mewn tymestl, neu'r coed gan gorwyntoedd, ac yna distawai'n
ddisymwth. Tua dau o'r gloch caed heddwch. Sisialai'r gweinidogion
y bore drannoeth, ac yr oedd dau neu dri ohonynt wedi cael digon
ar eu hoedl yn y fath le, a phenderfynasant fyned at eu meistr a'u
meistres mor fuan ag y deuent i lawr i ddweud na fedrent aros yno
am un noson wedyn. Yn wir yr oedd y cwbl yn hollol o'r un feddwl
a theimladau, ond fod rhai ohonynt yn fwy tafodog, ac yn haws
ganddynt ddweud yr hyn oedd ar eu calon na'r lleill. Ar ôl i'w meistr
godi aed ato, a dywedyd wrtho nad oedd dim posibl byw yno, – eu
bod ganwaith wedi clywed sôn am y twrw a'r trwst a gedwid gan
Rywbeth yn y plas, ond na choeliasant neb tan y noson honno. Ni
chymerent yr holl fyd am geisio byw yno. Crefodd yntau arnynt aros
am un noson wedyn; fod y wraig yn sâl iawn wedi dychryn, ond
meddai, hwyrach y daw pethau'n well. Ar ôl ystyried am dipyn a
siarad â'i gilydd ac ymresymu y naill hefo'r llall, gaddawsant aros am y
noson nesaf; ac yna aed oll at eu gorchwylion, – y naill at y peth yma
a'r llall at y peth arall. Yr oedd y diwrnod hwnnw'n myned heibio'n
rhy gyflym o'r hanner, a chas beth pob un ohonynt oedd meddwl am
y nos. Yn ystod y dydd ni welodd neb mo'u meistres, a choelid ei bod
hi'n sâl iawn, ond pan aeth un o'r merched i'w hystafell nid oedd yno
un hanes ohoni. Methid â deall i ba le yr aethai!

Daeth eu meistr atynt i'r gegin ac ni soniai air amdani hi. Cafodd
pawb ddechreunos digon diddan, ac yr oedd pawb yn ceisio dangos
ei fod ef yn *ddi-ofn* pwy bynnag oedd fel arall. Ond fel y gellir gweled
galar y weddw yn ei dagrau crynion, er y bydd yn treio gwenu ar ryw
ddigwyddiad trwstan diniwaid, felly hefyd yma, hawdd oedd gweled
na ellid galw eu llawenydd ond llygeidyn o haul rhwng dwy gawod
o law. Arosasant ar eu traed hyd nes yr oedd 'un-ar-ddeg yn agos': ac
yna hwyliwyd am eu gwelyau. Cyn ymadael dywedodd y gŵr ieuanc
fod ei wraig wedi dianc adref er y bore, ac y byddai'n dda ganddo gael
cwmni un o'r llanciau am y noson honno. Ond ni châi un fyned heb

y llall, ac aeth y ddau er mwyn bod hefo'i gilydd. Prin y cawsant fyned i'w hystafell nad oedd yno rywun yn curo wrth y drws; aeth y tri yno gan feddwl nad oedd yno ddim y pryd hwnnw ond y merched yn dod i'w dychryn; agorwyd y drws ond nid oedd yno neb. Caewyd ef wedyn yn ddiogel. Yn fuan dyma dri clnioc ti win ar y ddôr drachefn. Ond ni wnaethant ond neidio i'w gwely oddieithr y meistr ieuanc, a aeth ei hun yn awr at y drws ac agorodd ef yn llydan, ac fe aeth allan i ben y grisiau a'r gannwyll yn ei law. Pan oedd yno clywai, debygai, *rywbeth* yn llithro ar hyd y canllaw yn drwm, gan swnio'n bur debyg fel y bydd eira'n tyrfu wrth lithro'n araf ar hyd y to pan fo hi'n dadmer. Ar hyn clywai waedd ddychrynllyd yn ei ystafell ei hun, a pha beth oedd yno, meddai'r llanciau ar ôl hyn, ond dynes heb un pen ganddi yn sefyll wrth y ffenestr. Yr oedd hwnnw, sef y pen, yn cael ei droi o gwmpas ei ben ei hun gan ddyn mawr a safai wrth draed y gwely: yr oedd yn gafael ym mlaen y gwallt! Aeth y meistr atynt a'r gannwyll yn ei law; ond pan oedd yn dod oddi wrth ben y grisiau, clywai rywun yn cerdded o'r tu ôl iddo. Troes i edrych, ond ni welai ddim. Pan gyrhaeddodd yr ystafell y daethai allan ohoni yr oedd honno'n llawn o ryw darth tew llinynnog, ac o'r braidd y cyneuai'r gannwyll ynddo. Yr oedd y llanciau, druain, yn ceisio ymguddio o dan ddillad y gwely, ac yn wylo'n dorcalonnus. Safodd yntau yn y tawch yn ddiysgog, a dechreuodd ei groesi ei hun a dywedyd ei Gredo a'i Bader. Pan ddaeth at enw'r Iesu yn y Credo, cliriodd pob peth ar drawiad amrant, a goleuodd y gannwyll fel o'r blaen. Meddyliodd yn awr fod pob peth drosodd, ond nid cynt y diffoddodd y gannwyll nag oedd y tŷ drwyddo draw yn ferw cynddyrus drachefn o ben i ben. Ysgydwid y gwelyau: ysgytid y llofftydd, caeai ac agorai y drysau, a chlywid ambell dro sŵn cadwynau yn *singl-sanglo* yn ei gilydd. Felly ar ôl hir oddef, daeth yn blygain, ac ymadawodd pob peth a aflonyddai, a chaed y tŷ yn glir a thawel. Pan wawriodd bore drannoeth, cododd y llanciau, ac ni welwyd yr un ohonynt yno am funud yn hwy nag y medrasant agor y drws a myned allan. Y merched, hwythau, ar ôl cael noson flin aflonydd, dechreuasant hel eu dillad ynghyd cyn gynted ag y daethant dros yr erchwyn, ac nid oedd yno neb yn y plas ond y meistr yn unig ymhen ychydig ar ôl iddi ddyddio. Cododd yntau, ac ar ôl aros tipyn yno i edrych o'i gwmpas ac i ryfeddu pa beth a allai fod yr achos o'r cynnwrf dychrynllyd, cychwynnodd tuag adref ar ôl cloi'r drysau. Ar y ffordd, cyfarfu â meddyg ieuanc, a adwaenai ef er pan oeddynt eu deuoedd yn blant. Gofynnodd hwnnw iddo, gan wenu, pa fodd yr oedd pethau yn troi allan yn y plas, a dywedodd yntau wrtho'r holl helynt. Ymadawsant y pryd hwnnw heb ddim byd yn neilltuol rhyngddynt heblaw fod y meddyg yn gwrando'n astud ar bob peth a ddywedodd wrtho.

Aeth adref a chafas ei wraig yn drymglaf, a'i theulu mewn syndod dirfawr wrth glywed eu hanes am y pethau a welsent ac a glywsent yn y plas. Cyn y nos daeth y meddyg yno i chwilio am y gŵr ieuanc, ac i ddymuno arno ddod gydag ef am un noson i'r plas, er mwyn cael gweled, os oedd modd, pa beth oedd gwir achos yr holl gynnwrf a'r rhith-ymddangosiadau hyn. Coeliai'r meddyg nad oedd y cwbl ond effaith rhyw nwy, a bod yn bosibl rhoi terfyn ar y cyfan. Ar ôl cryn ystyried, addawodd fyned, ac felly hwyliasant eu hunain yn gysurus gogyfer â'r hyn oedd o'u blaen. Yr oedd gan y meddyg gostowci milain a chryf gartref, a phenderfynodd fyned â hwnnw ynghyd â llawddryll a chleddyf yno, rhag na byddai dim diffyg arfau, os byddai galwad amdanynt. Aethant i'r plas yn lled gynnar, a dechreuasant hwylio gwneud tân mewn un ystafell, – yr ystafell y bu'r gŵr ieuanc ynddi y ddwy noson cynt; a chan fod yno ddigon o gynnud sych wrth law, nid rhyw hir y buont nad oedd yno dipyn ohono. Yr oedd y ddau yn hapus ddigon yn sôn am y peth yma neu'r peth draw, a'r ci mawr yn gorwedd yn dawel o flaen y tân. Rhwng un-ar-ddeg a hanner nos, dyma'r ci yn codi ei glustiau ac yn eu moelio'n enbyd: cododd ar ei golyn; clustfeiniai'n astud. O'r diwedd cododd yn sydyn ar ei draed, ac edrychai at y drws, ac yna at ei feistr. Ni ddywedodd neb yr un gair, ond dyma fo'n dechrau crynu ac yn ymwasgu rhwng coesau'r meddyg. Nid oeddynt hwy yn gweled nac yn clywed dim. Ar hyn, dyma dwrw cerdded oddi wrth ben y grisiau at ddrws eu hystafell hwy, ac yna dyna dri chnoc ar y ddôr. 'Dewch i mewn. Yr oedd arnom eisiau cael cwmni.' Ac at y drws ag ef; ceisiodd ei agor, ond ni fedrai mo'i chwimiad. Ar hyn, gwelai, pan droes at y tân, ddyn yn sefyll â'i gefn at y simnai, ac fel yn rhoi pwys ei gefn ar y fantell, a'i ddwylo o'r tu ôl o dan gynffon ei gôt. Gofynnodd i'w gyfaill nesu oddi ar y ffordd, y saethai ef beth bynnag oedd yno: ond dyma rywbeth yn gafael yn ei ddwy fraich o'i tu ôl ac yn ei gyffio ar unwaith. Ceisiodd weiddi, ond ni ddeuai ei lais allan. Yr oedd ei gyfaill yn eistedd ar erchwyn y gwely, ac yn gwylied crwydriadau rhyw olau bach gwyrdd a dreiglai ar hyd y llawr. O'r diwedd dyma fe'n cynyddu'n bêl goch, ac yn suddo i'r coed. O'r fan yr aeth y tân o'r golwg, dyma law yn dod allan! Cipiodd yntau'r cleddyf oedd ar y bwrdd a cheisiodd ei thorri. Ond er iddo roddi'r cleddyf drwyddi laweroedd o weithiau, dyna lle'r oedd hi o hyd. Edrychodd arni yn graff, a phan oedd yn gwneud hynny, teimlai y llofft odano fel yn codi bob mymryn. Meddyliodd y pryd hynny am ofni, 'ond na,' meddai wrtho'i hun, 'er bod arnaf arswyd, cadwaf fy *meddwl* yn lân oddi wrth *ofn*. Ni all y pethau rhyfedd hyn wneud dim niwaid i mi, os medraf gadw fy *meddwl* yn glir.' Ond yn awr dechreuodd pethau edrych yn hyllach o'r hanner nag o'r blaen. Daeth cloben o neidr anferth i mewn o dan y drws, ac ymlusgai i'r gwely, a thyna ryw greadur arall anferthach fyth yn ei dilyn, ac un arall ar ôl hynny, a dannedd ganddo fel dannedd ôg, a'r rhai hynny'n dân byw. Ac o gwr arall i'r ystafell, heb fod ymhell o'r fan y gwelwyd y llaw, dyma ryw wreichion mân yn dechrau codi allan, ac yn hedeg o amgylch-ogylch yr holl le. Rhyw fath o chwysigennau o bob lliw a llun, – rhai gwyrddion, – rhai cochion, – rhai melynion, – rhai glas-gwan, ac eraill rhudd-goch fel tân marwor. Hedent yma ac acw, – i lawr ac i fyny, ac o'r diwedd dechreuasant ymffurfio yn fath o drychfilod anolygus, cyffelyb i'r bwystfilod cethin a welir gyda chwydd-wydr mewn diferyn o ddwfr, ac yna dinistrient a llyncent y naill y llall. 'Ond yr oedd yr ystafell yn llawn ohonynt; yr oeddynt hyd fy nillad, yn cripio ar hyd fy wyneb: yn llenwi fy ffroenau, ac yn ymlusgo hyd fy nghlustiau!' Yr oedd y tân hefyd yn ymddangos fel pe wedi diffodd, a'r gannwyll yn pallu goleuo. O'r diwedd, dyma'r sarff dorchog oedd wedi dolennu o gwmpas post y gwely, yn llyncu pob trychfil ohonynt, ac yn siag-wigio'r ddau beth hyll a ddaeth i mewn ar ei hôl, ac yna'n ymchwyddo, nes oedd yn hanner llonaid yr ystafell, ac yn ei thrawsffurfio ei hun i fenyw brydferth tua phump ar hugain oed! Yr oedd y gannwyll erbyn hyn wedi dod i oleuo fel cynt, a'r tân lawn mor siriol ag oedd pan ddaeth y pethau i'n cythryblu. Ond nid oedd yno ddim hanes o'r meddyg. Safai'r ffurf yno'n ddiysgog. 'A minnau,' ebe'r gŵr ieuanc wedyn ymhen blynyddoedd, 'a geiriau ddigon ar fy nhafod, ond yn fy myw ni fedrwn eu hysgwyd allan.' Diflannodd hon yn araf drwy y ffenestr, ac yna nid oedd ond y gŵr ieuanc yn yr ystafell, a phob peth o'i mewn oedd fel cynt, heb eu rhwygo na'u cyfnewid. Eisteddodd wrth y tân am ennyd hir i edrych a ddeuai ei gyfaill ddim o rywle yn ôl. Wedi blino'n disgwyl a phob peth yn llonydd, aeth at ben y grisiau: ond ni welai ddim arlliw ohono. Aeth yn ei ôl, ond wrth ddrws ei ystafell dyma ddyn yn sefyll o'i flaen, – dyn mewn dillad hollol wahanol i ddim a wisgir gan neb sefyllfa yn y dyddiau hyn. Rhoes ei law ar ei ysgwydd, yna diflannodd! Yr oedd y tân erbyn hyn yn dechrau myned yn isel, a'r gannwyll wedi byrhau cryn lawer; aeth yntau i mewn i'r ystafell, ond ni chaeodd y drws. Eisteddodd yn y gadair ger hynny o dân oedd yno. Ond cyn cael hamdden i *feddwl* dim, dyma gorach o hen ŵr wrth ei ffon i mewn, a rhoes dro ar y llawr a dywedodd, – '*Mi fûm i yma'n byw*'. Yna diflannodd gan daro ei ffon deirgwaith yn y ddôr wrth fyned allan. Daeth un arall ar ei ôl, – dyn canol oed, a golwg bruddglwyfus arno – ei wallt yn llywethau hirion, a'i wyneb rheolaidd a phrydferth fel yn arwyddo dyn o feddwl a threiddgarwch digyffelyb. '*Cefais innau'r lle gan fy nhad, a rhoddais ef i Dduw.*' Syn-safodd hwn yno ar ôl siarad, ac wrth ymadael ymgrymodd yn foneddigaidd. Dywedodd y gŵr ieuanc yn awr wrtho'i hun, 'Mi ddywedaf innau rywbeth trwy gymorth, wrth bwy bynnag a ddaw yma nesaf.' A chyda'r gair, dyma ryw ddüwch mawr yn dod drwy'r drws. Yn wir yr oedd yn ei lenwi, ac yr oedd rhywbeth yn ei ffurf yn debyg i ddyn: yr oedd ganddo lygaid fel dwy bellen werdd, a'r rhai hynny yn edrych drwy rywun. Ac anadlai arogl brwmstanaidd. Siglai'r tŷ fel rhedynen mewn gwynt yn niwedd y flwyddyn, a thybiai'r dyn druan y melid ef yn eisin sil heb ball nac aros. Ond cyn iddo lwyr lewygu gan ofn, dyma lais dwfn cras yn dywedyd wrtho, '*Bu'r lle hwn yn eiddo i mi.*' Yna bu distawrwydd trwyadl am ronyn. '*Y mae trysor allan: ond pwy a'i caiff?*' Yna corwyntoedd allan drwy'r drysau, nes oedd pob man yn crynu ac yn crensian. Yr oedd y gŵr ieuanc bron iawn â darfod amdano: ond yn y cyfamser dyma ddyn ieuanc glandeg a mwyn yn dod i fyny drwy'r llawr, bron o dan ei draed. '*Tyred allan ar frys,*' ebr ef, a gafaelodd yn y gŵr ieuanc. Aeth ag ef allan, a thrwy'r berllan, ac i lawr i ddrysle dreiniog a mierïog. Trawodd ei law wrth fôn coeden yno; safodd am funud heb chwifliad. '*Dyma'r lle: cloddia yma: cei drysor.*' Yna gafaelodd ynddo drachefn a chymerth ef i'r ochr bellaf i'r pysgodlyn; ac wedi cyrraedd cwr y coed, safodd drachefn a dywedodd, '*Agor a thiria, yna wrth fôn y goeden cei olwg ar beth gwerth ei gael, ac yna ceir llonyddwch yn y plas.*' Yna fel olwyn o dân aeth ymaith gan adael y gŵr ieuanc yn y coed. Ni wyddai yn awr pa un ai ynghwsg ai yn effro yr oedd, a dechreuai chwys oer ddyfod trosto, a chryndod iasol ei feddiannu. Nid oedd na siw na miw i'w glywed yn un man. Pob man a pheth mor ddistaw â'r bedd llonydd ei hun. Cododd ymhen tipyn a cheisiodd gerdded, ond gollyngai ei aelodau ef. Ni ddalient mohono ddim. Dwfn ocheneidiai yn ei galon, a gwaeai weled y nos hon erioed. Aeth i feddwl gweddïo, ond yr oedd yn rhy lesg a di-ynni at y gwaith. Methai ysgwyd ei dafod, ac ni symudai ei ysbryd. Pan oedd yn y trybini hwn, clywodd geiliogod y tai oddeutu yn cyhoeddi plygain; siriolodd hyn beth arno, ac aeth yn araf deg gan afael yn y coed at y plas. Yr oedd yn disgwyl o hyd fod y meddyg yn rhywle o'r cwmpas. Wedi cyrraedd yno (nid oedd dim arswyd mwy, oblegid yr oedd wedi pasio caniad y ceiliog), aeth i mewn o lech i lwyn, ond nid oedd yno neb ar ei gyfyl. Rhoes goed ar y marwydos, ac yna gorweddodd ar y gwely: pan oleuodd y tân gwelai'r ci yn un clap wedi ymwthio i ryw gornel fach, ond ni feddyliodd fod dim ond effaith dychryn arno. Erbyn iddi wawrio ac iddo yntau agor y ffenestr, gwelai fod y ci wedi marw yn gelain gegoer, a bod olion mathru a gwasgu arno. Synnodd pa beth a allai fod wedi dyfod o'r meddyg, a dechreuodd fyfyrio pa'r un oedd orau iddo, ai myned i'r lle y bu gyda'r *dyn* (os dyn oedd ef hefyd) yn ystod y nos, ynteu myned adref a pheidio byth wedyn â dod

ar gyfyl y lle, na sôn gair am a welodd ac a glywodd. Bu rhwng dau
feddwl am dipyn; ond o'r diwedd dechreuodd ochri o blaid gwneud
cais, poed a fo, i weled a oedd yno rywbeth ai peidio. Yn chwil fore
aeth â rhaw bâl ar ei gefn at y lle, yn y sinach, yr ochr bellaf i'r berllan,
a daeth o hyd i'r fan a nodwyd iddo heb ryw lawer o drafferth.
Dechreuodd balu a chloddio, ac ofn erbyn hyn wedi cymryd lle
arswyd; wrth gloddio, daeth ar draws carreg wastad, ac o dan honno
dyma grochan pridd lled fawr, ac yn hwnnw yn uchaf peth yr oedd
rhôl o femrwn. Cododd y memrwn a gwelai bethau eraill digon
cymeradwy yr olwg arnynt odano, ac yn eu mysg ddysgl wen a dŵr
ynddi. Caeodd y lle yn ôl, ac ni chymerth ond y memrwn yn unig
gydag ef ymaith. Troes ei wyneb tuag adref yn dra diffygiol; er hynny,
erbyn hyn, yr oedd yn fwy ystig nag y buasid yn meddwl; oblegid yr
oedd yr hyn a gladdodd ar ôl ei weled, yn ymyl y berllan, wedi ei
fywiogi yn an-wedd. Wedi myned ohono gryn encyd oddi wrth y
plas, cwrddodd brawd i'w wraig ef mewn cerbyd, ac felly cyrhaeddodd
adref; ond heb fwyta un tamaid nac yfed un gylfiniad aeth i'w wely, a
chysgodd; ac yn y cwsg poeth berwedig hwnnw y bu am fwy na naw
diwrnod yn ddi-dor! Pan oedd yn y dwymyn boeth, yr oedd yn siarad
peth enbyd am yr hyn a welodd; a chan ei fod yn anodd ar brydiau ei
ddal yn ei wely, galwyd am yr hwsmon yno i'w wylied, – yn ei glefyd
yr oedd wedi colli arno'i hun, ac yn siarad hefo'r pethau a weles yn
ddi-ball. Ac nid oedd dim yn fwy aml ganddo na'r crochan pridd, a'r
lle arall yr ochr draw i'r llyn wrth fonyn y goeden, etc. Coelient oll
mai wedi drysu'r oedd, ac nad oedd y cwbl a draethai ond creadigaethau
ffansi, wedi ei gollwng yn rhydd oddi wrth ofal rheswm. Bu felly yn
y cyflwr gwyllt hwn am yn agos i bythefnos, a phan ddechreuodd droi
ar fendio, hir ac anniben fu heb ddod ato'i hun fel cynt.

Yn awr, pa le'r oedd y meddyg? Bu ef ar goll am ddeuddydd neu
dri. A'r pryd y cafwyd ef, yr oedd mewn sefyllfa mor llawn o bob
ofnau fel y meddyliodd y rhai a ddaeth ar ei draws mai myned ag
ef ar ei union i'r gwallgofdy oedd y peth gorau. Mewn coedwig,
ryw ugain milltir oddi wrth ei gartref, yr oedd hen dderwen fawr
gafniog. Yr oedd o'r tu mewn yn holwy gwag. Rhyw ddiwrnod wrth

fyned drwy'r coed, ac ar ddamwain yn pasio'r hen goeden, troes dau ddyn i'w hedrych, ac o'r tu mewn, fel pe buasai wedi marw, cafwyd y meddyg; yr oedd ganddo lawddryll llwythog gydag ef, a'i wyneb yn gripiadau dyfnion, a'i ddillad yn llyfreiau gwylltion amdano. Yr oeddynt yn meddwl pan welsant ef gyntaf ei fod wedi marw, ond ar ôl nesu ato gwelsant mai cysgu yr oedd; deffroisant ef, ond nid oedd ganddo ddim croen ar ei chwedl, a choeliai y dynion hyn mai wedi yfed ar y mwyaf yr oedd, a bod y *pethau gleision* hynny wedi ymddangos iddo a'i yrru'n wallgof! Cariasant ef at dŷ tafarn cyfagos, ac yno y cawsant hanes am y 'Noson yn y plas,' etc. Aed ag ef adref, a bu am fisoedd mewn sefyllfa beryglus. Gwellaodd i raddau, ond nid byth fel cynt. Ni ddilynodd ei waith ar ôl hyn, ac yr oedd ei olwg hurt yn dangos ei fod wedi cael ei gynhyrfu gymaint fel na allai byth ddod ato'i hun fel yr oedd cyn i'r peth mawr yma gymryd lle. A thyna gafas y meddyg; ond y gŵr ieuanc ar ôl ychydig o wythnosau a wellaodd rhag blaen, ac aeth at y plas cyn gynted ag y medrodd; ond er ei fawr syndod yr oedd rhywun wedi bod yno, ac wedi cael hyd i'r crochan pridd, a'i gynnwys, chwi a ellwch feddwl. Aeth i'r ochr arall i'r llyn, ac yno dan wraidd hen foncyff o bren masarn, cafodd goffr derw, ac yr oedd yn rhaid cael gwif i'w dynnu'n rhydd. Ond tynnwyd ef allan, ac aeth y gŵr ieuanc ag ef adref heb ei agor. Ond pan gafodd ei agor yr oedd yn llawn o drysorau gwerthfawr. Chware teg iddo! aeth drannoeth at Syr Hwn-a-Hwn a dywedodd wrtho pa beth oedd wedi digwydd, a dangosodd iddo'r memrwn. Ar ôl ei edrych yn fanwl gofynnodd y boneddwr iddo a welodd ef rywbeth yn y crochan heblaw y peth hwnnw. 'O! do,' ebr yntau, 'yr oedd yno aur laweroedd, ac yr oedd yno hefyd ryw ddysgl fach a dŵr gloyw ynddi, ac ar y dŵr yr oedd cnepyn o bren tri-sgwâr yn nofio'n aflonydd. Mi gymerais i hwnnw allan ac mi deflais y ddysgl, oblegid yr oedd yn drewi yn arswydus, ac mi dorrodd, ac wedyn mi gymerais y memrwn a chaeais ar y crochan gan feddwl myned yno drachefn, ond gan i mi fod yn sâl iawn, ni ellais fyned yno mewn pryd, oblegid pan euthum nid oedd yno ddim ond lle bu'r crochan a'r cwbl oedd ynddo; ond mi fûm yn fwy ffodus hefo choffr a gefais mewn lle arall,

ac yr wyf am i chwi gael gwybod ei gynnwys.' 'O! na,' meddai Syr
Hwn-a-Hwn, 'cymer a gefaist a dyro'r diolch i Dduw amdanynt,' a
bu'n llawen ganddo oherwydd hyn. Cymerth y memrwn, ac ebe'r
boneddwr wrtho pan oedd yn cychwyn adref, 'Cymer ofal o hwnyna.
Cei lonydd i fyw yn y plas mwy. Dos yno'n fuan a gwna'n fawr o'th
ddigwyddiad, a deuaf yno cyn hir i ymweled â thi.' Wrth fyned ar hyd
y ffordd adref nid oedd dim ond dau beth yn ei flino ef, sef colli'r hyn
oedd yn y crochan, ac afiechyd parhaus ei gyfaill dewr y meddyg. Am
yr olaf ni allai wneud dim ond cynnig rhan o'r cwbl a gafodd, ond ni
fynnai hwnnw sôn am y peth. Ac am y blaenaf daeth i'w ben wneud
un cynnig am gael y peth allan. Yr oedd yn gwybod erbyn hyn, fod
yr hwsmon gydag ef pan oedd yn ei anhwyl, a phriciodd rhywbeth ef
y gallasai ddw*eud cymaint am y crochan yn ei glefyd nes peri i'r dyn
fyned i'r fan a'r lle i chwilio amdano a'i gael. Aeth adref, a chymerth
y memrwn yn ei law, ac aeth at dŷ'r hwsmon, a thyma fe'n agor y
rhôl femrwn, ac yn dweud mai hwnnw a barai'r helynt fwyaf o bob
peth. Os dywedai'r hwsmon ba faint a gafas, y rholiai y memrwn yn y
fan: ond os na wnâi, fe gâi'r hwsmon fyned drwy'r un praw ag yr aeth
ef ei hun drwyddo! Dychrynodd yr hwsmon pan welodd y memrwn
a rhedodd dan y gwely, ac yno'r oedd y crochan yn hanner llawn.
Am iddo fod mor anonest digiodd y gŵr ifanc wrtho. Er hynny,
rhoddodd iddo ddigon i fyw yn dawel am y gweddill o'i oes, ac nid
oes dadl nad aeth y gŵr yn gyfoethog iawn, ac fe ddywedir bod ei
deulu fel yntau yn gyfoethog o hil-gerdd ar ei ôl. Aeth y gŵr ieuanc
i'r plas i fyw, ac ni chlywodd na chynnwrf na chythrwfl yno fyth ar ôl
y 'noson fawr,' a 'chlywes fy nhaid ei hun yn doidid pw mor enbid,'
ebe'r adroddydd, 'oidd hi arno fe y nosweth hyni.'

Bwgan Bryn Tirion

Gweirydd ap Rhys

Yng ngwanwyn y flwyddyn 1851, hyd y cofir, digwyddodd y peth
rhyfeddaf a welodd Gweirydd erioed, a hynny yn nhŷ ei chwaer
hynaf, sef y Bryn Tirion, a elwid fynychaf y Bont Newydd, am ei fod
yn ymyl y Bont Newydd, Llanrhyddlad, Môn. Yr oedd ei frawd yng
nghyfraith, Wil Tomos, yn dal dau ddyddyn bychan oedd yn terfynu
ar ei gilydd, a elwir Bryn Tirion a'r Bont Newydd, ar ôl marwolaeth
ei ewythr, Harri Williams, pan cyn marwolaeth yr hen ŵr mai'r Bryn
Tirion yn unig a ddaliai. Yr oedd tai y ddau ddyddyn o fewn tuag
ergyd carreg i'w gilydd, ac y maent felly eto, ran hynny. Yn y Bryn
Tirion yr oedd Wil Tomos yn byw, ac yr oedd tŷ'r Bont Newydd
wedi ei droi'n weithdy ganddo. Yr oedd ysgubor a beudy ynglŷn â
thŷ'r Bryn Tirion yn un rhes, a gardd ŷd a gwair y tu cefn iddynt, ac
yr oedd rhigol lled ddwfn gen ochr y tai, ar eu hyd, yn yr ardd ŷd, am
fod yr ardd ychydig yn uwch na'r tai. Yr oedd agorfa fechan rhwng y
tŷ a'r ysgubor, wrth fach y walbant nesaf i wyneb y tai; ac wrth dalcen
arall y tŷ yr oedd tŷ glo, a ddaliai dunnell neu ddwy o lo, â drws arno,
a chlo clwt ar hwnnw. Yr oedd gardd ŷd hefyd yn ymyl tŷ'r Bont
Newydd, i gynnwys hynny o ŷd a godid ar y tyddyn hwnnw. Yr oedd
geneth tuag ugain oed yn gweini gyda Wil Tomos a'i wraig ar y pryd,
a'i henw Mari, yr hon y dywedid iddi fod mewn rhyw gysylltiad â'r
crwydriaid a elwir Sipsiwns. Yr oedd un o deulu Wil Tomos eisiau
iddo adael y Bont Newydd iddo ef gan ymfodloni ar y Bryn Tirion.

Wel, un prydnawn ar ôl rhwymo'r gwartheg, ym mis Ebrill 1851
hyd y cofir, pan aed i'w godro canfuwyd eu bod wedi eu godro
bron yn llwyr cyn eu rhwymo, gan rywun anhysbys, gan nad oedd
ganddynt oll hanner cymaint o laeth ag a arferai fod gan un! Trannoeth,
gofalwyd am edrych ar ôl y gwartheg ar hyd y dydd; ond pan aed i'w
godro ar ôl eu rhwymo, gwelwyd eu bod wedi eu godro mor llwyr
y diwrnod hwnnw â'r diwrnod blaenorol, er na welwyd neb dieithr

gyda hwy ar hyd y dydd. Ac er pob gwyliadwriaeth gwnaed hynny ddwywaith neu dair wedyn!

Yr oedd iâr yn gori ar astell gerllaw yr agoriad oedd rhwng y tŷ a'r ysgubor, o'r tu fewn i'r olaf, a phan oedd y teulu yn yfed te drannoeth ar ôl y godro diweddaf a nodwyd, clywent yr iâr yn gweiddi, ac yn hedeg o'r nyth. Aethant i'r ysgubor yn y fan, a gwelent yr iâr, druan, yn llechu'n ddychrynedig yng nghwr pellaf yr ysgubor oddi wrth y nyth, a phan aethant i edrych y nyth, yr oedd y nyth a'r wyau wedi eu cymeryd ymaith, ac nis gwelsant hwy byth mwyach. Yr oedd dau ddrws i'r ysgubor, fel arfer, un yn ochr y wyneb, â chlo arno, a'r llall yn ochr y cefn, yn myned i'r ardd ŷd, a bar arno oddi mewn. Yn fuan ar ôl helynt yr iâr, aeth Wil Tomos i'r ysgubor trwy ddrws y clo; ac er ei syndod gwelai ddrws y cefn yn llydan agored, a sach gwag gyferbyn â'r drws, yn yr ardd ŷd. Adwaenodd y sach yn y fan, yr hwn a adawsai efe yn yr ysgubor yn llawn o wenith; ac wedi iddo gymeryd pwyll i chwilio, gwelai'r gwenith wedi ei dywallt ar hyd y rhigol gwlyb oedd yn yr ardd y tu cefn i'r tai!

Wedi i Wiliam, brawd ieuengaf Gweirydd a Chatrin Jones y Bont, fel y gelwid gwraig Wil Tomos, glywed am y colledion hyn, aeth yno un noswaith i wylio; ac fel yr oedd efe yn myned i'r tŷ disgynnodd carreg, cymaint â dwrn, yn ymyl ei droed oedd ar y gorddrws, ond heb fod neb yn y golwg! Yr un noswaith, fel yr oedd y teulu a Wiliam yn bwyta eu swper, taflwyd carreg trwy ffenestr y cefn a'r wyneb nes yr oedd y gwydr yn deilchion. Drannoeth, pan aeth y forwyn i'r tŷ glo i geisio peth i wneud tân, yr oedd y drws a'r rhiniogau wedi eu cymeryd ymaith, a'r glo yn un rhimyn o'r tŷ glo hyd ddrws cymydog ag oedd yn byw o fewn hyd llain go fer i gefn y Bryn Tirion! Barnodd Gweirydd, yn wyneb hyn, mai'r cymydogion oedd yn gwneud sbort o'r hen bobl, ac aeth at Mr. Williams, Llanfair-yng-Nghornwy, i godi gwarant chwilio; a chwiliwyd y ddau dŷ nesaf i'r Bryn Tirion, sef Pen-y-bont a Thy'n-llawes, er mawr ffyrnigrwydd i'r ddau deulu, ond ni chafwyd yr un arwydd fod ganddynt hwy ddim llaw yn y difrod. Wedi hynny, gwelid y potiau llaeth cadw yn dyfod eu hunain o'r tŷ llaeth oedd yng nghefn y tŷ, ac yn ymdywallt ar ganol llawr y tŷ, gyferbyn â'r holl deulu, sef y gŵr, y wraig, y forwyn a'r gwas gwau. Lluchid cerrig hefyd trwy ffenestri'r tŷ, gefn dydd golau, a chwelid safnau'r teisi ŷd, er mawr golled i'r teulu, heb neb i'w gweled.

Yn wyneb hyn penderfynodd Gweirydd fynnu dyfod o hyd i'r dihirwyr gwastrafflyd ac anystywallt, pwy bynnag oeddynt, gan gredu'n sicr mai'r cyfryw rai oedd yn gwneud sbort o'r hen bobl syml ac anwybodus. Cynullodd ddeunaw o'r cymydogion gwrolaf a allai gael yn yr ardal i fyned yno un nos Sadwrn yn Ebrill, 1851; ac yn eu plith yr oedd William Prichard, gŵr Botedd; Thomas Huws, mab y Pedair Croeslon; Wiliam, hwsmon y Bryn Glas; Huw Huws, Rhos-y-Calch, ac eraill. Yr oedd yr olaf yn borthmon anifeiliaid a chanddo gi cryf a chall, yr hwn y dymunodd Gweirydd arno ei ddwyn gydag ef. Penderfynodd Gweirydd osod y gwylwyr a nodwyd yma ac acw ar y tyddynnod; ac oherwydd ei bod yn niwl lled wlyb y prydnawn hwnnw, oedd i benderfynu dal y distrywiwr, debygasai ef, aeth i'r Bryn Tirion tua chwech o'r gloch i wneud clustogau gwellt bychain i'r gwylwyr i'w rhoi tan eu gliniau yma ac acw ar y tir oedd braidd yn llaith ar y pryd. Yn ysgubor y Bryn Tirion yr oedd y gwellt, a phan ofynnodd i'w chwaer am yr agoriad erfyniodd hithau'n bryderus arno beidio mynd i'r ysgubor mor hwyr, am mai yno yr oedd yr 'ysbryd' yn chwarae ei branciau fynychaf. Chwarddodd Gweirydd, a dywedodd, 'O Cadi bach! Gad di rhyngof fi a'r ysbryd; mi setlwn ni'r gwalch hwnnw heno. Doro i mi'r agoriad.' Gan ei bod yn dechrau tywyllu erbyn hynny agorodd Gweirydd y drws cefn, gan adael y drws gwyneb hefyd yn agored. Pan oedd yn gorffen rhwymo'r glustog wellt ddiweddaf, yn nhalcen pellaf yr ysgubor, â'i gefn at y drysau agored, clywai res o foch bach yn rhedeg drwy'r ysgubor dan wichian, i'r ardd ŷd o'r tu cefn. Aeth ar eu hôl yn y fan i'r ardd, ond ni welai yno na hwch na mochyn! Yr oedd ei chwaer yn pasio drws yr ysgubor at y tŷ arall pan oedd ef yn myned allan, a gofynnodd iddi lle yr oedd yr hwch a'r moch bach ganddi. 'Dyma hi!' ebe hithau. 'Yn toeddwn i'n deud wrthat ti mai yn yr ysgubor y bydd o amla'? Toes gynnon ni ddim hwch a moch bach yrŵan; ond yr ysbryd oedd yna!' 'Gad iddo!' ebr yntau. 'Giei di weld y daliwn ni o heno, pan ddaw Huw Rhos

Calch a'r hen Dwrc yma.' 'Gobeithio gwnewch chi, wir,' ebr hithau. 'Y mae o nid yn unig yn ein dychryn ni'n ofnatsan las, ond yn gneud collad fawr inni hefyd, fel y gweli di.'

Ar ôl hyn, aeth Gweirydd i'r tŷ lle yr oedd cymydoges, Ann Huws, yr Ynys, yn eistedd ar setl yn y simnai fawr; ac fel yr oedd efe yn troi ei gefn at y tân, clywai'r ffenestr oedd yn agos i'r drws yn torri. 'Dyna fo, Prys,' ebe Ann Huws, 'mae o'n gwneud collad enbyd i'r bobol wirion!' 'Ydi wir, Ann Huws,' ebr yntau, 'ond mi dreiwn ni roi'r hen chwech iddo fo heno.' 'Ie wir, gnewch, os medrwch chi sut yn y byd,' ebr hithau. Aeth Gweirydd i edrych am y garreg, a chafodd hi wedi syrthio yn ymyl y ffenestr, yn wleb newydd ei chodi o'r palmant lle'r oedd twll yr un faint â hi yn union!

Pan ddaeth y gwylwyr oll ynghyd, tuag wyth o'r gloch, dywedodd Gweirydd yr hyn a ddigwyddodd, ac ymddangosai rhai ohonynt yn bur frawychus, a dywedodd amryw nad oedd un diben myned allan i wylio; ac yr oedd yn amlwg bod ofn yr 'ysbryd' wedi disgyn ar amryw ohonynt. Ar ôl swper, rhwng naw a deg o'r gloch, dywedodd Gweirydd yr âi efe i safn y das ŷd oedd yng ngardd y Bont Newydd, yr hon a chwelid fynychaf a lle yr ofnai rhai fod 'ysbryd yr hen Harri Williams'; a dywedodd os clywai neu y gwelai efe unrhyw arwydd o'r aflonyddwr, y gwaeddai efe *hai!* nerth ei ben, a dymunodd arnynt oll ruthro allan ar unwaith er dal y lleidr. Yna dymunodd ar Twm Huws, y Pedair Croeslon, un o'r rhai gwrolaf o'r gwylwyr, ddyfod i safn y das yn ei le, ymhen tua chwarter awr, rhag ofn iddo gael annwyd, â'r hyn y cytunwyd. ... Aeth Twm Huws i safn y das yn lle Gweirydd ar yr amser penodedig, a chyda bod Gweirydd yn y tŷ, wedi cau'r drws a myned i'r simnai fawr i ymdwymo, clywai ef, a phawb oedd yn y tŷ, *hai!* bellennig trwy'r simdde. Rhuthrodd pawb allan yn y fan, gan wybod yn sicr mai Twm Huws a lefasai wrth weled neu glywed rhyw arwydd o'r aflonyddwr. Pan glywodd Twm y twrf allan, daeth o safn y das mewn cyffro, a gofynnwyd iddo a waeddodd efe *hai!* 'Naddo, nen tad!' ebr yntau, 'ac ni welais ac ni chlywais i ddim, nes clywad 'ch twrw chi allan.' Yna aeth pawb i'r tŷ mewn syndod, a rhai mewn ofn anaele. Yr oedd hi weithian yn tynnu at hanner nos.

Wedi ymddiddan a thrafod y dirgelwch dros ennyd, dywedodd Huw,
Rhos-y-Calch (un o'r rhai mwyaf diarswyd yn y lle), rhwng difrif a
chwarae, 'Myn diawst i, Prys! Rydw i'n credu mai cythral sy yma!'
'Wel os oes yma gythral neu ysbryd,' ebai Gweirydd, 'rydw i'n ei
sleinsio i ddwad ata i, a dweud fel gŵr bynheddig be sy arno fo eisio.'
Ac allan ag ef, ac archodd Huw i Twrc fyned i'w ganlyn, ac aeth
yntau ar ei air. Yn lled fuan ar ôl i'r ddau fynd allan, clywai Gweirydd
sŵn traed yn rhedeg yn egnïol oddi wrth y tŷ, a thybiodd, er ei fawr
lawenydd, mai'r aflonyddwr oedd yn dianc, a dywedodd, 'Dal o,
Twrc!' gan redeg ar ôl y ci â'i holl ynni. Ac yn ebrwydd clywai lefain,
'O, be wna' i!' Erbyn i Gweirydd ei gyrraedd, pwy oedd yno ond
gwas y Bryn Glas, yn rhedeg adref mewn dychryn, am fod Gweirydd
wedi bod mor rhyfygus â sleinsio'r ysbryd drwg i ymddangos iddo, a'r
hen Dwrc yn ei ddal yn ddiogel gerfydd coler ei grysbais a'i wasgod!
Wedi gorchymyn i Twrc ei ollwng rhedodd y llanc dychrynedig adref
am ei hoedl.

Ar ôl yr antur yna, dychwelodd Gweirydd i'r tŷ yn bur ddigalon,
gan gredu bod yr aflonyddwr, beth bynnag ydoedd, yn llwyr feistr
arnynt oll. Yr oedd y forwyn yn llechu yn ystod yr holl nos yn yr
ystafell gefn, lle'r oedd ei gwely, ond heb fyned iddo; ac yr oedd y
rhan fwyaf o'r gwylwyr wedi myned adref, mewn ofn a siomedigaeth.
Ar ryw ymddiddan, gofynnodd Gweirydd, 'Lle mae hen ddrws y tŷ
glo a'r clo clwt, tybad?' A chyda'r gair clywent ffenestr y cefn yn
torri. Aed yno yn y fan, a gwelent y clo clwt wedi ei daflu i'r tŷ
trwy'r ffenestr. 'Wel myn einioes Pharo!' meddai Gweirydd, 'dyma'r
hen glo wedi dwad; a hwyrach y daw'r hen ddrws a'r rhinioga ar ei
ôl o'n o fuan, ond mi ddalia' i na fedr y cythral ei hun ddim taflu'r
rheini trwy'r ffenast!' Yn ebrwydd wedyn clywent rywbeth yn llithro
ar draws y to (nid oes llofft ar y tŷ), ac yn disgyn ar y palmant o
flaen y drws, a phan aed i edrych, drws a rhiniogau y tŷ glo oedd
yno yn eu crynswth! Yr oedd hi erbyn hynny yn dechrau dyddio,
ac yr oedd pawb wedi ymadael mewn ofn a phetruster ond Wiliam
Prichard, Huw Rhos-y-Calch, Twm y Pedair Croeslon, a Gweirydd,
ac ymadawsant hwythau tua chwech y bore, sef bore dydd Sul, a

hynny mewn syndod a siomedigaeth.

Yr oedd godro'r gwartheg wedi dechrau er ys tair wythnos union y bore drannoeth i'r dydd Sul hwnnw. Aeth Gweirydd yno drachefn ar ôl y bregeth y nos Sul honno, ac yr oedd ei chwaer a'i frawd yng nghyfraith yn hynod ddigalon er nad oedd dim wedi digwydd ar ôl y noswaith flaenorol. Yr oedd y forwyn yn sefyll gerllaw, ar yr hon yr oedd golwg led sarrug, fel yr oeddynt yn siarad am ddigwyddiadau'r noswaith flaenorol, a dywedodd Gweirydd wrthi: 'Y ma' nhw'n deud, hogan, mai o achos rhyw dric a wneist ti â'r Sipsiwn y mae'r holl helynt yma!' Ar hynny ymsythodd hithau, gan gau ei dwrn arno, a dweud: 'Cymrwch chi ofol be ddeudwch chi wrtha i, achos hyn, on'te mi fydd yn 'difar i chi!' Gyda bod y gair o'i genau neidiodd Gweirydd ati, bron wedi llwyr golli arno'i hun, gan ymaflyd yn ei dillad dan ei gên, a'i hysgwyd, gan ei bwrw bendramwnwgl i'r ystafell gefn, lle'r oedd ei gwely, a dywedyd: 'Os wyt ti'n meddwl y medri fy witsio i, llancas, yr wyt ti a'th Sipsiwns yn llwyr gamgymeryd!' Yn y fan clywai dwrf traed yn rhedeg ar y palmant, a rhuthrodd yntau allan, gan redeg â'i holl ynni ar ôl y twrf ond heb weled neb gan ei bod yn bur dywyll. Rhedodd Gweirydd i'r lôn sy'n arwain at Groes y Ferch, tua thri lled cae oddi wrth y Bont nes y llwyr gollodd sŵn y rhedeg. Erbyn iddo ddychwelyd i'r tŷ, dywedodd ei chwaer i'r forwyn fyned i'w gwely dan grio, a dywedyd: 'Mae gormod o gythral yno fo i neb 'i witsio fo na gneud dim arall iddo fo!' Dywedodd yntau wrth ei chwaer mai digon gwir oedd, bod gormod o rywbeth ynddo i hen hogen fel hon fedru ei ddychryn.

Aeth Prys i'r Bont nos drannoeth drachefn, ond nid oedd dim wedi digwydd, ac ni ddigwyddodd dim aflonyddwch o'r fath iddynt byth mwyach. Yr oedd Mari, y tybid yn gyffredin erbyn hyn mai o'i hachos hi yr oedd yr holl aflonyddwch a cholled, wedi bod yn y Bont yn forwyn weithgar a diwyd, ond ei bod yn hynod o sarrug ac anystwyth. Ychydig cyn Calanmai, pan ddeallodd Wiliam Prichard, Botedd, na châi aros yn y Bont mwyach, efe a'i cyflogodd erbyn yr haf. Pan glybu Gweirydd hynny, dywedodd wrth Prichard ei fod yn synnu ddarfod iddo ei chyflogi, gan fod pawb erbyn hyn yn credu

mai o'i hachos hi y bu'r holl aflonyddwch a cholled yn y Bont, ac
nas gallai yntau lai nag ofni bod rhyw gysylltiad rhyngddi a'r helbul,
er nad oedd efe yn deall pa fodd y gallai hynny fod, gan y gwyddai ei
bod yn hogen hollol anwybodus. Yr oedd Prichard yn ddyn pwyllog,
call a boneddigaidd, a dywedodd wrth Gweirydd, yn gwbl ddigyffro:
'O Prys bach! Rydw i wedi trefnu popeth yn iawn efo Mari. Rydw i
wedi dweud wrthi hi, os daw acw ddim twrw, tebyg i'r Bont, y bydd
raid iddi fynd i ffwrdd ar unwaith, heb ddim lol, ac y tala' inna iddi
am a fu; ac y mae hitha'n reit fodlon. Deudodd eich chwaer wrth Elin
(Mrs. Prichard) ei bod hi'n forwyn dda, weithgar, ac mi wyddoch pa
mor anodd ydi cael un felly.'

Gan na chadwai lle Gweirydd (y Cae Crin) ond un fuwch yn yr Haf
byddai'n cael cadw'r ail ym Motedd ar ôl i Wiliam Prichard ddyfod
yno. Un prynhawn tesog, tua diwedd Mehefin, 1851, daeth Prichard
at Gweirydd a'r llanciau i'r gweithdy, a golwg bur bryderus arno, a
dywedodd: 'Mae rhwbath hynod wedi digwydd acw ddoe ac echdoe,
Mr. Prys. Pan aeth y merchaid i odro'r gwartheg y ddau fora yr oedd
wyth ohonyn nhw wedi'u godro'n llwyr yn y nos. Gan 'i bod yn
debyg o fod yn noson braf heno rydw i am ofyn i chi a Siôn Ifan (pen
gwas Gweirydd) a welwch chi'n dda ddŵad acw heno i'w gwylio
nhw efo mi a Wil Parry (hwsmon Botedd)?' 'Dyna Sipsiwns Mari yn
dechrau gweithio efo chitha, Mr. Prichard,' ebai Gweirydd, rhwng
difrif a chwarae. 'Wel, mi gawn welad,' ebr yntau. Yna gofynnodd
yn bryderus, 'Odrwyd mo'ch buwch chi, tybad?' 'Naddo'n sicr!'
ebai Gweirydd, 'neu mi fasa Elin yn siŵr o ddeud.' Yna galwyd ar
Elin, merch Gweirydd, yr hon a ddywedodd fod cymaint o laeth gan
Mwynig y ddau ddiwrnod hynny ag erioed, ac un hynod o laethog
ydoedd.

Aeth Siôn Ifan a Gweirydd i Fotedd yn ebrwydd ar ôl swper y
nos Sadwrn honno, ac yr oedd yn noswaith hyfryd a golau dros ben.
Yr oedd y gwartheg yn pori mewn cae gwastad sydd o flaen drws
Botedd. Gwyliodd y pedwar dyn y gwartheg yn ofalus ar hyd y nos,
gan gerdded o'u hamgylch, a siarad yn uchel â'i gilydd, mewn pellter
cyfaddas. Pan ddaeth y bore, dywedodd Prichard yn hyderus wrth

Gweirydd, 'Wel dyna neithiwr wedi pasio heb neb ddŵad yma i odro beth bynnag!' Ac yn wir, yr oedd y pedwar dyn yn credu'r un fath. Ond erbyn i'r merched ddechrau godro, gwelsant fod naw o wartheg Prichard a Mwynig Gweirydd, y ddegfed, wedi eu godro bron yn llwyr. 'Be ddeudwch chi bellach am Mari, Mr. Prichard?' gofynnai Gweirydd. 'Wel mi ddeuda' y caiff hi fynd i ffwrdd yfory, heb ddim chwanag o dwrw,' ebr yntau; ac felly fu; ac ni chlybuwyd byth mwyach sôn am odro gwartheg yn y nos, na thorri ffenestri heb neb i'w gweled yn lluchio cerrig, na dim o'r holl helynt a nodwyd, hyd y clywsom ni, yn ardal Capel Llanrhyddlad.

Nis gallwn ni gredu bod gan ysbryd ddim llaw yn y drafodaeth anhysbys a nodwyd, ac yr ydym yn gwbl sicr yn ein meddwl ein hun, bod y llances a nodwyd yn rhy ddi-ddysg ac anwybodus i wneud dim o'r triciau ohoni ei hun. A oedd rhyw gysylltiad rhyngddi a'r Sipsiwns crwydrad, nid ydym yn gwybod. Clywsom y medr rhai o'r crwydriaid hynny, trwy gymorth rhyw gyfferi, wneud eu hunain yn anweledig. Nis gwyddom a ydyw hynny'n wir ai peidio, ond gwyddom yn sicr nad oedd neb yn weladwy yng nghyflawniad yr holl ysgelerderau a wnaed yn y Bont Newydd ac ym Motedd. Dywedodd George Williams, arolygwr Chwarel Pantdreiniog, Bethesda, Sir Gaernarfon, fod pethau cwbl gyffelyb wedi digwydd yn ei gartref ef, yn Nyffryn Clwyd, ac y parhasant yno hefyd, er mawr golled i'w fam a'i frodyr, am oddeutu tair wythnos, yr un fath bron yn gymwys ag y buont yn y Bryn Tirion a'r Bont Newydd.

Hir yw Aros Arawn

Daniel Silvan Evans

Yn rhywle yng ngodre'r wlad,* yn yr amser gynt, yr oedd amaethdy cyfrifol, a phobl gyfrifol ddigon yn byw ynddo; ond yr oedd un o ystafelloedd y tŷ, yr hon a arferasai fod yn ystafell wely, yn ddiwerth, ac yn waeth na diwerth, i'r preswylwyr, oherwydd bod aflonyddwch ynddi, a rhyw sŵn rhyfedd ar brydiau yn dyfod ohoni. Os cynigiai neb fyned iddi i gysgu, ni fuasai waeth iddo geisio gwneuthur hynny ar ben llwyn drain, gan na châi ddim tawelwch na gorffwystra; ac oblegid hynny, bu gorfod gadael yr ystafell heb wneuthur un defnydd ohoni. Clywid ynddi bob math o dwrw a dwndwr annymunol; a gallesid meddwl lawer tro na buasai cymaint â dodrefnyn o'i mewn heb gael ei wneuthur yn gandryll. Yn nhrymder y nos clywid yn fynych yn y gell honno, ac weithiau o amgylch y tŷ, ryw lais irad yn dolefain yn hirllaes: 'Hir yw'r dydd, a hir yw'r nos, a hir yw aros Arawn.' Yr un oedd y geiriau bob amser, a'r un oedd tôn y llais anhyfryd a'u llefarai. Yn y wedd hon elai pethau ymlaen am lawer o amser, nes yr oedd y teulu, i ryw raddau, wedi cynefino â'r aflonyddwch a'r oernad; ond prin yr oedd neb ohonynt byth yn beiddio agoryd drws yr ystafell honno.

Un noswaith dduoer yn y gaeaf, a phobl y tŷ yn eistedd o amgylch tân y gegin cyn swper, dyna rywun yn galw yn y drws. Ateb y drws ac erchi i'r neb oedd yno ddyfod i mewn at y tân ac ymdwymo. Gyda'i fod wedi eistedd a chyfarch y teulu, gofynodd y gŵr dieithr am damaid i'w fwyta, ac am lety o dan y gronglwyd dros nos. Dywedwyd wrtho

---

*Wrth 'odre'r wlad' y golygir, yng nghanolbarth Ceredigion, rhannau isaf y Sir honno, ynghyd â'r parthau cyfagos o Sir Gaerfyrddin a Sir Benfro, yn enwedig yr olaf. Nid hawdd nodi y terfynau, gan nad arferir yr enw gydag un math o fanyldeb; ond ymddengys nad yw yn cynnwys 'gwaelod Sir Benfro', y parth, yn ôl llên y werin, y mae y dynion hynny sydd â'u meddyliau ar grwydr mor hoff ohono, ac mor gymwys i'w breswylio.

fod iddo groesaw calon i fwyd, a diod, a chynhesrwydd; ond am y gwely, yr oedd yn ddrwg iawn ganddynt nas gallent gynnig un iddo; gan fod yr holl welyau yn ddigon bach i wahanol aelodau'r teulu; ac am yr unig ystafell segur oedd yn y tŷ, nis gallent feddwl am gynnig honno iddo ef, am fod ynddi ryw gythrwfl a dwmbwr parhaus, ac na châi neb lonyddwch na thawelwch i gysgu ynddi gan rywbeth nas gwyddent hwy yn iawn pa beth. 'Nid gwaeth am hynny,' ebai'r teithiwr blin; 'nid oes yno ddim a wna niwed i *mi*; mi a'i cymeraf yn ddiolchgar, ac na fyddwch anesmwyth o'm plegid.' Edrychai y gŵr dieithr yn flin iawn; ni siaradai braidd ddim ond a ofynnid iddo; ac ni welid cymaint â gwên ar ei wynepryd. Cytunwyd ar unwaith â'i gais, er bod yn ddrwg ganddynt feddwl y buasai raid iddo fwrw'r nos yn yr ystafell anniddan honno; a thra yr ydoedd yn cymeryd lluniaeth, gofynnodd gŵr a gwraig y tŷ iddo beth oedd ei enw, ac os ydoedd wedi dyfod o bell. 'Fy enw,' ebai yntau, 'yw Arawn; yr wyf wedi dyfod o bell ffordd, ac wedi cerdded yn galed.' Pan glywyd ei *enw*, edrychodd y teulu yn syn ddifrifol ar ei gilydd, a buwyd am beth amser heb yngan un gair.

Wedi bwyta hyd ddigon, ac ymdwymo hyd gynhesrwydd, gofynnodd y dyn dieithr am gael myned i orffwys, gan ei fod yn ddiffygiol gan y daith a'r tywydd. Dangoswyd iddo yr ystafell fwcïaidd; dymunwyd iddo noswaith dda, a chwsg tawel; er mai prin yr oedd neb ohonynt yn disgwyl y câi gysgu amrentyn.

I'w wely yn yr ystafell brudd yr aeth; ac yn yr amser arferol aeth y tylwyth oll i'w gorffwysfaoedd hwythau. Y noson honno ni chlywyd dim trybestod yn yr ystafell gythryblus, nac mewn un man arall. Pan ddaeth y bore, cododd y teulu fel arferol; edrychwyd yn gyntaf dim am y gŵr dieithr; ond nid oedd efe yno; ni welwyd mohono mwy, ac ni chlywyd dim amdano; eithr deallwyd yn rhyw fodd ei fod wedi gadael y lle, a chychwyn i'w daith gyda rhaciad y wawr; ac o'r pryd hwnw allan darfu yr aflonyddwch a'r dwndwr a'r terfysg; ac ni chlybuwyd byth, nac yn y tŷ nac o'i amgylch, neb yn oeraidd gwynfan am feithder dydd, na meithder nos, na meithder aros Arawn.

Y Llaw Oer

Daniel Silvan Evans

Y mae tri pheth neilltuol yn nodweddu pob bwgan, os bydd o'r iawn ryw, ac yn uniawn ei gred; sef, nas gall, neu nas myn, siarad ond â rhyw un penodol o holl ddynion y byd; nas gall, neu nas myn, siarad â'r un hwnnw, ond pan fyddo ar ei ben ei hun; ac nas gall, neu nas myn, ddechrau yr ymddiddan. O fewn holl gylch llenoriaeth bwcïod nid oes hanes fod neb ohonynt erioed wedi agoryd ei ben wrth neb, os byddai rhywun arall yn wyddfodol. Nid gwaeth i chwi geisio cael bwch i'r odyn na cheisio gan fwgan ddechrau siarad cyn y siaredir ag ef; rhaid i'r dyn y byddo ef wedi penderfynu siarad ag ef, neu wedi cael ei orfodi i wneuthur hynny, ei gyfarch ef yn gyntaf; os amgen, ni fynega yr ellyll mo'i neges ; a hyd oni chaffo arllwys ei gwd a thraethu y chwedl sy ganddo i'w hadrodd, ni chaiff y dyn hwnw byth lonydd ganddo.

Un tro yr oedd bwgan wedi gosod ei nod ar forwyn weini mewn amaethdy, ac â hi, ac nid â neb arall, y mynnai ymddiddan. Deallwyd hyn wrth ei fod yn ei dilyn braidd i bob man, ac yn ymddangos iddi ym mhob rhith ac ystum ar bob achos a chyfle, a thawelwch nid oedd iddi. Ond yr oedd arni hi ddychryn wrth feddwl am gynnal y fath gynhadledd â'r bwci bal; a gwarchodid hi yn ofalus rhag digwydd iddo gael cyfle arni wrthi ei hunan. Yn y dydd edrychid ar fod rhyw un neu chwaneg gyda hi pa le bynnag yr elai; ac yn y nos cysgai rhwng dwy o'i chyd-forwynion; felly nid hawdd oedd i'r bwci gael cyfle arni; ac oferedd oedd iddo feddwl cael ymgomio â hi. Ond ar ryw fore yn yr haf, damweiniodd iddi aros yn y gwely ychydig ar ôl ei chyd-forwynion, a syrthiodd i gysgu. Aeth y morwynion ereill allan o'r ystafell, ac ni feddyliodd neb y gallasai, a hi yn ddydd golau, ddyfod o ddim yno i'w haflonyddu. Eithr pan yr oedd hi fel hyn yn cysgu, ag un fraich iddi yn hytrach dros erchwyn y gwely, dyna rywbeth oer arswydus, saith oerach na thalp o iâ mis Ionawr, yn ymaflyd yn ei llaw; a chan yr ias aethus a dreiddiodd drwy bob cymal iddi, hi a ddeffrödd yn drachwyllt; a phwy oedd yno yn sefyll yn ei hymyl ac yn ymaflyd yn ei llaw ond y bwgan! Nid oedd modd ei ysgoi; ymwrolodd hithau gan hynny i agor yr ymddiddan ag ef yn y dull uniongred arferol; canys rhaid cyfarch ysbrydion yn yr Enw Dwyfol, os byddir am gael ganddynt ddatgan eu cenadwri. Traethodd yntau ei neges wrthi, gan fynegi yr achos ei fod yn ei haflonyddu, a'r boen a barai hi iddo wrth ymgadw rhag siarad ag ef. Dywedodd wrthi fod hen bedol, neu ryw ddarn o haearn, neu ryw faint o arian, neu ryw gêr o'r fath, yng nghudd yn rhywle, a'i bod hithau i fyned yno a chyrchu y cyfryw, a gwneuthur y peth a'r peth â hwynt. Ac wedi traethu ohono ei lên wrthi, diflannodd, a hynny gyda llai o dwrf nag y bydd arferol gan fwganod ei wneuthur wrth ymadael. Gwnaeth yr eneth yn ôl ei gyfarwyddyd, a chafodd lonydd byth o'r dydd hwnnw allan.

Paham y mae dwylaw bwganod mor ddychrynllyd o oer? Ai rhy wylaidd ydynt i nesu at dân ac ymdwymo? Ond bid yr achos y peth y byddo, dwylaw oerion ofnadwy sy ganddynt; ac os ydynt felly yn yr haf, fel y tro hwn, rhaid bod yr ewinrew wyllt ar bob cymal iddynt yn y gaeaf; gan fod eu hoerni ar bob amgylchiad y cafwyd prawf arno, yn ddigon i dreiddio trwy fêr esgyrn y neb y gorfydd arno eu teimlo.

Ysbryd y Crown

Daniel Owen

Fel y mae'r Nadolig yn agosáu, ebe F'ewyrth Edward, mae'n gwneud i mi feddwl fel y byddai pobol ers talwm yn adrodd hanes ysbrydion wrth y tân ar hirnos gaeaf tua'r adeg hon ar y flwyddyn. Mae addysg a phregethiad yr Efengyl wedi gwneud cyfnewidiad mawr yng Nghymru o fewn fy nghof i, er nad ydw i ddim yn hen iawn. Yr ydw i'n cofio pan oeddwn yn llanc yn Sir Ddinbych, fod pobl yn gyffredinol yn credu mewn ymddangosiad ysbrydion, ac mi fedrwn enwi i ti amryw o leoedd y byddent yn deud fod rhywbeth yn trwblo yno. Yn wir, yr oedd rhai pobl lled barchus yn credu'n eu clonne eu bod nhw wedi gweled ysbryd neu rywbeth na fedrant ei esbonio. Ond yr oedd dy daid yn Fethodist selog, fel y gwyddost, ac yn ddig iawn wrth ofergoeledd y cymdogion, ac mi gymerodd lawer o drafferth efo ni i'n dysgu a'n goleuo i beidio â rhoi coel ar bob stori wirion am ysbrydion. Erbyn i mi dyfu i fyny'n llanc, yr oeddwn yn meddwl nad oedd gennyf flewyn o ofn hynny o ysbrydion oedd yn y byd. Ond un tro mi ges allan nad oeddwn mor ddewr ag yr oeddwn yn meddwl fy mod i. Ac fel hyn y bu. Yr oedd fy nhad a F'ewyrth Pitar yn lled debyg o ran eu hamgylchiadau – yn bobol a chryn dipyn o'u cwmpas, ond yr arian yn gyffredin yn brin. Yr oedd pymtheng milltir rhwng ein tŷ ni a'r Llwybr Main, y ffarm a ddaliai F'ewyrth Pitar. I gyfarfod rhyw amgylchiad, fe fenthyciodd fy nhad ddeugen punt gan f'ewyrth, ac fe addawodd eu talu'n ôl yn ddiffael ar yr ugeinfed o fis Tachwedd, sef y dydd o flaen diwrnod rhent y Llwybr Main. Yr oedd ar f'ewyrth eu heisiau'n bendant i gyfarfod y rhent, ac yr oedd y cigydd a brynai ddefaid fy nhad wedi addo'n sicr dalu hanner cant o bunnau i ni bythefnos cyn y byddai'r deugain punt yn angenrheidiol. Ond er addo, ni ddaeth y cigydd ymlaen yn ôl ei air, a bu raid i nhad egluro ei sefyllfa iddo a gwasgu arno, ac addawodd yntau ar ei wir y câi'r arian yn brydlon.

Yr oedd yn aeaf cynnar y flwyddyn honno, a'r eira a'r rhew ar y ddaear ers dyddiau. Yr ugeinfed o Dachwedd a ddaeth a'r cigydd heb ddangos ei wyneb, ac yr oedd fy nhad wedi darn wirioni wrth feddwl am yr helynt a achosai i F'ewyrth Pitar. Ond dwedai fy mam y byddai'r cigydd yn sicr o ddod, ac am i ni gymryd amynedd. Aeth yn brynhawn a'r cigydd heb ddyfod, a phrotestiai nhad na châi byth ddafad ganddo mwyach. Ond tua thri o'r gloch cyrhaeddodd y cigydd a thalodd yr hanner canpunt. Erbyn hyn yr oedd fy nhad ar y drain wrth feddwl am bryder F'ewyrth Pitar, a chynigiais innau fynd â'r arian i'r Llwybr Main y noson honno. Mynnai fy nhad i mi fynd ar gefn ceffyl, ond oherwydd fy mod yn awyddus i gael aros am rai dyddiau yn y Llwybr Main, dewisais gerdded yno. Yr oedd wedi dechre twllu cyn i mi gychwyn, ac i dorri cwt y ffordd eis dros y mynydd. Nid oeddwn wedi gadael cartre hanner awr pryd y dechreuodd fwrw eira'n enbyd. Cerddais a cherddais, ac i dorri'r stori'n fer, collais fy ffordd. Yr oedd yr eira yn dod i lawr yn dameidia mawr, ac wedi gwneud pob man yn ddieithr i mi, a cherddais am oriau heb wybod i ble'r oeddwn yn mynd, ac yr oedd y dieithrwch, y distawrwydd, a'r ffaith fod gen i ddeugain punt yn fy mhoced wedi fy ngwneud reit nerfus. Ond yr oeddwn wedi gofalu rhoi rifolfar llwythog ym mhoced frest fy nghôt, rhag lladron. Ni wn am ba hyd y bûm yn cerdded, ond yr oeddwn wedi blino'n enbyd, achos mi wyddost fod cerdded milltir mewn eira yn fwy trafferthus na cherdded tair ar dir sych. Gwyddwn ei bod yn mynd yn hwyr, ac ofnwn y byddai raid i mi orwedd yn yr eira gan mor flinedig oeddwn, pryd y gwelwn olau fel golau cannwyll drwy ffenest, a chyfeiriais tuag ato. Wedi i mi ddyfod at y golau, cefais ei fod yn dod o ffenest tŷ bach tlawd yr olwg. Curais y drws, a daeth gŵr y tŷ, yr hwn oedd ar fin mynd i'w wely, i'w agor, a chyfarwyddodd fi i'r ffordd dyrpeg. Wedi cyrraedd y tyrpeg dechreuais gofio'r ffordd, er fod yr eira yn rhoi golwg ddieithr ar bobman. Cofiais fod tafarndy yn ymyl o'r enw y *Crown*. Penderfynais nad awn gam pellach na'r dafarn, oblegid yr oedd gennyf eto dair milltir o ffordd i'r Llwybr Main, a minnau wedi blino cymaint fel mai prin y gallwn roi'r naill droed heibio i'r llall, ac yr oedd yn dal i fwrw eira. Ofnwn fod pobol y *Crown* wedi mynd i'r gwely, a choelia fi, da gan fy nghalon oedd gweled golau yn ffenestr y gegin. Yr oeddwn bron yn rhy flinedig i guro'r drws, pan ddaeth gŵr ieuanc i agor, gan fy ngwadd i mewn. Dywedais wrtho am fy sefyllfa, ac y byddai raid i mi gael gwely yno. Aeth i nôl ei fam, ac wedi i mi fynd dros yr un stori wrthi hithau, ac i'r ddau siarad yn gyfrinachol, ebe'r fam:

'Mae'n ddrwg gen i, syr, na fedrwn ni roi llety i chi, er mor dost ydi'r nosweth. Does gynnon ni ond un ystafell heb fod ar iws, a deud y gwir i chwi, y mae rhwbeth yn trwblo yn honno, fel na fydde fo ddiben yn y byd i chi geisio cysgu ynddi.'

'Mi gymeraf fy siawns am hynny.'

'Purion,' ebe'r wraig, 'ond dyna fi wedi deud yn onest wrthoch chi,' a ffwrdd â hi i baratoi tamed o swper i mi, ac i ddweud wrth y ferch am wneud y gwely'n barod. Pan oeddwn yn cymryd swper, holais y wraig am yr ysbryd, a chefais y stori'n llawn ganddi. Yn fyr, yr oedd yn rhywbeth tebyg i hyn. Eu heiddo hwy eu hunain oedd y dafarn, ac yr oeddynt wedi cadw stori'r ysbryd oddi wrth bawb, rhag gwneud niwed i'r tŷ, ond yr oeddynt ar frys am gael ei werthu. Nid oedd neb wedi clywed yr ysbryd ond y fam a'r mab, ac nid oeddynt wedi sôn gair wrth y ferch a oedd yn bur wael ei hiechyd, rhag ei dychryn, a rhoesant siars arnaf innau i beidio â sôn wrthi, ac ebe'r fam:

'Mae'r bachgen yma a finnau yn ei glywed bob nos ymron, ac weithiau fwy nag unwaith yr un noswaith, ond diolch i'r Tad, dydw i ddim yn meddwl fod y ferch wedi clywed dim oddi wrtho, ond y mae hi yn cysgu yn y garret gefn.'

'Beth fyddwch yn ei glywed?' gofynnais innau.

'Wel,' ebe hi yn ddistaw, gan edrych tua'r drws rhag ofn i'r ferch glywed, 'mi fyddwn yn clywed rhwfun yn agor y drws – does ene'r un clo arno – ac yn union deg yn ei gau o wedyn. Yn yr ystafell ene bu farw fy ngŵr ryw flwyddyn yn ôl, ac mi dendiodd yr eneth yma gymaint arno nes y collodd ei hiechyd, ac mae gen i ofn drwy nghalon iddi glywed y peth sy'n trwblo, achos mi fydde'n ddigon am ei bywyd hi, a waeth gen i bydawn i odd'ma yfory, cawn i rwbeth tebyg i bris am y tŷ.'

Yn y funud daeth yr eneth i mewn, a gosododd gannwyll ar y
bwrdd i mi, a dywedodd fod fy ngwely yn barod, a chanodd nos
dawch. Yr oedd golwg wywedig a syn arni, a hawdd oedd gennyf
gredu nad oedd yn iach. Euthom i gyd i'n gwelyau. Yr oedd y tair
ystafell lle y cysgwn i, y mab, a'r fam ar yr un *landing*, a chysgai'r ferch
yn rhywle yn nhop y tŷ. Oherwydd fy mlinder a stori'r ysbryd, ni
fedrwn yn fy myw gysgu. Yr oeddwn wedi rhoi fy rifolfar ar fwrdd
bychan yn fy ymyl. Ym mhen rhai oriau, tybiais glywed rhyw sŵn
oddi allan i'r ystafell. Goleuais y gannwyll y foment honno, a chydiais
yn y rifolfar, oblegid yr oeddwn yn benderfynol os y cawn allan
mai rhyw ddyhiryn oedd yn aflonyddu ar y bobol ddiniwed hyn, y
gwnawn ychydig dyllau ynddo. Ond pan, y funud nesaf, yr agorodd y
drws, euthum i grynu fel deilen, ac yn fwy felly pan welwn ferch ifanc
yn ei dillad nos yn dod yn syth at fy ngwely. Gan edrych yn dyner yn
fy llygaid, ebe hi yn ddistaw:

'Ydach chi'n well, 'nhad bach?' Yna trodd ar ei sawdl, caeodd y
drws ar ei hôl, ac ni welais mohoni wedyn tan y bore. Merch y tŷ
ydoedd druan, yn codi drwy ei hun. Yr oedd ei phryder a'i gofal am
ei thad yn ystod ei afiechyd wedi effeithio ar ei *nerves*, ac er y dydd
y claddwyd ef, yr oedd wedi bod yn codi drwy ei hun am flwyddyn
gron heb yn wybod iddi ei hun nac i'w mam a'i brawd. Felly, mi fûm
yn foddion i roi ysbryd y *Crown* i lawr, ac yr oedd diolch y fam a'r
brawd i mi yn ddiderfyn. Buom yn gyfeillion byth, ac ar fy nhrafel
byddwn yn mynd i'r *Crown* fel bydawn yn mynd gartre, ebe F'ewyrth
Edward.

Ysbryd Hen Ddyn

H. Elwyn Thomas

Rai blynyddau yn ôl, yr oeddwn wedi fy mhenodi i bregethu mewn tri chapel ar yr un Sul. Dechreuwn fy ngwaith trwy gynnal oedfa am ddeg y bore yn Llanelli (Brycheiniog). Ar ôl gorffen, a chael ychydig luniaeth, cychwynnwn i Grucywel, lle y pregethwn am ddau. Ar ôl te yr oedd gennyf daith arall i Llangynidr i gynnal oedfa olaf y dydd. Yr oedd gennyf tua phum milltir a hanner o ffordd i'w theithio rhwng y ddau le olaf – ffordd lydan, lefn, hawdd i'w cherdded, yn cyd-redeg â hen gamlas ddofn fu unwaith yn nodedig am lawer o ddigwyddiadau cyffrous. Wedi gorffen oedfa'r hwyr, hysbysais fy lletywr, yr hwn oedd yn byw ryw hanner milltir yr ochr draw i'r pentref – ochr Tal-y-bont – fy mod yn myned i hebrwng tair merch ieuanc perthynol i Grucywel – a ddigwyddent fod yn yr oedfa – ar eu ffordd yn ôl, nes y deuai cyfeillion i'w cyfarfod, ac y dychwelwn i swper o gwmpas naw o'r gloch.

Noson hyfryd yn nghanol mis Mehefin oedd hi, heb un cwmwl ar yr wybren, na bron yr un awel yn cyffro. Yr oeddem wedi teithio yn agos i filltir a chwarter heb weled yr un arwydd o ddynesiad y rhai ddisgwyliem i'n cyfarfod. Testun ein hymddiddan ar y pryd oedd hen gymeriad hynod oedd yn byw yn Llangynidr. Mae'n debyg ei fod ef a Ficer y plwyf yn hoff o adrodd storïau digrif y naill am y llall. Yr oedd un o'r merched wedi clywed ystori ddiweddaf y Ficer, ac yn ei hadrodd gyda blas pan ddaeth y cyfeillion o Grucywel i'n cyfarfod. Nid oedd dim yn y stori yn dal un math o gysylltiad ag ysbrydion nac ysbrydiaeth; ac nid oedd neb o'r cwmni mewn tymer i feddwl am ymweliadau preswylwyr byd arall. Yr oeddwn i yn bersonol yn anghredadun hollol ynghylch ymweliadau ysbrydion, ac wedi cael hwyl droeon wrth chwerthin am ben y bobl a broffesent eu hunain yn gredwyr mewn pethau o'r fath.

Yr oeddwn bellach wedi ffarwelio â'm cyfeillion, ac wedi cerdded tua chanllath o'r ffordd yn ôl tua'm llety pan welais ar ymyl y gamlas greadur, yr hwn a ymddangosai fel hen gardotyn carpiog, ffaeledig. Yr oedd y lle yn hollol unig. Yr oedd bron hanner milltir rhyngddo a'r anedd-dy agosaf. Nid oedd cymaint â sŵn aden aderyn yn torri ar y distawrwydd o un cyfeiriad. Yr oedd hyd yn oed atsain lleisiau y bobl ieuainc y tu ôl wedi llwyr ddistewi. Ceisiwn ddyfalu am funud o ble daeth yr hen gardotyn i'r fath le. Ni welais yr un arwydd o'i bresenoldeb wrth fyned i lawr yr heol ychydig funudau ynghynt!

Gyda'r meddwl, troais fy ngwyneb yn hollol ddifater i gael golwg arall arno dros fy ysgwydd cyn ei adael. Yn holl gwrs fy mywyd nis gwelais ddim a wnaeth y fath argraff ddychrynllyd ac annileadwy ar fy meddwl â'r olygfa y safodd fy llygaid arni y funud hono! O fewn ychydig fodfeddi i'm gwyneb fy hun, gwelwn eiddo hen ddyn, dros bob darn o'r hwn yr oedd croen melynddu wedi ei dynhau hyd yr eithaf. Yr oedd ei dalcen – yr ychydig ohono oedd yn y golwg – wedi ei orchuddio gan grychiau dyfnion a llydain. Nis gwelais wefusau mor denau a di-liw erioed. Yr oedd ei fochau wedi pantio cymaint nes yr oeddent o fewn ychydig i gyffwrdd â'i gilydd. Safai ei lygaid ymhell yn ôl yn ei ben, ac yr oeddent yn annaturiol olau a threiddiol. Roedd ei enau yn hanner agored fel eiddo corff ychydig funudau ar ôl marw. Yr oedd y gwrthrych ofnadwy hwn wedi ei rwymo mewn plygion o hen lieiniau melynion, y rhai a glymid ar ei gorun a thu ôl i'w ben. Pe bawn yn rhyw gymaint o arlunydd medrwn baentio'r olygfa'r funud hon mor fyw a pherffaith ag y gwelais hi yn agos i ugain mlynedd yn ôl, gan mor ddwfn yr argraff a wnaed.

Cyn cymeryd eiliad o amser i feddwl nac ymresymu, troais fy nghefn ar y weledigaeth, a rhedais tua'r pentref fel un yn dianc am ei fywyd. Wedi gosod, fel y tybiwn, tua thrigain llath rhyngof a'r 'cardotyn' cyrhaeddais y ffordd oedd yn croesi heol y pentref, ac yn arwain tua Thal-y-bont, ar ymyl yr hon yr oedd fy llety. Sefais ar y groesffordd i gael gweled beth oedd wedi dod o'r 'hen ddyn'. Er fy syndod a'm dychryn yr oedd y gwyneb mor agos i f'ysgwydd â phe na bawn wedi symud cam! Gafaelais yn dynn yn fy ngwlawlen ac anelais hi at ei gorff gyda holl nerth fy mraich, a gellir dychmygu fy nheimladau pan ganfyddais nad oedd ond colofn o dywyllwch rhwng y gwyneb a'r ddaear, trwy yr hwn y cerddodd y wlawlen yn araf fel gwialen trwy ffrwd o ddwfr. Fel creadur wedi ei hanner syfrdanu, heb wybod beth i wneud, na pha le i droi, cerddais yn araf am ychydig lathenni, a'm cefn at y ddrychiolaeth, yna cyrhaeddais eithafnod yn fy ofn, pan y medrwn ymddwyn yn rhesymol, meistroli fy nheimladau, a gwynebu fy ngelyn. Penderfynais siarad â'm herlidiwr, a gofyn cwestiwn neu ddau iddo ynghylch ei ymddygiad. Y funud y troais fy wyneb yn ôl, canfyddais nad oedd yr 'hen ddyn' wedi fy nilyn yr un cam ymhellach na'r groesffordd. Safai ar ganol yr heol am ennyd neu ddwy fel pe mewn penbleth. Pan symudais i tuag ato, symudodd yntau ymaith, a pharhaodd i symud yn araf at yr un uchder oddi wrth y ddaear, nes y daeth i ymyl mur y fynwent. Gwelais ef yn croesi y mur mewn man neilltuol, ac yna diflannodd! Y funud y diflannodd aeth y nos yn dywyllach nag wyf yn ei gofio erioed, a chollais innau bob ymwybyddiaeth. Pan ddeuthum ataf fy hun ddwy awr yn ddiweddarach, yr oeddwn yn gorwedd ar ganol y ffordd wedi oeri drwyddof ac yn rhy wan a sâl braidd i symud llaw na throed. Cymerodd yn agos i awr i mi gyraedd fy llety, ac yr oedd golwg mor ddieithr a thruenus arnaf fel yr ysgrechodd merch fy lletywr nes y clywid hi am bellter ffordd, wrth ganfod fy wyneb yn y drws. Nis gallwn yngan gair i egluro fy nghyflwr, er treio'n galed sawl gwaith. Yr oedd yn bump o'r gloch y bore cyn i mi allu dweud dim yn eglur a dealladwy. Treuliais yr oll o'r wythnos ganlynol yn fy ngwely, a bûm am amser hir cyn bod yn debyg i'r hyn oeddwn cyn i'r 'hen ddyn' fy nilyn.

Y mae y darn rhyfeddaf o'r hanes heb ei adrodd. Wedi i fy lletywr fy nghroesholi'n fanwl ynghylch amlinellau gwyneb yr 'ysbryd', ynghylch y lle y gwelais ef gyntaf, a'r fan y croesodd y mur i'r fynwent, hysbysodd fi fod yna hen feudwy yn ateb i'r dim i'r desgrifiad a roddais – llieiniau melynion a phopeth – yn arfer byw hyd o fewn pymtheng mlynedd cyn hynny mewn bwthyn unig yn ymyl y fan y gwelais yr ysbryd gyntaf. Saif adfeilion y bwthyn i'r dydd heddiw. Claddwyd yr hen feudwy ym mynwent y llan tu fewn i'r mur yn gymwys ar gyfer y lle gwelais y gwyneb yn diflannu.

Dylwn ychwanegu nad oeddwn erioed wedi clywed gair o hanes yr hen ddyn cyn y noson grybwylledig, ac fy mod wedi fy ngeni a'm magu bedwar ugain milltir o'r ardal.

Mynd Adref

Richard Hughes Williams

I.

Yr oedd Tom Huws wedi bod yn y ffos dri diwrnod; ac yn awr, pan oedd gynnau y gelyn wedi distewi, dechreuodd sylweddoli beth oedd rhyfel.

'Wn i ddim i be' y dois i yma,' meddai gan grafu ei ben, 'na wn byth o'r fan. Mi ddeudodd yr hen bobol ddigon wrtha i am beidio. Be' ma' nhw'n 'neud heno, tybad? Mi rown i 'ngwn am fod adra.'

Fe'i gwnaeth ei hun mor gysurus ag y gallai yn y ffos oer. Da oedd cael gorffwys i feddwl am gartre pe na bai ond am ychydig funudau.

'Mi fydd yn ddydd Sul yfory,' ychwanegai, 'a finnau yn yr anialwch yma yn saethu at bob creadur llwyd wela' i yn gwingo fan acw. Be' ddeuda' Huw Huws, tybad, 'tasa fo yn fy ngweld i?'

Daeth hen gapel y Cwm yn fyw o flaen ei lygaid, a mil o atgofion i'w feddwl. Melys oeddynt oll; ac o un i un daeth y rhai a garai fwyaf i gadw cwmni iddo yn y ffos.

Y cyntaf i ddod oedd Rhisiart Ifans, ei athro cyntaf yn yr Ysgol Sul. Yr oedd Rhisiart wedi marw pan oedd ef yn blentyn, ond yr oedd yn fyw o'i flaen yn awr – dyn mawr cryf gyda barf laes, yn yr hon oedd ei law chwith bob amser bron. Yr oedd ei law yn ei farf yn awr; ac ofnai Twm weled cerydd yn ei lygaid fel y gwelodd lawer gwaith pan oedd yn blentyn. Ond nid oedd gerydd yn llygaid yr athro y tro hwn, dim ond dagrau.

Ar ei ôl daeth Huw Huws y blaenor. Hen fachgen clên oedd Huw Huws erioed, a thipyn o ryfelwr ei hun. Pan aeth Twm yn filwr, ef oedd yr unig flaenor i ddal dano.

'Ymladd di'n deg,' meddai wrtho, 'a fedr neb dy feio di. Batlo fu hi yn yr hen fyd yma erioed, a batlo fydd hi hyd y diwedd.'

Yr oedd ei eiriau wedi glynu ym meddwl Twm, ac yr oedd bron yn sicr ei fod wedi ymladd yn o lew o deg, er bod hynny yn anodd iawn ambell waith pan oedd yr ochr arall yn cymryd mantais annheg ar ddyn. Yr oedd gwên yn llygaid Huw Huws yn awr, ac yr oedd Twm yn sicr ei fod wedi ymladd yn deg.

Yn nesaf daeth ei dad ato, gan edrych yn graff arno. Yr oedd gwg ar ei ael pan welodd Twm ef ddiwethaf, ond yr oedd wedi cilio yn awr.

Gwyddai Twm nad oedd digofaint yn ei galon pan oedd ei lygaid yn geryddgar, ac yn awr ni welai ddim ond pryder.

'Mi ddeudis i ddigon wrthat ti mai i hyn y dôi hi,' meddai ei dad, gan edrych ar ei ddillad lleidiog, 'ond does dim i'w wneud bellach ond dal ati. A deud y gwir i ti, 'd a' i ddim ar fy llw na faswn i yn dŵad yma atat ti 'taswn i igian mlynedd yn 'fengach. Rwyt ti rwbath yn debyg i'r hyn oeddwn i pan oeddwn i yn dy oed di.'

Cododd hyn galon Twm, ond pan ddaeth ei fam ato ac y gwelodd ei hwyneb curiedig, daeth dagrau i'w lygaid ar ei waethaf. Cydiodd yr hen wraig yn ei gôt yn union fel y gwnâi pan ddeuai o'r chwarel ar ddiwrnod glawog, a rhoes ochenaid drom.

'Beidi di â chael annwyd, dŵad?' gofynnai, gan wasgu ei ddwylaw.

Ni allai Twm ei hateb. Gwyddai yn eithaf da fod cannoedd o'i gyd-filwyr wedi rhewi yn y ffosydd, ac nid oedd yntau ymhell o wneud y munud hwnnw. Gwell oedd ymladd, wedi'r cyfan, na swatio yn y ffos oer. Caeodd ei lygaid rhag gweled ohono y trallod yn llygaid ei fam. Y munud nesaf ysgydwodd y ddaear fel gan ddaeargryn, a disgynnodd Twm fel cerpyn yng ngwaelod y ffos.

II.

Gyda hanner dwsin o filwyr eraill dygwyd Twm i'r ysbyty. Ni wyddai yn iawn paham y dygwyd ef yno, oblegid nid oedd y belen a laddodd amryw o'i gyd-filwyr yn y ffos wedi ei gyffwrdd ef. Yr oedd wedi ei wneud yn fwy cysglyd nag oedd cynt, dyna'r cwbl.

Ar y cyntaf, yr oedd yn ddig iawn wrthynt am ei ddwyn yno, ac yntau cyn iached â chneuen; ond rywfodd, wedi ei roi i orwedd, teimlai yn llegach braidd, a da oedd ganddo orffwys heb eisiau symud braich na throed.

Rhwng cwsg ac effro clywai feddyg yn dweud wrth filwr clwyfedig, a orweddai yn ei ymyl, y câi 'fyned adre yfory i dreulio'r Nadolig.'

Gyrrodd hyn y cwsg o'i amrannau, a cheisiodd godi ar ei benelin; ond, yn rhyfedd iawn, ni allai symud erbyn hyn.

Daeth y meddyg ato, a datododd ei ddillad. Ni wyddai Twm paham y gwnâi hynny; gallai wneud y gwaith ei hun yn hwylus pe câi amser i ddadflino tipyn. Ond efallai mai gadael i'r meddyg wneud oedd orau. Yr oedd arno eisiau cysgu. Ond ni allai ddeall paham yr oedd yn rhaid i'r meddyg gael siswrn i wneud y gwaith.

'Sut yr wyt ti'n teimlo?' gofynnodd y meddyg.

'Iawn.'

'Oes rhwla yn brifo iti?'

Ysgydwodd Twm ei ben. Yr oedd yn flinedig iawn erbyn hyn. Caeodd ei lygaid, yna agorodd hwynt drachefn.

'Ga' i fynd adra yfory?' gofynnodd.

'Cei, 'machgen i, cei,' atebodd y meddyg.

A chan feddwl am yfory a mynd adre, suddodd Twm i gwsg a breuddwyd.

Gwawriodd y bore, diwrnod hyfryd, annhebyg iawn i'r diwrnodau oer, glawog a dreuliodd yn y ffos.

Cododd o'i wely yn hoyw. Ofnai na châi fyned wedi'r cyfan, ond ni ataliodd neb ef. Croesodd y môr fel mewn breuddwyd, a buan iawn y cyrhaeddodd fwthyn ei dad.

Erbyn hyn yr oedd yn nos drachefn, a theimlai na allai fyned fawr ymhellach, a phan geisiodd neidio dros lidiart yr ardd, fel y gwnaeth ganwaith, ymsaethodd poen trwy ei holl gorff, a chiliodd ei nerth yn llwyr. Pwysodd ar garreg y ffenestr, ac edrychodd i mewn i'r tŷ o dan y cyrtan bach.

Yr oedd popeth yn y gegin yn union fel yr oedd y bore yr aeth i ffwrdd.

Nid oedd hyd yn oed y llestri brecwast wedi eu cadw, ac yr oedd ei esgidiau gwaith yn union yn yr un lle ag y gadawodd hwynt o dan y setl. Eisteddai ei dad yn ei gadair wrth y tân, ei lygaid ynghaead, a'i getyn yn oer yn ei enau. Ar stôl yn ei ymyl eisteddai ei fam yn

syllu'n syn i lygaid y tân. Ar ei glin yr oedd y llyfr mapiau oedd
ganddo ef yn yr ysgol pan yn blentyn. Tynnodd bin yn araf o'i gwallt
gwyn, ac wedi rhoi sbectol ar ei thrwyn, craffodd ar un o ddalennau'r
llyfr, gan dynnu y bin ar hyd-ddi. Daeth ochenaid drom o'i chalon,
a disgynnodd y bin ar y llyfr. Troes ei llygaid at y ffenestr, a chododd
yn sydyn oddi ar y stôl. Yr oedd wedi ei weled; ond dychryn ac nid
llawenydd oedd ar ei hwyneb. Agorodd Twm y drws i yrru'r dychryn
i ffwrdd, ond yn lle'r aelwyd gynnes, ni welai ddim ond tywyllwch –
tywyllwch na welodd ei debyg erioed o'r blaen.

'Druan bach,' ebe'r famaeth, 'yr oedd yn drugaredd iddo gael mynd
o'i boenau.'

III.

'Taswn i yn gwybod yn lle mae o, mi faswn yn dawel,' ebe Margiad
Huws, 'ond dydi y map yma yn deud dim am y lle yr oeddat ti wedi
ei weld yn y papur. Mae yn rhaid dy fod wedi camgymeryd, Robert.'

'Fflandars oedd y papur yn ei ddeud,' atebodd Robert Huws, gan
guro ei getyn ar ffon y grât. 'Yno y mae rijmant Twm yn siŵr i ti. Y
mae pawb yn gwybod am Fflandars. "Dos i Fflandars" ebran nhw.'

'Mi fasa yn dda gin 'y nghalon i 'tasa Twm heb fynd yno, beth
bynnag. Wn i ddim beth ddo'th dros ei ben o. Tasa'r bobol yna wedi
gwneud rhwbath iddo fo, mi faswn yn madda' iddo fo. Dyna fo yn
rhoi ei hun mewn peryg i ddim byd ar y ddaear. Rydw i yn siŵr fod
yna lawar iawn wedi eu lladd.'

'Oes, ddega'.'

'Y creaduriaid gwirion. Ond un garw am gwffio oedd Twm erioed.
Lawar gwaith y deudis i wrtho fo y dôi i drybini rhyw ddiwrnod, a
dyna fo rŵan dros ei ben a'i glustiau ynddo fo.'

'Ond mi ddaw allan ohono fo yn hwylus.'

'Wn i ddim. Mi faswn yn dallt tasa fo yn llwyddo i osgoi y bwledi;
ond yr hen beth mawr yna – be' wyt ti yn eu galw nhw? – sydd yn fy
mlino i. Tasa hi yn fatl deg, mi faswn yn rhoi llawar ar droed Twm,
ond pa siawns sydd gin greadur o ddyn yn erbyn y boms yna? Na, mae

arna i ofn na ddaw Twm ddim drwyddi hi y tro yma.'

'Paid â chyboli, mae o mor saff â phetasa fo ar y setl yna.'

'Na, mae rhwbath yn deud wrtha i ar hyd y dydd nad ydi popeth yn iawn hefo Twm. Mi freuddwydiais i neithiwr ei weld o yn dod adra yn swp sâl, ac mi â' i ar fy llw y munud yma fod rhwbath wedi digwydd iddo fo.'

'Taw, da'ch di,' ebe Robert Huws, gan gau ei lygaid a chysgu, ei arfer pan fethai gyfarfod ymresymiadau Margiad yn deg.

Tawodd Margiad Huws, ond ni thawelodd yr ystorm yn ei mynwes. Daeth holl helyntion bywyd Twm yn fyw i'w chof. Yr oedd wedi cael llawer o helbul gydag ef o dro i dro, ond ni roes iddi erioed boen a adawodd graith ar ei chalon. Ac anghofiodd ei ddireidi; hogyn go lew oedd Twm. Tybed y dôi drwy yr helynt hwn fel y daeth drwy bob helynt arall? Na, yr oedd yn sicr na ddôi, ond – .

Troes ei hwyneb at y ffenestr yn sydyn fel y gwnâi bob amser pan dybiai ei bod yn clywed sŵn traed.

Safodd ei chalon ac oerodd ei gwaed yn ei gwythiennau. Yn y ffenestr gwelai wyneb gwelw Twm, a byd o boen yn ei lygaid. Cododd, ac aeth i agor y drws, ond nid oedd dim i'w weld ond tywyllwch y nos, na dim i'w glywed ond su y gwynt yn y coed.

'Be' styd iti?' gofynnodd Robert Huws, gan agor ei lygaid.

'Dim byd,' atebodd Margiad yn dawel, gan gloi y llyfr mapiau yn y drôr, lle yr oedd wedi bod am ddeng mlynedd.

Dygwyl y Meirw

W. J. Gruffydd

I.

Tomas Prisiart oedd yr olaf o hen deulu Penhelyg, a thua'r adeg yma yn hen lanc yn tynnu at y canol oed. Yr oedd, wrth gwrs, yn ddigon posibl y gwnâi yntau rywdro yr hyn a wnaeth pob un o'i hynafiaid o'i flaen, pan deimlent fod nosweithiau hirion y gaeaf yn dechrau mynd yn faich, a henaint yn gwneuthur eu hanturiaethau caru yn brinnach ac yn anos – hynny yw, yr oedd yn ddigon posibl y cymerai wraig. Ond prif achos y weithred hon yn hanes ei dadau oedd cael rhywun iau na hwy eu hunain i ymgymryd â gwaith y fferm, ac ennill y seibiant tawel hwnnw a hynodasai'r teulu ers canrifoedd. Ond yr oedd gwŷr doeth y plwyf yn adnabod yr arwyddion pan fyddai teulu ar ddiflannu o'r tir, ac ni chredai neb y priodai Tomas Prisiart. Heblaw hynny, yr oedd rhywbeth yn od ynddo, ac ni ddisgwyliai neb iddo weithredu fel pobl gyffredin.

Fel holl ddyddynnau'r plwyf, lle wedi ei ddwyn oddi ar dir cyffredin y Rhos Fawr oedd Penhelyg, ond yn hynny o beth yn unig yr oedd yn debyg iddynt. Y tŷ unnos a gododd rhywun yn yr ail ganrif ar bymtheg oedd ffermdy Penhelyg hyd oes Tomas. Llawr pridd oedd ganddo, yn filfil o rychau gan bwys clocsiau cenedlaethau o ddyddynwyr, a chuddid ei nenbrennau oddi mewn gan gnwd tew o we'r pryf copyn, a'i do oddi allan gan ardd helaeth o'r gwrli a llysiau pen tai a chyffelyb chwyn. O dan ei lofft anhrefnus yr oedd y tŷ llaeth, yn drwm o aroglau hir hel yn y potiau llaeth a hir gadw a budreddi yn yr ymenyn, – yr aroglau hwn a roddai i Benhelyg ei awyrgylch arbennig ei hun. Ym mhellafoedd y ddaear, ym mythynnau'r coedwyr yng Nghanada, ac yn nhiroedd gwlân Awstralia, deuai cyffelyb sawr weithiau i ffroenau hogiau'r Rhos Fawr ar eu pererindod bell, a chofient yn sydyn am y llythyrau y dylasent fod wedi eu hysgrifennu adref.

Hawdd deall na freuddwydiodd yr un ferch erioed am fyned

i Benhelyg yn forwyn, ac nid oedd Tomas yn awyddus ychwaith
am gael 'dynes i stompio hyd y tŷ.' Gwell oedd ganddo wasanaeth
achlysurol dau o fodau hynotaf y plwyf – Jac Sais a Jim Flewog. Gŵr
o Sir Gaer oedd Jac wedi crwydro i Gymru flynyddoedd yn ôl o flaen
ystorm a ysgubasai dros ei fywyd priodasol. Er ei fod yn dal ac yn
gryf, yr oedd ei gerddediad yn ddigon llipa a chrafaglach i'w addasu
ar gyfer Milisia Tre'r Caerau, ac yno y treuliai Jac fis o bob haf yn
dysgu amddiffyn ei wlad, ac yn gwacáu ei barilau mewn rhagor nag
un ystyr. Yr oedd hyn, wrth gwrs, yn gofyn gwas arall ym Mhenhelyg
yn y tymor rhwng C'lanmai a Ch'langaea, phan fachludai Jac a'i bwn
ar ei gefn tros fryniau'r gorllewin, codai Jim fel lleuad dros fryniau'r
dwyrain. Ni wyddai neb lle y byddai Jac yn cadw dros fisoedd yr haf ar
ôl tymor y Milisia, na dim o hanes Jim yn y gaeaf. Yr oedd athroniaeth
y plwyf wedi peidio â phendroni yn eu cylch ers blynyddoedd; ond,
yn eithafoedd yr Yukon, clywodd rhywun Gymro yn canu fel hyn
mewn gwersyll nos:

'Mi feddylies y cawn inna'
Wybod lle mae'r gog y gaca';
Gofynnwn iddi yn garedig
Beth o hanes Jim Penhelig.

'O chwi adar bach y nefoedd
Sy'n cael hedeg môr a thiroedd,
Welsoch rywdro rywun tebig
I hen hwsmon Twm Penhelig?'

Y ddau was hyn, Gog a Magog Penhelyg, oedd unig gymdeithion
Tomas; hwy a fyddai'n golchi iddo, yn corddi, ac yn trwsio'i ddillad.
Yr oedd hen wraig o'r pentref yn dyfod ddwywaith yn yr wythnos i
drin yr ymenyn, ond dyna eithaf ei llafur. Tomas ei hunan a fyddai'n
cyweirio ei wely, a hynny ar fore Sul. Sylwer yn y cysylltiad yma mai
ar nos Sadwrn y byddai Tomas yn myned i'r Bedol.

Er pan fu farw ei fam, ni wyddai Tomas am ddim gwell ystad ar
fyd na budreddi a thrafferthion y dyn diog. Am hynny, ac am fod

glendid a chrefydd yn gyffredin yn perthyn yn agos i'w gilydd, yn enwedig yng Nghymru, yr oedd Tomas yn casáu'r naill fel y llall, ac ni chollai'r un cyfle i arddangos ei atgasedd. Atheist y'i galwai ef ei hunan, disgybl i Bradlaugh a Blatchford, ac am ei fod wedi ei ddonio â mwy na'i ran o allu naturiol, ychydig o grefyddwyr yr ardal a oedd yn gallu dal eu tir mewn dadl ag ef. Nid oedd Tomas yn ddyn cas ond mewn un peth, – yr oedd rhyw awydd anniwall ynddo i beri poen i'r duwiolion, ac er ei fod bob amser yn awyddus i wneuthur cymwynas â'i gymydog, Robert Wiliam y Drefnant, ei hoff bleser oedd ei dynnu i ddadl, a phan fyddai'r hen ŵr wresocaf yn pledio dros ei grefydd, trôi yntau ar ei sawdl gan weiddi 'lol ddiawl' dros ei ysgwydd.

Dydd Gwener oedd diwrnod mawr Tomas; dyma'r pryd y byddai'n clirio ychydig ar aflerwch yr wythnos ar ei gloddiau a'i adwyau a'i fuarth, ac yn ceisio prysuro'r gwaith a oedd bob amser tua chwech wythnos ar ôl pawb arall, ac nid oedd neb yn cofio ei weled yn torri ar drefn y dydd Gwener. Ar ôl swpera, rhoddai bum munud cyfan i'w ymolchiad wythnosol, a dathlai'r seremoni hon gyda'r hyn a allwn ei alw yn goler lân, – gan mai peth cymharol yw pob disgrifiad. Wedyn, deuai awr neu ddwy o'r darllen hwnnw a wnâi Tomas yn wahanol i amaethwyr eraill y fro. Cyfyngid eu hymarferiadau meddyliol hwy i'r awr gysgadur honno a ddaw ar ôl cinio a chyn yr Ysgol Sul.

Digon tebyg oedd maes llafur Tomas i eiddo'i gymdogion, John Huws Clerog er enghraifft, ond gyda'r gwahaniaeth pwysig yma, – yr oedd John Huws yn darllen diwinyddiaeth gyda holl symylrwydd ac ymddiried ffyddiog plentyn, ond darllenai Tomas yr un llyfrau gydag ysbryd cadfridog yn astudio amddiffynfeydd y gelynion. Ond nid oedd John Huws na neb arall ar y Rhos Fawr yn deall egwyddorion sylfaenol diwinyddiaeth Gristnogol yn well na Thomas Prisiart. Wrth gwrs, fel pob milwr gwerth ei halen, nid oedd Tomas yn ei gyfyngu ei hunan i amddiffynfeydd y gelyn ddyn; astudiai'n fanwl hefyd yr holl sothach ffug-wyddonol a dywelltid dros y wlad gan atheistiaid hen ffasiwn diwedd y ganrif. Ac mewn dadl yr oedd ei glywed yn gofyn, 'Welsoch chi beth mae'r *Clarion* yn 'i ddeud yr wythnos yma?' yn arwydd bod y frwydr wedi dechrau.

II.

Dydd Gwener ydoedd, ond yr oedd Tomas yn tynnu at grisis mawr ei fywyd, er na wyddai ef ddim am hynny, – y blynyddoedd canol, cyn dyfod o'r dyddiau blin, pan ddigwydd y gwyrthiau olaf. Ac yr wyf innau am geisio dywedyd sut y bu hi arno ar y dydd Gwener hwnnw.

Yr oedd yn aredig yn y prynhawn, ond sylwai'r ysgolfeistr wrth basio'r cae ei fod yn ddiocach nag arfer. Ar ôl dyfod i ben ei rych, yn lle troi ei wedd ar y dalar, gadai i'r ceffylau bigo'r gwellt gystal ag y gallent oddi ar ei gloddiau anhrefnus. Ac wrth ymdroi felly, cofiodd beth nas cofiodd ers deng mlynedd, – cofiodd mai dydd pen ei flwydd oedd, a chofiodd hefyd ei fod yn bump a deugain oed. Yr oedd y rhan orau o'i oes wedi mynd, ac yntau heb sylwi ar hynny; yr oedd yn myned yn hen ddyn, ac am y tro cyntaf ers blynyddoedd, treiglodd deigryn dros ei rudd.

Yna gafaelodd yn sydyn yn yr afwynau a'r ddeugorn, a daliodd ati'n gyndyn a dygn nes gorffen troi pob modfedd o'i faes caregog. A phan oedd cysgodau'r nos yn araf gau amdano, gyrrodd ei wedd i'r ystabl, a gwnaeth beth na wnaeth erioed yn ei oes o'r blaen. Cychwynnodd am y Bedol ar nos Wener.

Cwmni go anghyffredin i Domas oedd yn y Bedol y noswaith honno. Synnodd yn aruthr pan aeth i mewn i'r gegin a gweled yno rai o bobl barchus y plwyf, pobl wahanol iawn i'r hanner paganiaid a fynychai'r lle ar nos Sadwrn. Yn lle myned ar ei union i'r gadair freichiau yn ôl ei arfer, safodd fel post yn y drws a chyfeiriodd fys o wawd at yr holl gynulliad.

'Wel, myn diawl,' meddai, 'y *mae'r* gymdeithas yma'n gref! Sut y mae hi heno, Sant Wiliam Tomas, Cae Hir? Y mae'n ddywenydd iawn gennym eich cael yma yn y lle amheus hwn. Wel wir, mae hi'n ddiwrnod lladd mochyn ar Satan heddiw, ydi fel rydw i yn y fan yma! A chitha, Tomos Morgan y Foel ac Elis Parri Pen-y-faerdre – a cholofn fendigedig yr Achos, Robert Puw Ty'n-y-llan. Wel, wel, 'ches i erioed y fath anrhydedd ar 'y mhen blwydd o'r blaen.'

Yr oedd ar bawb ofn Tomas pan fyddai'n ysmala fel hyn, ac nid atebwyd gair iddo heblaw rhyw daflu golygon dan eu sgafell a murmur gyda'i gilydd, 'Sut mae hi, Tomas?' Croesodd yntau i'r gadair wag, ac er mwyn dathlu'r achlysur, galwodd am ddiod i bawb yn y gyfeddach.

Wedi golau ei bibell, troes Tomas at ŵr canol oed yn ei ymyl, yn gwisgo ei ddifrifwch fel siwt o lifrai, Wiliam Tomos Cae Hir, a gofynnodd iddo'n ddiniwed ddigon:

'Mae'n debyg ych bod chi yn yr Ysgol Sul, y Sul dwytha, Wiliam?'

'Oeddwn,' meddai yntau, 'oeddwn siŵr.'

'Beth oedd gynnoch chi dan sylw yno, mor hy â gofyn?'

'O sôn am yr Atgyfodiad yr oeddem ni, a dadl dda gawson ni hefyd.'

'Dadl wir!' meddai Tomas, dan yfed ei gwrw, 'dadl wir! a chitha i gyd mor debyg i'ch gilydd â dannedd cribin yn ych syniadau! Sut gythral roeddech chi'n medru cael dadl?'

'Dyna lle'r wyt ti'n methu, 'machgan i,' meddai Tomos Morgan o ben arall y bwrdd; hen ŵr bach â llais gwichlyd fel ebychiad lledraidd ac ansylweddol gramoffôn rhad. 'Roedd yna bedwar ohonom ni yn y dosbarth heblaw'r athraw, ac mae'n dda gen i ddeud fod yna chwech o wahanol farna.'

'Felly wir,' ebe Tomas yn bur sychlyd, 'a beth oeddan nhw?'

'Wel, dyna Wiliam Tomos yn y fan yna: roedd o'n deud na ddaw'r corff i fyny o gwbl. "Mae cyn wiried â'r pader," medda fo, "fod y corff yn pydru." Ond roedd Siôn Fawr yn barnu fod y corff yn codi, ac yn deud y dyla fo godi'n union fel y mae o, am fod arno eisia mynd i'r Farn hefo'r graith ar 'i wyneb a gafodd o wrth achub Twm Lowri, gan mai dyna'r unig fedal gafodd o am 'i wrhydri. Roedd Ffowc Robin yn deud bod y ddau'n methu. "Sut y gall corff godi eto," medda fo, "a ninnau'n gwbod 'i fod o'n pydru yn y ddaear? O'r ochor arall," medda fo, "pa'r iws codi o gwbl os na chodwn ni fel ni'n hunan? Mi fydda' i farw," medda fo, "yn Ffowc Robin, a mi goda' wedyn yn Ffowc Robin − corff ysbrydol, hogia," medda fo − "nef newydd a daear newydd, a chorff newydd hefyd. A chofiwch chi," medda fo, "corff fydd o ac nid rhwbeth annelwig na fedrwch chi mo'i 'nabod o, ac na feder o ddim poeri." Ond dyma ddeudis i − "Ni wyddom ni eto pa beth a fyddwn," a dyna 'Sgrythur ar y pwnc.'

'Pwy oedd y dyn hefo dwy farn?' ebe Tomas, 'gan fod yna chwech o farna rhwng pump ohonoch chi.'

'Elias y Fron,' meddai Wiliam Tomos. 'Mi newidiodd 'i farn pan welodd o fod Siôn Fawr bron yn cydweld ag o.'

Crafodd Tomas Prisiart ei wddf, a phoerodd yn ddeheuig iawn i ganol y tân. 'Rŵan,' meddai, 'gwrandewch arna' i. Mi rydech chi'n griw o bobl gall − ydech, myn cythral. Mi ddeuda' i be-ydi-be wrthoch chi, a pheidiwch chi ag anghofio y peth ydw i'n ddeud. Mae holl athrylith ac addysg Lloegr a'r 'Merica a Germani gen i wrth fy nghefn. Mae'r bobl yma wedi chwilio i mewn i'r peth yn wyddonol: mae nhw wedi pwyso'r mater mewn clorianna ac wedi 'i fesur o wrth y llath. Mae nhw wedi rhoi chwyddwydr ar bob math o gorff, yn saint fel chi ac yn bechaduriad fel finna, a dyma mae nhw'n ddeud yn unfryd unfarn, nad oes dim bywyd ar ôl hwn. A phwy bynnag sy'n deud yn amgen, mae o'n deud celwydd yn 'i ddannedd, ac yn amddiffyn rhyw *vested interest* yn rhywla.'

'Beth ydi hynny, Tomas?' meddai Elis Parri, yr unig Geidwadwr yn y cwmni.

'*Vested interest*? Wel, mi ddeuda' i wrthat ti, Elis. Wyt ti'n cofio'r hen hwch honno gen i a'r clwy arni? Wel, mi fu raid imi 'i lladd hi, a'i chladdu hi mewn peth wmbreth o galch, rhag i dy foch di, Elis, gael y clwy oddi arni. Wel, *vested interest* oedd yr hen hwch. Felly, *vested interest* ydi rhywbeth sydd â'r clwy yn gythral ulw arno, ac yn bwdwr drwadd, ac yn rhwym o roi'r clwy ar betha eraill a'u gneud nhw'n bwdwr hefyd, ond fedri di ddim 'i ladd o am y bydd o'n golled i rywun nag ydi o'n hitio dim botwm am y clwy, neu am fod y calch yn rhy ddrud. Y rhan amla, y calch sy'n rhy ddrud.'

Troes yr araith hon feddyliau'r cwmni a'u tafodau at bynciau politicaidd, ond ni fynnai Tomas adael cwestiwn yr Atgyfodiad. Yr oedd ef heddiw wedi cofio ei fod yn bump a deugain oed, ac am y tro cyntaf efallai, er pan oedd yn fachgen bach, daeth awydd ysgubol drosto i gredu yng ngobaith mawr sylfaenol y grefydd Gristnogol. Ac am fod yr awydd yn tyfu ynddo, troes yntau i ymladd yn fwyfwy

yn ei erbyn. Yr oedd dadl yr Atgyfodiad wedi dirywio erbyn hyn i
beidio â bod yn ddim ond haeriad a gwadu. Yr oedd Wiliam Tomos
a'i gyfeillion, er eu bod yn ddigon sobr, wedi dihysbyddu pob dadl
newydd, ac yn dal i ddywedyd yr un peth drosodd a throsodd; ond
am Tomas Prisiart, yr oedd mynych godi a gwagio ac atgyflenwi'r
pot peint wedi cael eu heffaith arno, ac ni allai yntau wneuthur dim
ond taeru ac ailadrodd, dan igian, yr un geiriau: 'Celwydd a thwyll,
celwydd a thwyll – *y fi sy'n iawn, y fi sy'n iawn.*'

Ac yn awr, sylwch y fath effaith ddinistriol a gaiff un cam ar ŵyrdro
oddi ar lwybr rhinwedd, hyd yn oed pan na bo'r rhinwedd hwnnw'n
ddim ond peidio â myned i'r Bedol ond ar nos Sadwrn. Y noswaith
honno, am y tro cyntaf – a'r tro olaf – yn ei oes, cafodd Tomas y
'cic owt.' Pan drawodd deg o'r gloch, aeth y cwmni i gyd allan ond
Tomas. Yr oedd ef druan wedi ei syfrdanu gan ei huodledd ei hunan,
ac yn wyneb taer erfyniadau gŵr y Bedol, daliai'n dynn yn ei gadair
gan bara i weiddi: 'Y fi sy'n iawn.' Gŵr byr iawn ei dymer oedd gŵr y
tŷ, a chyn i Domas sylweddoli'r anfri a roddid ar ei berson, fe'i cafodd
ei hunan yn eistedd yn drwm ar y ddaear laith o flaen drws y Bedol,
a chlywodd y bariau trymion yn disgyn, a gwichiad y clo, cyn iddo
gael amser i godi.

Yr oedd ganddo ddwy filltir helaeth nes cyrraedd Penhelyg, ond
cyn ymgyflwyno i'w bererindod flin tua thref, ysgydwodd ei ddwrn
yn hollol ddiduedd i'r pedwar cyfeiriad, ac yna, fel math o ail feddwl, i
fyny tua'r sêr, a rhag ofn bod rhywun yno dan gamargraff ynghylch ei
argyhoeddiadau, gwaeddodd drachefn, 'Lol i gyd ydi'r Atgyfodiad, y
fi sy'n iawn.' Yna, dan ysbrydiaeth ei gredo, cychwynnodd tua thref.

III.

Hen 'lwybyr eglwys' oedd yn arwain o'r Bedol i Benhelyg, yn
atgof o'r hen amser pan oedd y tir i gyd yn gyffredin, a phan gâi'r hen
dduwiolion ddewis eu ffordd heb glawdd na magwyr i'w lluddias,
wrth gyrchu tua'r eglwys. Yr oedd rhan gyntaf taith Tomas Prisiart
felly trwy lidiart y fynwent, gydag ochr yr eglwys rhwng y beddau, ac

yna dros gamfa i gae Ty'n-y-llan.

Cerddodd Tomas yn araf drwy'r llidiart wichiedig, ac o dan fur eglwys Llanfesach. Pan ddaeth at yr eglwys, sylwodd fod yr hen ddrws derw hoeliog yn agored, a phasiodd ias o ddychryn drosto, nad ydyw hyd yn oed atheistiaid proffesedig yn hollol rydd oddi wrtho. Cofiodd drachefn mai dydd pen ei flwydd oedd, a chofiodd hefyd yn sydyn mai ar Ddygwyl y Meirw y ganed ef, gŵyl barchedicaf yr hen Galendr Celtaidd. Ar y noson hon, bydd ysbrydion y meirw yn gorymdaith, nid o gylch hen annwyl-fannau eu bywyd, ond drwy'r fynwent ac o amgylch yr eglwys. Rhwng dychryn a rhyfyg eisteddodd Tomas ar garreg fedd Dafydd Owen Cefn Mawr, a thaflodd olwg ddiystyrllyd dros y fynwent ddistaw. Teimlai'n ddig fod ei wrthwynebwyr daearol, cwmni'r Bedol, wedi troi eu cefnau ar y frwydr, a theimlai mai ei wrthwynebwyr yn awr oedd y dorf aneirif a oedd yn gorwedd dan ei draed. 'Miloedd ar filoedd ohonyn nhw,' meddai wrtho'i hunan, 'a dim un ohonyn nhw â chymaint â gair i ddeud drosto'i hun. Dyma'r hen Ddafydd Owen oedd yn dafod i gyd flynyddoedd yn ôl, ond fedar o ddim prepian rŵan, mi dyffeia i o.' Mewn rhyw hanner ymwybyddiaeth, ac yn llawn o ysbryd croes yr ymgecru yn y dafarn, bloeddiodd ei her, 'Y fi sy'n iawn,' uwchben y gynulleidfa fud honno, a dewisodd y darn llech angherfiedig rhwng y geiriau 'Yma gorwedd' a 'Dafydd Owen' yn bulpud i daro'i ddwrn arno. Wedi iddo fel hyn gario'r rhyfel i ganol gwersyll ei elynion, teimlai'n well ac yn sicrach ohono'i hun, a dechreuodd godi ar ei draed er mwyn canlyn ar ei ffordd adref.

Yr oedd y lloer yn llawn heno, a hyd yn hyn wedi bod yn ymrwyfo, fel dyn ar foddi, ynghanol gweilgi'r cymylau. Ond yn awr, cafodd ysbaid las yn yr awyr a bwriai ei lleufer yn ddirwystr dros y byd cysgadur, a gwnâi fynwent Llanfesach yn filwaith mwy dychrynllyd gyda'i golau. Nid lle tywyll ydoedd yn awr, ond lle'n llawn o wan olau a dychrynfeydd y cysgodion, am fod gan bob carreg fedd a phinacl eu cysgod fel efell wrth eu hochr; fel pe buasai'r Brenin Angau'n anfodlon ar ddychryniadau'i fawrhydi ei hunan, ac wedi ymwisgo mewn gwyll ychwanegol a dirgelwch a rhodres yn null brenhinoedd y byd hwn.

Aileisteddodd Tomas ar y bedd, a chyda her a oedd yn gymaint o ofn ag o ryfyg gwaeddodd ar y cysgodion, 'Dyma fi,' meddai, 'a dyma chitha. Os oes gynnoch chi rywbeth i ddeud yn f'erbyn i, yrŵan amdani, neu tewch am byth.' Nid oedd y geiriau ond prin wedi gadael ei feddwl – oherwydd yn yr ysbryd yn hytrach nag â'r gwefusau yr oedd yn llefaru – pan welodd rywbeth yn symud yng nghwr pellaf y fynwent, lle'r oedd y cysgodion fwyaf trwchus, a lle y safai beddfeini candryll yr hen genedlaethau angof gynt. Gwelai dorf fawr ryfeddol yn cerdded yn araf, ac yn ddistaw aruthr. Yr oedd Tomas erbyn hyn yn berffaith sobr, ond ni theimlai'r un ias o ofn, dim ond rhyw dosturi rhyfedd, tosturi'r gŵr sy'n y golau at y rhai sydd wedi ei golli. Gwelai fod yn rhaid bod yr orymdaith wedi cychwyn ymhell cyn iddo sylwi arni. Nid oedd yno ddim brys na rhuthr, dim rhedeg i'w lle, dim un murmur drwy'r dorf, ond cerddent ymlaen â chamre digyffro a throediad sicr, os troediad oedd yr hyn a oedd yn fwy o symud nag o sylwedd. Y cyntaf a adnabu Tomas oedd Lewys Owen y Graig yn cerdded wrth ochr Beti Owen, fel y cerddasai am dri ugain mlynedd ar lwybrau'r plwyf, ond ni chododd Lewys Owen ei lygad unwaith i edrych arni, ac nid ynganodd air wrthi. Yr oedd pob un yn y dorf fel pe na bai'n gwybod dim am ei gymdeithion, a chadwai pawb ei le yn yr orymdaith ar arch rhyw anweledig ringyll. Pan ddaethant gyferbyn â Thomas, cafodd ei fod yn eu hadnabod i gyd. Yn gyntaf daeth Dafydd Owen Cefn Mawr, wedi marw ers deng mlynedd ar hugain. Edrychai'n hen ac yn lluddedig, a chwifiai ei wallt teneuwyn yn awel y nos. Wrth ei ochr, Siôn Owen ei frawd, wedi dianc o'r pentref dan gwmwl i ryw wlad bell; a llawer o hen gydnabod, Huw Tomos Cae Hir, Enoc Edwart y Fron, Siani Wiliam Prysgoed, a Dic bach, un o gyfoedion bore Tomas a fu farw yn bum mlwydd oed. Ac ar ôl pawb arall Rolant Prisiart Penhelyg, tad Tomas, yn cerdded wrth ochr Beti'r Hendre. Cofiodd Tomas am ryw hen stori am ei dad a Beti.

Ar ôl cyrraedd drws yr eglwys, troes y dorf yn ôl drachefn. Sylwodd Tomas fod eu llygaid ynghaead fel pe baent yn cerdded yn eu cwsg. Pan ddaeth yr arweinydd, Dafydd Owen, gyferbyn â'i fedd a chyferbyn â Thomas yr ail dro, safodd yn sydyn, ac aeth rhyw ysgogiad distaw dros yr holl orymdaith, a safodd pawb. Fel chwa'r awel drwy'r fforest yn nhrymder y nos, sy'n rhy wannaidd i siglo'r ddeilen ysgafnaf, ond sydd er hynny yn gallu rhoi un lled ochenaid cyn diflannu, felly y daeth o rywle lais Dafydd Owen: 'Twm, ti sy'n iawn.' A dyma'r dorf ryfeddol i gyd yn murmur yn wan fel eco unllef: 'Twm, ti sy'n iawn.'

Pan gododd Tomas Prisiart ei olwg, gwelodd eu cefnau'n ymgolli yn nhywyllwch y fynwent.

Y Gwynt

Kate Roberts

Pan fyddaf yn nhre Caersaint hoffaf fyned i aros bob amser i westy bychan hen ffasiwn iawn yn un o'r hen heolydd. Cyrhaeddais yno un min tywyllnos ym mis Rhagfyr 19– . Noson oer, lawog ydoedd a'r gwynt yn chwythu pawb adref i'w tai oni allech saethu ar hyd y stryd heb ladd neb. Nid oedd yn bwrw yn barhaus ond taflai ambell gawod drom. Yna chwythai'r gwynt balmentydd y strydoedd yn sych wedyn a rhedai'r graean o flaen y gwynt i'r conglau. Byddaf yn hoffi'r hen westy yma gyda'i gyntedd cul, tywyll, ei ddistiau isel a'i aroglau. Mae aroglau henaint yno – aroglau cwrw hen a snwff, parwydydd llaith ac ystafelloedd diawyr. Pan gyrhaeddais yno'r noson hon yr oeddwn yn flin iawn, wedi cerdded o Lanberis a'r gwynt i'm hwyneb – gwynt y môr. Teimlwn fel pe bae croen fy mhen ar linyn crychu, a bod tu ôl a thu blaen, ochr dde ac ochr chwith yn cyd-gyfarfod. Wedi swper o fara a menyn a chwrw euthum i'm gwely. Yr oeddwn yn ddigon blin yn fy meddwl i gysgu ar unwaith.

Ond er suddo ohonof mewn gwely plu, ni allwn gysgu. Clepiai'r ffenestr yn ddidor a gwichiai'r sein uwchben y drws wrth rygnu yn ôl ac ymlaen. Chwibanai'r gwynt, ac yn awr ac yn y man tarawai rhywbeth ysgafn ar y ffenestr. 'Yn iach i gwsg,' meddwn i wrthyf fy hun, a chodais i gau'r ffenestr a'i bario.

Edrychais allan. Nid oedd yn bwrw ar y pryd. Ond chwythai'r gwynt ddafnau glaw ar fy ffenestr oddi ar fargod darn o'r gwesty a redai'n groes i'm hystafell i. Troellai'r dafn yn y gwynt ar hynt ddiamcan ac yna disgynnai ar chwarel fy ffenestr. Rhedai'r lleuad yn gyflym ar gefndir glas tu ôl i gymylau llac, tenau a hongiai yn yr awyr fel gwlân dafad wedi bod drwy glawdd drain. Euthum yn ôl i'r gwely, ond er cau'r ffenestr deuai sŵn y gwynt a rhygnu'r sein a'r dafn glaw yn disgyn ar y chwarel. Eithr yn ysgafnach na chynt. Pwff o wynt, yna gwich, ac yna drawiad ysgafn y dafn glaw ar y gwydr. Cynefinodd fy nghlust ag ef ymhen tipyn ac yn fuan suai'r sŵn triphlyg yma fi i gysgu.

Toc, ffurfiodd y sŵn yn llais a dyma a glywn mewn acen feddal, –

> 'A welaist ti y llanc penfelyn
> A'm carai i y dyddiau gynt?'

Heb yn wybod atebais,

> 'Ni welais i'r un llanc penfelyn.'

Aeth y llais rhagddo,

> 'A hoffit glywed stori'r llongwr
> A'r ferch wineuwallt droes yn wynt?'

'Hoffwn,' meddwn, 'os ydyw'n stori ddiddorol.'

Erbyn hyn yr oeddwn yn effro iawn.

Aeth y llais ymlaen. Llais merch ydoedd. 'Gan mlynedd yn ôl ar noson yn union fel heno dygwyd fy nghorff i'r tŷ hwn o Afon Menai. Cyn hynny gwelswn bum mlynedd ar hugain yn y tŷ yma – nid o fywyd ond o benyd. Yma'r oeddwn yn byw gyda nain a nhad. Nid wyf yn cofio fy mam. Buasai hi farw pan oeddwn yn fychan, a nain a'm magodd. Yr adeg y soniaf amdano yr oedd fy nain yn hen wraig hen yn gwneud dim ond eistedd wrth y tân a siarad wrthi ei hun. Bob dydd o'i bywyd er pan gofiwn gwisgai'r un fath, pais a betgwn a barclod blod, cap gwyn, het fawr dal a siôl ffilt. Mynnai gael gwisgo felly'r peth cyntaf yn y bore, a dywedai bob bore wrth ddyfod i lawr y grisiau, –

'Heddiw yr ydw i a Wil yn priodi ynte?' Yna eisteddai wrth y tân drwy'r dydd yn iwsio snwff, pletio'i ffedog a siarad wrthi ei hun. A'r un peth a fyddai ganddi bob dydd.

'Ddoth Wil Tŷ Mawr byth, genod? Na, ddaw Wil Tŷ Mawr byth o'r môr i briodi Lowri'r Hafod.'

Dyn yn byw mewn crogen oedd fy nhad. Nid oedd dim fel petai'n suddo iddo. Chwarddai, neu'n hytrach symudai gewynnau'i wyneb gyda'r bechgyn pan ddoent i yfed, a chydwelai â hwynt ar bob dim. Ond yr wyf yn siŵr na chlywais ef yn dywedyd fawr mwy nag 'Ie' a 'Nage' erioed erbyn ystyried. Dywedai rhywun stori, a dywedai nhad, 'Ia, fel yna y mae hi.' Ac felly am bob stori, boed brudd boed ddigri. Nid wyf yn credu mod i na nain yn ddim iddo. Gallwn ddeall hynny am fy nain. Yr oedd hi wedi mynd o'n byd ni ers talwm. Yr oedd hi yno fel y dresel, dyna'r cwbl. Ond amdanaf fi, dechrau dyfod i'm byd yr oeddwn i. Gallwn weled wrth edrych ar fy llun yn sgelet bres fy nain a hongiai ar y pared, fy mod yn hardd; os iawn gwyddwn beth oedd hardd. Ni byddwn byth bron yn mynd allan ond i'r Eglwys ac i nôl snwff i nain i siop yn Stryd Fawr. Ond gwyddwn fy mod yn plesio fy llygad fy hun wrth edrych arnaf fy hun yn y sgelet. Er hynny, ni sylwai fy nhad arnaf.

Weithiau deuai llanciau golygus i mewn a gwyddwn wrth eu llygaid faint oedd eu hedmygedd ohonof. Mentrai ambell un ofyn,

'Pwy sy'n mynd i gael yr hogan bach glws yma gynnoch chi, Tomos Huws?' Nid atebai fy nhad byth. Estynnai'r cwrw iddynt fel pe heb eu clywed. Ni welwn i ei wyneb ar yr adegau hynny a digon prin y gwelwn i wyneb yr un dyn a roes gompliment i mi yng ngŵydd fy nhad, yn ein tŷ ni byth wedyn. A theneuai ein cwsmeriaid. Hen bobl a phobl ag eisiau heddwch arnynt a ddeuai i'n tŷ – hen gapteiniaid llongau hwyliau ran fwyaf, yn crachboeri hyd lawr ac yn adrodd straeon budron, a nhad yn symud yn eu mysg ac yn dywedyd, 'Ia, fel yna y mae hi,' i bob stori, lân a budr.

Ond yr oedd yno un dyn ifanc a ddeuai fel cloc bob nos. Ifan y Barcdy oedd hwnnw. Gwyddwn trwy reddf rywsut mai dyfod i'm gweled i yr oedd. Ond yr oedd yn ddigon call neu yn ddigon tafotrwm i ddal ei dafod. Felly ni laddwyd mohono gan lygaid fy nhad. Siaradai ei lygaid er hynny, er eu bod yn fychain. Ni fedrwn ei ddioddef. Yr oedd aroglau barcdy arno bob amser ac yr oedd ei ddillad fel sglefr. Rhyngddo ef a'r hen bobl byddwn bron â mynd yn sâl.

Dyna lle'r oeddwn i ddydd ar ôl dydd yn yr hen dafarn glos yma, yn gwrando ar wallgofrwydd fy nain ac yn gorfod dygymod â distawrwydd galluog fy nhad ar hyd y dydd. Yn y nos yn gorfod gwrando ar lol yr yfwyr a theimlo presenoldeb Ifan y Barcdy a'i lygaid a'i aroglau'n fy nilyn i ba le bynnag yr elwn.

Ond un noson, noson fel heno, a'r gwynt yn chwythu o'r môr ac yn glanhau'r strydoedd o bobl ac o laid, fe chwythodd y gwynt longwr ifanc i mewn. Fe ddaeth i mewn yn llythrennol wedi ei chwythu gan y gwynt, nes oedd drysau'r tŷ'n clepian. A chydag ef fe ddaeth awelon pob môr. Yr oedd ganddo wyneb hapus ag ôl y glaw a'r gwynt arno, dau lygad glas direidus a gwallt melyn, crych. Cyn gynted ag y gwelodd o fi dyma fo'n dechrau fel storm.

> 'Gwallt sydd yr unlliw â'r cwrw,
> Llygaid cynhesach na'r tân,
> Croen fel yr hufen ar dical
> A gwefus – '

Yna fe stopiodd. Gwyddwn fod llygaid fy nhad arno. Ni chlywais byth mo ddiwedd y pennill yna. Modd bynnag fe'i hoffais y munud hwnnw a cheisiwn gael sgwrs ddistaw efog o. Ond yr oedd fy nhad fel pe'n hofran o gwmpas o hyd. Eto clywais gymaint â hyn.

'Rhaid inni ddyfod dros ben yr hen gono rywsut.'

Yna dechreuodd fy nain wedyn, 'Ddoth Wil Tŷ Mawr byth o'r môr genod?'

'Duw Mawr!' ebe'r llongwr, 'Wil Tŷ Mawr!'

Cyn iddo ddwedyd dim pellach, pwyntiais at fy mhen a deallodd yntau.

'Ddowch chi allan am dro?' meddai'n ddistaw.

'Ddim posib,' meddwn i heb symud fy ngwefusau bron.

Edrychodd yn siomedig.

'Mi ddo' i yma nos yfory eto,' meddai. 'Rhaid i chi ddŵad efo mi i ddawns sydd ym marics y milisia. Gnewch ych hun yn barod.' Hyn cyn ddistawed â llygoden. Drannoeth yr oeddwn yn rhy gynhyrfus i ddim. Dawns – ni bûm mewn un erioed o'r blaen. Rhedai fy ngwaed yn gyflym ar hyd y dydd wrth feddwl amdani ac am y llongwr.

Yr oedd gennyf ffrog a wnâi'r tro. Hen ffrog i mam wedi i mi ei hail wneud fy hun. Sidan du a safai ar ei ben oedd ei deunydd, a rhesen werdd ynddo, nid rhesen blaen ond rhesen gaerog, ac yr oedd gennyf ffunen sidan wen i'w gosod yn llac o amgylch ei gwddf, a broitsh fawr i'w gwisgo arni.

Y diwrnod hwnnw yr oeddwn fel petawn yn cerdded ar awyr trwy'r dydd. Rywdro yn y prynhawn gwisgais y ffrog a cheisiais ei chuddio orau y gallwn o dan farclod a siôl bach rhag i nhad sylwi. Bu agos i mi â llewygu gyda'r nos. Am un munud daeth nain o'i byd hi i'm byd i – y tro cyntaf ers blynyddoedd. Sylwodd fod rhywbeth yn wahanol ynof. Craffai arnaf o'm corun i'm sawdl, ac meddai:

'Rwyt ti'r un ffunud â dy fam, Doli.'

Drwy drugaredd dywedodd hyn pan oedd fy nhad allan.

Ofnwn wedyn i'm llongwr beidio â dyfod. Ond fe ddaeth â'r un direidi yn ei lygaid â'r noson cynt. Rhoes winc arnaf fi, amneidiais innau'n ôl. Euthum allan a deuthum yn ôl a dywedais fod rhywbeth ar un o'r moch. Gan fod clwy ar foch drwy'r dre, y gaeaf hwnnw, rhedodd fy nhad allan heb amau fy nghynllwyn. Cipiais innau fy nghlog o'r tu cefn i'r drws a rhuthrais allan; teflais fy siôl a'm barclod yn y cefn a chyfarfûm â'r llongwr wrth ddrws y ffrynt.

Cipiodd fi megis ar adenydd i farics y milisia ac fe'm cefais fy hun ynghanol sblander dillad. Yr oeddwn wedi meddwi gormod ar newydd-deb y peth ac ar fy llawenydd fy hun i sylwi ar ddim bron. Er na ddawnsiais erioed o'r blaen ni bûm fawr heb fedru mynd rownd ym mreichiau'r llongwr. Yr oedd fy mhen yn troi a phrin y tarawai fy nhraed y llawr. Rhyw un clwt coch oedd y milwyr. Ni wybûm erioed cyn hynny deimlo breichiau gwyn dyn amdanaf. Yr oedd mor agos ataf a theimlwn ias wrth deimlo ei ben bron ar fy ysgwydd.

'Mae eich ysgwyddau fel alabaster,' meddai. 'Rydych cyn ysgafned â phluen. Mi gymra i fy llw mai pren dau gymrwch chi mewn sgidiau.'

'Ie,' meddwn.

Ac felly hyd ddeg o'r gloch chwyrlïwn o gwmpas.

Euthum i'r tŷ ac i'm gwely ar f'union. Ni welais fy nhad y noson honno. Gwn iddo fy ngweled yn dyfod i mewn i'r tŷ, ond ni fedrwn ddychmygu beth a feddyliai ohonof na beth a fwriadai ei wneud, oblegid ni wneuthum ddim i'w dramgwyddo erioed o'r blaen. Ni chysgais ddim drwy'r nos. Yr oeddwn yn dawnsio o hyd. Ac yn rhyfedd iawn, ni feddyliwn am drannoeth yn ei gysylltiad â nhad ond yn ei gysylltiad â'i llongwr, oblegid addawsai'r olaf alw nos drannoeth.

Pan godais yn y bore yr oedd nhad, fel arfer, yn ddistaw a dihidio. Yr oedd cyn belled oddi wrthyf ag oedd fy nain. Meddyliwn tybed a sylweddolai mewn gwirionedd ym mha le y buaswn y noswaith cynt. Nid oedd dim yn ei olwg a wnâi i mi feddwl hynny.

Tua saith ar gloch y noswaith honno daeth fy llongwr i mewn. Galwodd am beint ac am beint arall ac un arall. Yr oedd Ifan y Barcdy yno o'i flaen, ac edrychai arno yn rhyfedd. Erbyn hyn ef oedd yr unig ddyn ieuanc a ddeuai i'n tafarn, ac mae'n siŵr bod rhywbeth go od yn mynd trwy ei ben wrth weld dyn ifanc arall yno. Ymhen sbel, dechreuodd y llongwr fynd yn ddigon hapus i ganu. Cododd oddi wrth y bwrdd crwn a chroesodd y llawr pridd ataf fi ac eisteddodd wrth fy ochr ar y setl. Rhoes ei law am fy nghanol a dechreuodd ganu rhywbeth am

'Wasg bach main a throed bach del.'

Y munud nesaf, gwelwn olygfa ryfedd.

Yr oedd nhad ac Ifan y Barcdy wedi codi ar eu traed a'u dyrnau i fyny, y ddau yn barod i daro'r llongwr. Yr oedd rhyw fynegiant yn llygad fy nhad na welais mohono erioed o'r blaen. Ni allaf ei ddisgrifio, ond mae'n ddigon dywedyd bod yno fynegiant, peth nas gwelais yn ei lygad erioed. Ond yn lle taro'r llongwr, troes at Ifan y Barcdy. Rhoes hwnnw ei fraich i lawr fel pe bai dan gyfaredd. Ond megis ar fflach dyma'r llongwr yn hitio nhad yn ei geg nes y troes fel top a disgyn ar ei wegil ar y llawr. Rhedodd Ifan y Barcdy allan.

'Dowch i ffwrdd efo mi,' ebe'r llongwr gan geisio fy nhynnu gerfydd fy mraich. Yr oedd ei chwys yn rhedeg hyd ei wyneb, ac yr oedd mellt yn ei lygaid.

'Dowch, dowch,' meddai, 'yr ydwyf wedi lladd eich tad, cyn iddo fo eich lladd chi. Marwolaeth ara deg sydd yn y dafarn yma i chwi.'

Ond yr oeddwn wedi glynu wrth y llawr. Ni fedrwn symud fy nhroed. Ni fedrwn ysgwyd fy nhafod. Edrychwn ar fy nhad a'i waed yn rhedeg hyd y swnd gwyn. Edrychwn ar fy nain yn eistedd fel delw yn y fan honno. Ni fedrwn symud. Rhedodd y llongwr allan drwy'r drws a'r peth dwaetha y sylwais arno oedd tu ôl i'w wddw yn fflamio fel tân.

Mendiodd fy nhad ac yn fuan cerddai o gwmpas y tŷ fel cynt. Ni ddaeth Ifan y Barcdy byth i'n tŷ ni wedyn. Yn ddiamau fe ddeallodd nhad ei fwriad ef y noson honno ac fe ddeallodd yntau olwg nhad. Ni ddaeth y llongwr yn ôl byth. O'r dydd hwnnw hyd fy marw tafarn hen bobl oedd ein tafarn ni. Llusgai'r dyddiau. Ac ni fedraf fi byth gyfleu ystyr y gair 'llusgo' i chi heddiw. Yr oedd amser wedi stopio i mi. Yr unig beth oedd gennyf oedd cofio am y ddawns. Teimlwn y deuai'r llongwr yn ôl rywdro. Ond ni ddaeth.

Mae'n siŵr ei fod yn meddwl ei fod wedi lladd fy nhad. Ar ambell noson wynt fel heno disgwyliwn weld y gwynt yn ei chwythu i mewn. Ond ni wnaeth. Aeth dwy flynedd heibio felly a thri pherson yn byw yn yr un tŷ heb fod yn ddim i'w gilydd. Dim newydd o unlle. Dim ond disgwyl o hyd.

Mae diwedd i ddisgwyl. Gorffennais innau ddisgwyl. Ac wedi rhoi'r gorau i ddisgwyl nid oedd ystyr mewn edrych yn ôl ar y ddawns. Aeth bywyd yn glwt o ddim i mi.

Noson wyntog fel heno oedd hi. Yr oeddwn yn f'ystafell wely yn sefyll wrth y ffenestr ac yn edrych allan. Cwynfanai'r gwynt yn ddigalon a chwythai ddafnau glaw o'r fargod ar fy ffenestr. Rhedai'r defnyn i lawr ar hyd y gwydr at y ffrâm. Chwythid ef o fanno wedyn debyg i ddiddymdra.

Estynnais y ffrog a wisgais yn y ddawns o'r gist. Rhois hi amdanaf ac addurnais ei gwddf â'r ffunen sidan a'r froitsh. Euthum i lawr i'r gegin i gael golwg arnaf fy hun unwaith eto yn y sgelet. Disgleiriai gwynder f'ysgwyddau ynddi. Cofiais am eiriau'r llongwr. Alabaster! Dechreuodd fy mhen droi. Dechreuodd fy nhraed ddawnsio.

Ymhen dau funud yr oeddwn yn chwyrlïo fel peth gwallgo o

gwmpas y gegin, a chawn fi fy hun yn gweiddi drosodd a throsodd 'Ddaw Wil Tŷ Mawr byth yn ôl i briodi Lowri'r Hafod, i briodi Doli'r Hafod.'

Codai'r gwynt ei ru allan, a meddyliwn mor braf a fyddai mynd ar y gwynt, peidio â stopio o gwbl ond mynd i rywle, mynd i bobman. Ac os na ddeuai'r llongwr i'm gweled i, fe allwn i felly weled y llongwr efallai. Agorais far drws y ffrynt ac allan â mi i'r stryd. Daliwn i ddawnsio o hyd a daliwn i fynd. Chwythai'r gwynt y graean i'm llygaid a chaeais hwynt. I lawr â mi dros y Clwt Mawn ac o dan Borth yr Aur. Pan oeddwn wrth ymyl Plas Bowman, aeth y gwynt i'm ffrog, fel yr â i gynfas ar y lein, a chleciai'r sidan fel esgyll aderyn. Cododd fi i fyny a ffwrdd â mi i'r cei ac i'r môr.

Dygwyd fy nghorff adre gan bysgotwyr bore trannoeth. Ond gwynt oeddwn i erbyn hyn. Ceisiwn ddyfalu beth a ddywedai nhad wrth weld fy nghorff yn dyfod i'r tŷ. Mae'n siŵr mai 'Ia, fel yna y mae hi,' a ddywedai. Ond ni chefais byth wybod. Ni ddaw'r gwynt i wybod pethau. Yr oeddwn wedi dyheu llawer erioed am gael bod yn wynt, yn enwedig yn ystod y ddwy flynedd ar ôl diflaniad y llongwr. Cefais fy nymuniad. Yn fy marw cefais fynd yn wynt. Cefais grwydro'r byd. Cefais fynd i bobman. Ond ni welais byth mo'm llongwr. Ni all gwynt weled na theimlo, dim ond mynd o hyd. Yr oedd hynny'n braf ar y dechrau i un oedd wedi bod yn ei hunfan am bum mlynedd ar hugain.

Ond buan y blinais. Yr oeddwn yn mynd fel dyn dall, mud a byddar, dros y byd, y byd yr oedd y llongwr arno yn rhywle. Ond ni welais mohono, ac ni wybûm i mi erioed ei basio. Efallai i mi chwythu drwy ei wallt ar ddec llong, ond ni wn. Os digwyddais ei chwythu i mewn i'r dafarn yma rywdro ni wyddwn mo hynny, wedyn beth ydyw'r iws? Bob tro y byddaf wedi blino deuaf at y ffenestr yma a lleddfir fy mlinder wrth chwythu'r dafn bach yma ar wydr y ffenestr. Fel yna y chwythwyd fi i'r môr gan mlynedd yn ôl.'

'Ydych chi wedi blino ar fy stori?' meddai hi.

'Ydwyf,' meddwn innau o'r gwely, 'yr wyf wedi blino yn fawr.'

'Wedi blino,' meddai'r llais yn flin.

Ymddangosiad Ysbrydion

Evan Isaac

Nid yw rhai coelion a fu unwaith yn gryf namyn dadfyw heddiw, ac
nid anodd cyfrif am hynny. Yn gyffredin priodolir y newid o ran barn
a chred i gynnydd gwybodaeth a goleuni mwy. Eithr o brin y credaf
mai dyna'r prif reswm, os ydyw'n rheswm o gwbl. Effaith y pethau
newydd a ddaeth i fywyd y werin ydyw'r newid o ran cred yn yr
hyn a elwir yn ofergoelion. Pa ryfedd gilio o'r Tylwyth Teg i fannau
diarffordd yn y mynyddoedd o sŵn cerbydau tân y relwe a'r cerbydau
modur mawr a mân sy'n chwyrnellu tan chwythu a phesychu yn y
dyffrynnoedd? Segurdod hir y gweithfeydd mwyn plwm a laddodd y
gred yn y Coblynnau, ac am yr Hen Wrach, daw hi yn ôl pan ddêl
mawn eto i'r aelwydydd.

Dychmygaf glywed ambell sant defosiynol, a llawer mab a merch
a gafodd hir addysg, yn dywedyd mewn ysbryd brochus ac â gwg ar
eu hael, mai ffwlbri amrwd yw storïau ysbrydion, ac nad rhesymol
eu hadrodd yng ngoleuni gwybodaeth yr oes hon. Eithr dywaid un o
ddysgedigion mwyaf diwylliedig y genedl i'w fam-gu weled ysbryd a
Thylwyth Teg, a chlywed canu yn yr awyr, a bod yn rhaid iddo yntau
roddi coel ar ei geiriau, ac ychwanega: 'Onid oes synhwyrau coll a rhai
wedi eu hanner pylu? Ni wyddom beth a allom, ac onid yw popeth
gwerth ei wneuthur a wnaeth dyn erioed wedi ei wneuthur pan oedd
y dyn yn fwy na dyn ar y pryd? Rhaid bod yn oruwchnaturiol am dro
i gyflawni gorchest o unrhyw fath, a rhaid teimlo angerddoldeb nad
yw o bethau'r byd hwn i weled yr anweledig.'[1]

Er mai dadfyw yn awr ydyw llawer coel, oherwydd y rhesymau a
nodwyd, pery'r gred yn ymddangosiad ysbrydion yn gryf ymhlith y
canol oed a'r hen bobl. Efallai nad oes neb, o'i roddi mewn cysylltiadau
arbennig, na ŵyr yn ei enaid am ias ofn gweled ysbryd. ... Meddai'r

---

[1] T. H. Parry-Williams, *Ysgrifau* (1928), t. 77

diweddar Barchedig Job Miles mewn pregeth ar 'Y tadau a fwytaodd rawnwin surion, ac ar ddannedd y plant y mae dincod,' – 'Nid wyf fi yn credu yn ymddangosiad ysbrydion, ond petai yn yr un heol ddau dŷ gwag cyn debyced i'w gilydd ag efeilliaid, a bod sôn yr ymwelai ysbryd ag un ohonynt, ni chymcrai imi eiliad i benderfynu ym mha un y carwn fyw.'

Y mae barn trigolion gogledd Ceredigion am bopeth ysbryd yn un bendant a sefydlog, ac fe wyddant hwy lawn cymaint â neb am nodweddion y bodau cyfrin hyn. Credir nad oes ond tri rheswm tros i ysbryd ymddangos. Yn gyntaf, dychwelyd i wneuthur cymwynas â pherthynas neu gyfaill; yn ail, ymddangos i gyflawni rhyw ddyletswydd a esgeuluswyd ganddo yn ystod ei fywyd ar y ddaear; ac yn drydydd, dial ei gam ei hun, megis pan ddychwel un a lofruddiwyd i ddial ar y llofrudd. Ni phaid ysbryd ag ymddangos o dro i'w gilydd hyd oni siaredir ag ef, ac y mae'n groes i ddeddfau byd ysbryd iddo ef siarad yn gyntaf. Rhaid ei annerch yn enw'r Drindod, ac yn ddiatreg eglura yntau ei neges, ac o weithredu yn ôl ei gyfarwyddiadau, paid yntau ag ymddangos mwy.

Y mae cannoedd o ystorïau ysbryd hen a diweddar, ond nid oes ofyn yma ond am ychydig enghreifftiau dethol. Anaml y gwelir plas hen neu furddun plas na chysylltir ag ef stori ysbryd. Murddun ers tro ydyw *Bro Ginin*, y plas bychan y ganed Dafydd ap Gwilym ynddo. Rhywbryd wedi dyddiau'r bardd trowyd y plas yn ffermdy, a hynny efallai oherwydd esgyn o amaethyddiaeth ac amaethwyr i fri mwy na chynt. Bu'n byw ynddo o genhedlaeth i genhedlaeth deuluoedd parchus, a dedwydd oeddynt hyd oni flinwyd hwy gan ysbryd bonheddig a barus a wnâi fywyd yn boen. Yn fynych wedi nos, ac ar brydiau yn hwyr o'r nos, ymwelai rhyw fod annaearol â'r tŷ, ac â sŵn ei gerdded i fyny ac i lawr y grisiau gwnâi gwsg yn amhosibl. Taflai ddychryn i galon pawb. Weithiau goleuai'r holl dŷ â disgleirdeb anarferol, a'r funud nesaf diflannu gan adael ar ei ôl dywyllwch eithaf. Gwelid ef ganol nos ar brydiau gan weision y ffermydd cylchynol, yn croesi'r buarth ar ffurf 'Ladi Wen' dal a hardd mewn gwisg laes, eithr pan aent tuag ati diflannai mewn pelen o dân. Un nos Sul fin gaeaf, aeth y teulu i'r eglwys a gadael y forwyn i warchod. Ceisiodd hithau ei chariadfab yn gwmni, ac yn ddigon naturiol acthpwyd i sôn am yr Ysbryd. Chwarddai'r gŵr ieuanc ar uchaf ei lais yn ei awydd i brofi ei wroldeb, a dywedyd yr hyn a wnâi petai'r Ysbryd yn meiddio ymddangos iddynt. Ar drawiad, heb y rhybudd lleiaf, safodd boneddiges ar ganol yr ystafell, mewn gwisg wen, a'i gwallt yn dorchau dros ei hysgwyddau. Daliai mewn un llaw grib, ac yn y llall sypyn o bapur, ond nid ynganodd ddim. Crynai'r ddeuddyn ieuainc gan ormod braw i allu symud na dywedyd gair. Cerddodd y foneddiges yn hamddenol o gwmpas yr ystafell amryw droeon, ac yna sefyll, a throi at y drws ac amneidio ar y llanc i'w dilyn. Ni feiddiai yntau ei gwrthod, a dilynodd hi i fyny'r grisiau i ystafell dywyll a oleuwyd ar unwaith mewn modd gwyrthiol. Magodd y gŵr ieuanc ddigon o wroldeb i ofyn iddi paham y blinai breswylwyr Bro Ginin, ac â'i bys pwyntiodd yr Ysbryd at gongl neilltuol dan y to isel. O'r man hwnnw, â llaw grynedig, tynnodd y llanc hosan wlân hen hen yn llawn o aur. Diflannodd yr Ysbryd, ac ni welwyd y 'Ladi Wen' byth mwy ym Mro Ginin.

Ceir o bob rhan o'r wlad storïau cyffelyb i un Bro Ginin. Yn 1882, cafodd y Parchedig Elias Owen gan John Rowlands, brodor o Sir Fôn, hanes ysbryd yn datguddio trysor yn ei ardal ef. Poenid teulu Clwchdyrnog, ym mhlwyf Llanddeusant, Môn, yn fynych gan Ysbryd a barai arswyd a blinder mawr. Un noson, ymwelai John Rowlands â'r tŷ i garu'r forwyn, ac ymddangosodd yr Ysbryd iddo. Gofynnodd John paham y blinai'r teulu ac eraill. Atebodd yr Ysbryd fod trysorau cuddiedig, ar ochr ddeau Ffynnon Wen, a berthynai i blentyn naw mis oed a oedd yng Nghlwchdyrnog. Parodd iddo chwilio am y trysorau, ac o'u cael a'u rhoddi i'r plentyn addawodd yr Ysbryd beidio ag aflonyddu arnynt mwy. Gwnaed yn ôl y cais, a chafwyd heddwch.

A barnu oddi wrth yr hanes a rydd Mr. D. E. Jenkins hoffai ysbrydion ymddangos ym Meddgelert a'r cylch. Tua diwedd y ddeunawfed ganrif, aeth Mr. Dafydd Pritchard i'r pentref a rhentu'r *Goat Hotel* a'r tir a berthynai iddi. Yr oedd Dafydd yn ŵr egnïol ac anturiaethus, a chasglodd gryn lawer o gyfoeth, eithr clafychodd a bu farw heb wneuthur ewyllys. Yn fuan wedi'r claddu, aflonyddid ar heddwch y teulu gan ryw ymyrryd anesboniadwy. Clywid yn y nos gerdded trwm ar y grisiau ac yn yr ystafelloedd. Parhaodd yr aflonyddwch am rai wythnosau, a sibrydid ymhlith y gweision a'r morwynion weled ohonynt eu hen feistr yn yr ystablau a mannau eraill ar ôl ei farw. Aeth yr Ysbryd yn hy gan ymddangos yn aml. Ni feiddiai ond y dewraf groesi'r trothwy wedi machlud haul gan gymaint eu hofn. Yr oedd un hen was nad ofnai ddim, ac er ei fod ef a'i feistr yn gyfeillion mawr, am ryw reswm neu'i gilydd, nid ymddangosai'r Ysbryd iddo ef. Ond un noswaith, ar ei waith yn gadael yr ystabl, gwelai ei hen feistr yn ei wynebu. Ceisiodd y gwas ddynesu ato, eithr cilio a wnâi'r Ysbryd a myned at borth yr eglwys. 'Wel, meistr,' meddai'r gwas, 'beth a bair i chwi aflonyddu arnom fel hyn?' 'Hwlcyn,' meddai yntau, 'y mae'n dda gennyf dy weled, oblegid ni all fy esgyrn orffwys yn y bedd. Dos a dywed wrth Alice am iddi godi carreg aelwyd y *bar-room* ac y caiff oddi tani gan gini, a bod dwy ohonynt i'w rhoddi i ti.' Gwnaed yn ôl y gorchymyn, ac ni phoenwyd y teulu mwyach.

Esgeulustra anesgusodol a niweidiol ydyw peidio â gwneuthur ewyllys. Cymaint yw'r pryder a'r siom fel y dylai'r sawl a fedd rywbeth gwerth ei feddiannu roddi ei ddymuniadau ar 'ddu a gwyn' cyn yr elo ac na byddo mwy. Yn 1923 adroddai Mrs. J. E. Jones, Aberystwyth, wrthyf stori a gred hi fel ffaith. Pan oedd hi'n blentyn, bu farw yng Nghnwch Coch, Ceredigion, hen wraig â chanddi beth cyfoeth, eithr yr oedd wedi esgeuluso gwneuthur ei hewyllys, ac er chwilio dyfal a hir methwyd â dyfod o hyd i'w thrysor. Ymhen amryw wythnosau, blinodd y perthynasau ar y chwilio a diflannodd eu gobaith. Ond un noswaith ddechrau'r gaeaf, a'r ferch a'i phriod yn ymdwymo wrth y tân mawn cyn myned i orffwys, daeth o'r *Hanging Press* a oedd yn yr ystafell sŵn dieithr fel sŵn crafu creadur byw am ymwared. Agorwyd y *Press*, ond nid oedd yno ddim namyn dillad. Nos trannoeth a llawer nos arall, clywid yr un sŵn, eithr er chwilio eilwaith ni welwyd neb na dim byw. Aeth ofn gweled y nos ar y ddeuddyn ieuainc, ac i ladd y braw ceisiasant gwmni cymdogion. Ar ôl ymgynghori, penderfynwyd tynnu o'r *Press* liw dydd bob pilyn a oedd ynddo. Pan gyrhaeddwyd y

gwaelod cad yno sypyn trwm yn cynnwys aur lawer a thrysorau eraill.
Ni chlywyd y sŵn o'r *Hanging Press* byth mwy.

Ymhlith y lliaws ystorïau ysbryd a geir yn llyfr rhagorol yr Athro
T. Gwynn Jones ar Lên Gwerin, y mae un sy'n arbennig drawiadol ar
gyfrif y personau a gysylltir â hi, yn ogystal ag ar gyfrif ei chynnwys.
Rhywbryd rhwng 1887 a 1889 y cafodd yr Athro hi gan Mr. Edward
Roberts, Abergele, a oedd yn ŵr deallus a diwylliedig, a chafodd
yntau'r hanes gan y Parchedig Owen Thomas, D.D., y gweinidog
Methodus enwog. Pan oedd y Doctor yn ddyn ieuanc yn Sir Fôn, yr
oedd iddo gyfaill yn caru merch ieuanc a oedd yn byw rai milltiroedd
i ffwrdd. Un noswaith wrth ddychwelyd o garu, braidd yn hwyr,
a dyfod heibio i blas bychan, gwelai yn dynesu ato wraig wedi ei
gwisgo dipyn yn hynod. Cyfarchodd hi â 'Nos da,' ac atebodd hithau,
'Na ddychrynwch: gwyddoch pwy ydwyf.' Adnabu hi fel gwraig
gyntaf perchennog y plas. Yna, meddai hi, 'Gwyddoch fy mod yn
farw, ac i'm priod briodi eilwaith, ac nad yw popeth fel yr arferai â
bod yn y plas.' Dywedodd yntau y gwyddai. Ceisiodd hithau ganddo
wneuthur ffafr â hi, sef hysbysu ei mab, a ddychwelai o China ymhen
ychydig ddyddiau, fod mewn llyfr yn llyfrgell y plas nifer o nodau
banc (*bank notes*) a oedd yn eiddo iddo ef. Nododd y silff, a'r llyfr a
gynhwysai'r nodau. Addawodd yntau wneuthur yr hyn a ddymunai.
Diflannodd yr Ysbryd yn sydyn. Pan ddychwelodd y dyn ieuanc
adref, ni ddywedodd air wrth ei fam a'i chwaer am yr hyn a welodd,
ac yn fuan clafychodd gan ofn a phryder. Ceisiodd gan ei fam alw ar ei
gyfaill Owen Thomas i ymweled ag ef. Dywedodd yr hanes wrth Mr.
Thomas, a thrannoeth aeth y ddau i'r plas a chael y nodau yn hollol
fel yr hysbysodd yr Ysbryd. Mewn diwrnod neu ddau dychwelodd y
mab o China, a chafodd yr arian.

Yr oedd rhai o'r ysbrydion y rhoddwyd eisoes eu hanes yn hen,
ac wedi cyflawni eu neges a gorffwys yn y gorffennol pell, eithr
y mae amryw eraill y sydd, er yn hen, yn parhau i ymddangos
oherwydd methu ganddynt ddal ar gyfle i'w mynegi eu hunain a
gorffen eu gwaith. Un o'r rhain ydyw '*Yr Hwch a'r Tshaen*' y sy'n
cyniwair dyfnderoedd coediog glannau afon Cell, yn y mynyddoedd

yng ngogledd Ceredigion. Sicrhawyd fi yn 1924 gan un a fagwyd ar y Mynydd Bach, gerllaw Pont-ar-Fynach, y credai ef yn Ysbryd yr Hwch a'r Tshaen, a'i fod i'w glywed yn aml, ac i'w weled weithiau, yn y dyddiau hyn ar lannau Cell. Yn 1925 adroddodd Mr. J.B., Aberystwyth, wrthyf ei fod ef un tro pan oedd yn ieuanc yn marchogaeth adref yn lled hwyr ar y nos, a phan ddaeth ar gyfyl afon Cell, i'r ceffyl wylltio drwyddo a rhuthro carlamu fel peth gwallgof onid oedd, pan gyrhaeddodd adref, yn crynu fel dail y coed tan wynt, ac yn foddfa o chwys. Taerai pawb a wybu am yr helynt mai gweled yr Hwch a'r Tshaen a wylltiodd y ceffyl. Ni welodd Mr. J.B. yr Ysbryd, ond credai yn sicr weled o'r ceffyl rywbeth anarferol ac anweledig iddo ef. Yn 1923 rhoes Mr. T. Richards, ysgolfeistr Pont-ar-Fynach, hanes yr Ysbryd hwn, ynghyda'i esboniad ef ei hun ar y dirgelwch. Dywedai nad oedd y cwbl namyn dyfais y mwynwyr i dwyllo swyddogion y gwaith y gweithient ynddo. Hen arfer y mwynwyr, ac yn arbennig ar nos Wener, ydoedd myned i'r lefelydd neu i lawr y siafft am ddeg y nos a phylu'r ebillion, ac yna dianc adref tua deuddeg o'r gloch. Yr Hwch a'r Tshaen, yn ôl yr esboniad, ydoedd y mwynwyr yn llusgo cadwyni dur a rhoddi ar led mai sŵn ysbryd oedd eu sŵn, a thrwy hynny ddychrynu'r swyddogion rhag eu gwylio a'u dal. Eithr gŵyr y sawl a'u hadnabu fod yr hen gapteiniaid eu hunain yn rhy fedrus yn y grefft o dwyllo i fod yn wrthrychau twyll eu gweithwyr. Y mae gennyf hefyd gyfaill hirben yn Aberystwyth sydd â'i fedr i esbonio yn fawr. Nid oedd yr Hwch a'r Tshaen, meddai ef, namyn mochyn byw 'yn y cnawd'. Megid llawer o foch a'u gollwng i bori mes tan y derw ar lannau Cell, a rhag crwydro ohonynt yn rhy bell rhoddid llyffethair haearn ar eu traed. Yn y nos, ar ôl eu digoni, llusgai'r moch eu traed rhwymedig i gyfeiriad eu carterf, a pheri sŵn a greodd Ysbryd. Dyna fodd yr hynafiaid hwythau o esbonio dirgeledigaethau pan grewyd ofergoelion.

YSBRYD PLAS GWYNANT (BEDDGELERT). Y mae'r plas hwn yn un gwych, a'i safle yn odidog, ac nid yw nepell o Lyn Dinas. Ni phreswyliai neb yn y tŷ yn hir oherwydd eu dychryn gan Ysbryd. O haf 1850 hyd diwedd haf 1853 bu'r Athro J. A. Froude yn byw

ynddo. O dro i'w gilydd ymwelai amryw o gyfeillion Froude ag ef,
ac weithiau ceid cymaint â phump neu chwech ar yr un pryd. Ar un
achlysur aed i sôn am ysbrydion, ac yn eu plith Ysbryd Plas Gwynant.
Digwyddasai'r Athro F. W. Newman gyrraedd y diwrnod hwnnw,
ac yr oedd y tŷ eisoes yn lled lawn, ond yr oedd ystafell yr Ysbryd yn
wag fel arfer. A hwy yn clywed Newman yn gwrthod â dirmyg bob
syniad am bosibilrwydd ymddangosiad ysbrydion, trefnodd Froude
iddo gysgu yn yr ystafell wag. Aeth Newman i'r ystafell heb wybod
ei hanes, a chododd yn fore drannoeth heb gysgu eiliad drwy'r nos.
Gobeithiai am gwsg trwm ac esmwyth yr ail noson, ond siomwyd
ef eilwaith. Teimlai ei flino gan ryw ddylanwad cyfrin a phoenus.
Holodd y forwyn bennaf, a chael mai yn ystafell yr Ysbryd y ceisiai
gwsg. Un bore datguddiodd ei helynt i'r cwmni. Nid oedd, meddai,
yn credu mewn ysbrydion, ond yr oedd rhywbeth anesboniadwy
wedi aflonyddu arno drwy'r nos a phob nos, a barnai mai doeth fyddai
dychwelyd adref ar unwaith. Nid ymwelodd Newman byth mwy â
Phlas Gwynant.

Ysbryd Hafod Uchdryd. Y mae pawb cyfarwydd â llên Cymru
yn gwybod rhywbeth am Hafod Uchdryd, sydd yng nghymdogaeth
Cwm Ystwyth. Perchenogion y plas yn ystod teyrnasiad y frenhines
Elizabeth ydoedd Herbertiaid Penfro, a ddaethai i'r ardal ynglŷn
â'r gweithfeydd mwyn plwm. Priododd Thomas Johnes, Llanfair
Clydogau, ferch i William Herbert, a meddiannu'r Hafod yn 1783.
Tynnodd ef yr hen dŷ i lawr ac adeiladu plas newydd, a chasglu i'w
lyfrgell fawr lawer o drysorau llenyddiaeth y wlad hon a'r Cyfandir.
Ond yn 1807, ar y degfed o Fawrth, llosgwyd y plas, a bernir golli
ohonom fel cenedl lawer o lawysgrifau amhrisiadwy. Aeth Johnes ati
eilwaith i adeiladu plas rhagorach na'r un a losgwyd, a rhoddi ynddo
wasg argraffu gyffelyb i wasg Gregynog.

Yr oedd i'r Hafod ei fwgan, a rhydd Lewis Morris, Môn, ei hanes yn
fanwl yn un o'i lythyrau. Ni fu erioed ysbryd mwy aflonydd a direidus.
Cariai gerrig i ystafelloedd y tŷ, hyd yn oed liw dydd; symudai o'u
lle fyrddau a chofifrau trymion; cipiai ganhwyllau o ddwylo'r teulu, a
chusanai yn y tywyllwch ferched a meibion. Galwyd y dyn hysbys.

'Fe fu *conjuror* o Sir Frycheiniog yno yn ceisio gostwng yr ysbryd, ond fe ballodd y Brych â rhoi canpunt iddo am ei boen, "bid rhyngoch chi ag ef," ebr hwnnw.'

Gwahaniaetha'r Henadur John Morgan, Ystumtuen, beth oddi wrth Lewis Morris yn yr hanes a rydd ef o'r un stori. Yn ôl Mr. Morgan, tynnodd y dewin gylch cyfaredd o'i amgylch ei hun, ac agor ei lyfr dewino, gan orchymyn yr ysbryd i'r cylch. Ymddangosodd yntau ar ffurf tarw nwydwyllt, ac eilwaith ar ffurf ci mawr a milain, ac wedyn ar ffurf gwybedyn a disgyn ar y llyfr dewino agored. Ar drawiad caeodd y dewin y llyfr a charcharu'r ysbryd. Crefai'r truan barus am ei ryddid, ac wedi ei hir boeni yn ei gaethiwed, caniatawyd iddo ollyngdod o'r llyfr a'r cylch ar yr amod iddo fyned tan Bont-ar-Fynach a thorri twnnel drwy'r graig â hoelen clocsen a morthwyl wns o bwysau. Cred rhai y clywir yn awr, pan fo'r nos yn dawel, sŵn ergydion gwan y morthwyl bach.

Y mae'r stori a ganlyn beth yn wahanol i'r rhai a gofnodwyd eisoes. Gan y Parchedig John Humphreys (Wmffre Cyfeiliog) y cefais hi.

'Mewn tŷ hynafol, a thipyn yn urddasol o ran ei faint a'i ffurf, yn ardal Tŷ Cerrig, Sir Drefaldwyn, trigai gynt ŵr o bwys. Ef ydoedd gwarcheidwad y tlodion yn y gymdogaeth. Claddasai ei briod a chedwid ei dŷ gan wraig barchus o'r enw Marged. Ganddi hi y cafodd fy mam yr hanes, er ei fod yn ddigon hysbys yn yr ardal. Llosgasai'r gŵr hwn ewyllys olaf ei wraig a gwneuthur un a oedd yn fwy ffafriol iddo ef ei hun. Dywedir iddo ar ôl ei gwneud dynnu'r papur rhwng gwefusau ei briod er mwyn gallu dweud, os byddai achos, i'r geiriau fod yn ei genau hi. Rhoes y pin ysgrifennu yn ei llaw farw ac ysgrifennu ei henw. Dyna'r weithred annheilwng. Ond ni chafodd lonyddwch i'w feddwl nac i'w gorff tra fu byw. Arferai ewythr i mi, R.R. o bentref Comins Coch, weithio i'r dyn hwn, ac un hwyrnos gaeaf, tra gweithiai fasged wrth y tân, agorodd drws y gegin megis ar ddamwain. Gan ei bod yn oer caeodd fy ewythr ef, ond nid cynt yr eisteddodd nag yr agorodd y drws eilwaith. Caeodd ef drachefn. Daeth y forwyn i'r gegin, ac agorodd y drws y drydedd waith. 'Yn enw'r annwyl,' meddai f'ewythr, 'meddyliais imi gau'r hen ddrws yna'n ddigon ffast.' 'O,' meddai hithau, 'waeth i chi heb boeni, y mae o'n agos, mi wn.' 'Y fo,' meddai yntau, 'Pwy fo?' 'O, meistr. Fel hyn y mae pan fydd o'n dod tuag adre, y mae'r drysau yn agor a chau a chlecian, ac yn aml daw yntau i mewn wedi ei orchuddio â llaid, ac yn gwaedu weithiau. A dyma i chi beth rhyfedd. Yr oedd ganddo gwmni yma i de un diwrnod, a pharodd i mi roddi llestri te gore meistres ar y bwrdd, ond pan euthum i'r cwpwrdd a cheisio tynnu'r llestri allan, yr oedd dwy law yn cydio ynddynt ac ni allwn eu symud o'u lle.' Yn fuan wedyn wele'r gŵr yn cyrraedd, ac yn ymddangos fel pe bai wedi ei dynnu trwy'r drain. Credid y stori hon yn ardal Tŷ Cerrig pan oeddwn i'n fachgen.'

Dywaid Mr. J. Breese Davies fod yn Ninas Mawddwy draddodiad cyffelyb i'r uchod ynglŷn ag 'Ysbryd y Castell.' Amaethdy tua thair milltir o'r Ddinas ydyw'r Castell. Tua'r flwyddyn 1840, preswyliai ynddo un o'r enw Thomas Jones a'i briod – ail wraig. Yr oeddynt yn 'dda arnynt,' ond eiddo'r wraig oedd y cyfoeth, a threfnodd i'w roddi i'w pherthynasau ei hun. Eithr pan glafychodd a marw, gwnaeth Thomas Jones ewyllys newydd yn sicrhau iddo ef ei hun yr holl gyfoeth. Gafaelodd yn llaw farw'i briod i'w hyrwyddo. Ni chafodd Thomas Jones eiliad o hawddfyd byth wedyn. Poenwyd ef gan ysbryd ei wraig, a elwir 'Ysbryd y Castell,' ddydd a nos tra fu byw.

GWAREDIGAETH PREGETHWR. Nid oes yn awr fawr ddim ond cerbydau modur a beiciau gwyllt a bair ofid a pherygl i bregethwyr ar eu teithiau, ond ganrif yn ôl ymosodid arnynt gan ladron pen-ffordd, a thrinid ambell un yn galed. Eithr oherwydd eu swydd, neu, efallai, oherwydd eu hanallu i'w hamddiffyn eu hunain, gofalai rhywun neu rywbeth o fyd yr ysbrydion am eu diogelwch weithiau. Ceir hanes trawiadol am waredigaeth John Jones, Treffynnon, o enbydrwydd mawr tros ganrif yn ôl. Teithiai'r hen bregethwr gryn lawer i gasglu at godi capelau, ac un tro, ar ei ffordd i Fachynlleth â phedair punt ar ddeg yn ei logell, galwodd mewn tafarn yn Llanuwchllyn. Tra porthid ei geffyl ymgomiai yntau â pherson a oedd yn y tafarn, a mynegi y bwriadai fyned ar ei daith tros Fwlch-y-groes. Pan gyrhaeddodd y teithiwr ben y mynydd unig, gwelai o'i flaen ddyn â chryman yn ei law a'i fin wedi ei rwymo mewn gwellt. Wrth ddynesu at y dyn, gwelai mai'r hwn a gyfarfu yn y tafarn ydoedd, a bod rhywbeth yn amheus yn ei ysgogiadau. Edrychai'n llechwraidd tros ei ysgwydd yn awr ac eilwaith, ac yn y man dechreuodd dynnu'r gwellt oddi ar fin y cryman. Daeth ofn mawr ar yr hen bregethwr, a gweddïodd am ymwared. Yn sydyn clywai garlamu march o'i ôl, ac yna gweled gŵr dieithr yn marchogaeth ac yn cydsymud ag ef. Gwelodd y dyn â'r cryman yntau'r gŵr dieithr a'i farch, a throdd yn gyflym i'r mynydd a ffoi. Cyfarchodd John Jones ei gydymaith mewn Cymraeg a Saesneg, ond ni chafodd ateb, ac yn fuan a sydyn diflannodd y gŵr dieithr.

YSBRYD DYN BYW. Yn fy ymchwiliadau, cyfarfûm o dro i'w gilydd ag amryw a gredai weled ohonynt ysbrydion dynion byw. Yn ystod rhan gyntaf fy nhymor yn Aberystwyth, rhwng 1920 a 1923, a Miss Roberts, Bont Goch, a minnau yn ymgomio un prynhawn am hen goelion yr ardal, gofynnais iddi a welodd hi ysbryd yn ystod ei hoes faith o bedwar ugain mlynedd. Atebodd iddi weled llawer o ysbrydion ac y gwelai hwy o hyd, eithr mai ysbrydion dynion byw oeddynt i gyd, ac na welodd erioed ysbryd dyn marw. Rhyw hanner milltir o Bont Goch – sydd ar y mynydd, chwe neu saith milltir i'r gogledd o Aberystwyth – y mae plas bychan o'r enw Cefn Gwyn sy'n feddiant i'r Gilbertsons ers rhai cenedlaethau. Pan ddaeth y plas i feddiant y Parchedig Lewis Gilbertson, a oedd yn offeiriad yn Lloegr, gofelid am y tŷ yn absenoldeb y teulu gan Miss Roberts. Treuliai'r teulu fisoedd yr haf bob blwyddyn yn y Cefn Gwyn; ac yn ystod un o'r gwyliau hyn gwelodd yr hen wraig, Miss Roberts, ysbryd yr offeiriad. A'r drws tan glo, un canol nos, gwelodd ef yn ei hystafell. Symudodd yn araf a thawel drwy'r ystafell, yn ôl a blaen, amryw weithiau, ac yna diflannu.

Y LADI WEN. Hanner y ffordd rhwng Taliesin a Thre'r-ddôl y mae'r Lefel Fach, a'i genau yn dyfod i'r ffordd fawr. Credid yn gryf pan oeddwn i'n hogyn y trigai 'Ladi Wen' yn y lefel, ac y deuai allan pan ddelai tywyllwch, a chydgerdded yn fonheddig â gwahanol bersonau. Ni ddywedai air wrth neb, ac ni allai neb gan faint y braw lefaru wrthi hithau. Caewyd genau'r Lefel Fach pan safodd mwyn

Llain Hir, a chollwyd y Ladi Wen. Bûm yn credu ynddi cyn gryfed â neb pan oeddwn yn ieuanc, ond wedi imi dyfu i fyny a chrwydro mannau poblog, marweiddiodd fy ffydd. Eithr ni allaf eto yn awr fyned heibio i'r Lefel Fach heb feddwl am y Ladi Wen, ac nid oes odid neb yn y ddau bentref heddiw na ŵyr amdani.

ADEILADU PONT. Y mae'r stori am ysbryd yn adeiladu pont tros afon yn adnabyddus i wahanol rannau o Gymru a gwledydd eraill. Awgrymir y stori gan yr enw, Pont-y-gŵr-drwg, a daflwyd tros Fynach, yng ngogledd Ceredigion. Collodd Megan, hen wraig Llandunach, ei buwch, ac o chwilio'n hir gwelodd hi y tu hwnt i'r afon ddofn, ond nid oedd fodd i'w chyrchu. A hi yn malu meddyliau yn ei phryder, daeth i'w hymyl ŵr bonheddig, a chynnig adeiladu pont tros yr afon ar yr amod iddo ef gael y peth byw a'i croesai gyntaf. Cytunodd Megan, a gweithiwyd y bont mewn eiliad. Tynnodd yr hen wraig grystyn bara o'i llogell a'i daflu tros y bont newydd, a rhuthrodd y corgi a oedd yn ei hymyl ar ei ôl. Dyna dâl y diafol am ei waith.

Ceir yr un traddodiad ynglŷn â *hen* bont Aberglaslyn. Ceisiodd trigolion y gymdogaeth gan Robin Ddu Ddewin godi iddynt bont dros y Llyn Du. Galwodd Robin y diafol a mynegi ei neges. Addawodd yntau weithio pont os cawsai'r creadur cyntaf a elai trosti. Cytunwyd. Ymhen ychydig ddyddiau, a Robin uwchben ei gwrw yn nhafarn yr Aber, aeth y cythraul i mewn a dywedyd bod y bont wedi ei gorffen. Trawodd Robin glwff o fara yn ei logell, a myned â chi'r dafarn i'w ganlyn i lan yr afon. 'Dyma iti bont tan gamp,' meddai'r diafol. 'Ymddengys felly,' meddai Robin, 'ond a ddeil hi bwysau'r clwff hwn, tybed?' 'Rho brawf arni,' meddai'r cythraul. Taflwyd y bara, a rhuthrodd y ci ar ei ôl. 'Pont gampus,' meddai Robin, 'cymer y ci yn dâl amdani.

YSBRYD MWYNGLAWDD. Tua dau can mlynedd yn ôl, darganfuwyd gwythïen enfawr o blwm ym mhentref Helygain. Cyffelybid hi i haen drwchus o lo. Y mae amryw draddodiadau ynglŷn â'r mwyn hwn, eithr y mwyaf cyffredin ydyw hwnnw a gafodd Mr. Lewis Hughes, Meliden, gan Mr. Frederic Jones, Llwyn-y-cosyn, Ysgeifiog.

Un min nos teithiai mwynwr o'i waith i bentref Helygain, a heb fod nepell o'i lwybr gwelai yn sefyll fwynwr arall, wedi ei wisgo yn hollol fel mwynwr cyffredin, ac yn ei ddwylo arfau mwynwr. Cyfarchodd ef â 'Nos dawch.' Eithr ni ddaeth ateb. Dynesodd ato, ond ar amrantiad diflannodd fel diffodd cannwyll. Credai pawb mai ysbryd a welodd y dyn, a chan y credid yn gyffredin fod gweled drychiolaeth ar dir mwynglawdd yn arwydd sicr fod y plwm yn agos, aed ati i gloddio, a thrawyd ar yr wythïen fawr. Ni chaed yng Nghymru ddim cyffelyb iddi o ran maint a gwerth.

Ie, 'Ni wyddom beth a allom. Onid oes synhwyrau coll a rhai wedi eu hanner pylu?'

Yr Hen Gynffon Deryn

Awen Mona

Flynyddoedd lawer yn ôl, mi fyddai mwy o sôn am fwganod ac
ysbrydion nag sydd yrŵan. Mae'r bobol wedi mynd yn rhy gall i
goelio bod pethau felly'n bod. Mae Wil Puw Tŷ Brith – neu Wil
Bobwr, i chwi 'i nabod o'n well – yn taeru mai am 'u bod nhw wedi
llyncu'r sbrydion drwg, ac am hynny'n methu'u gweld nhw, mae
pobol yr oes yma yn 'u gwadu nhw.

Beth bynnag am hynny, rydw i'n cofio, pan oeddwn i'n hogyn lled
ifanc, y byddai hen fachgen o baentiwr o sir G'narfon yn arfer dŵad i
blasau'r ardal yma i baentio. Roedd o'n ofnus ofnadwy, a medrai neud
bwgan o bob dim bron. Wrth gwrs, wedi i hogia'r pentre ddŵad i
wybod am 'i wendid o, nid hir y buo ni cyn gneud ffrindiau hefo
fo, a llawer noson ddifir gawson ni yn 'i lojin o yn gwrando arno yn
deud hanes 'i dreialon hefo sbrydion y gwahanol lefydd y buo fo yn
gweithio ynddynt.

Roedd o'n rhyfedd mewn lot o bethau heblaw credu mewn
sbrydion; un peth arall oedd wedi gafel yn 'i feddwl o oedd, nad oedd
paentio ddim digon da iddo fo, ac os byddai paentio y tu allan yn rhan
o'r job, mi fyddai'n meddwl ddwywaith cyn 'i chymryd hi; roedd hi'n
o lew mewn plas yn y coed, a neb yn pasio i'w weld o, ond os byddai
ffordd yn ymyl, a phobol yn pasio, ŵyr neb faint fydda fo'n ddioddef.
Tasa chwi'n sbïo arno fo yn mynd a dŵad oddi wrth 'i waith i nôl
bwyd, fasa chi byth yn meddwl mai paentiwr oedd o, roedd o mor
deidi; yn 'i frethyn bob amser, a'i sgidiau fo fel swllt. Dyn tal oedd,
tenau iawn, ac wyneb neis ganddo, wyneb bynheddig, talcen llydan,
a locsys myton shops. Cerddai yn fân ac yn fuan, a'r gôt cynffon
deryn, wisgai bob amser, yn ffleio yn y gwynt ar ei ôl. Ebenezer Jones
oedd ei enw, ond cyn iddo fod yn y pentre bythefnos, cafodd enw
newydd, ac o hynny allan doedd neb yn 'i nabod o heb i chwi ddeud
'Yr Hen Gynffon Deryn.' Ac O! roedd o'n fynheddig; pigai ei gamau

hyd y ffordd fel cath ar y glaw; a 'dwn i ddim sawl gwaith yn y dydd
y byddai yn golchi ei ddwylo; mi gafodd enw arall hefyd, sef 'Jones
Gŵr-bynheddig,' ond, rywsut, 'Yr Hen Gynffon Deryn' sticiodd.

Un tro roedd un ochor i'n capel ni yn y pentre yn gollwng dŵr, a
mi 'ddyliodd un o ddynion cyfoethog y capel   a'i sêt o yn yr ochor
honno – gan fod yr hen baentiwr wrthi yn paentio'i blas o, y basa fo
yn gyfle da i neud rhywbeth i'r capel yr un pryd, a phenderfynwyd
rhoi côt o gôl tar hyd yr ochor oedd yn gollwng dŵr.

Yr hen baentiwr druan! Chafodd o 'rioed gymaint o cym down,
a feiddiai fo ddim gwrthod, roedd pobol y plas mor dda wrtho.
Anghofia' i byth yr hwyl oedd yn y pentre tua buo fo wrthi. Safai ar
yr ystol, a bwcedaid o gôl tar yn hongian wrth un o'r ffyn, a fynta hefo
brws chweitwas yn treio bod mor steilus ag y meiddiai hefo cwsmer
mor ddu; ond roedd 'i lygad o'n amlach o lawer ar y ffordd nag ar y
capel, a phan welai rywun yn dŵad, rhuthrai i lawr yr ystol a diflannai
i goitsiws y capel nes iddynt basio; a wir, anodd iawn i ambell un
direidus oedd peidio â phasio mwy o lawer o weithiau nag oedd raid
iddo, er mwyn poeni yr hen Jones.

Rhyfedd iawn, er mai hogiau'r pentre boenai fwya' arno, 'u cwmni
nhw oedd orau gynno fo ar y cweiat. Roedd o'n meddwl 'i fod o'n
ddyn garw yng ngolwg yr hogiau. 'Rhen Gynffon Deryn, druan,
doedd o fawr o feddwl mai sbort am 'i ben o oedd wrth wraidd yr
wrogaeth a gâi gynno ni.

Roeddem ni wedi gwneud â'n gilydd o'r dechrau i gymryd arnom
wrtho ein bod ni'n cwbwl gredu ym modolaeth 'sbrydion; ac fel y
gallwch feddwl, wedi cytuno ar y cweiat y mynnem ddyfeisio rhyw
dric i'w ddychryn cyn y diwedd. Rydw i'n cofio mai'r lle dweutha
gynno fo i'w baentio, un tymor, oedd rhyw blas ar lan Menai. Plas
mawr, hen, trymllyd oedd o, yng nghanol y coed. Roedd y gŵr
bynheddig oedd yn byw yno fo yn ffond iawn o chwilio y tir am
hen drysorau, hen gelfi, a hen arian, dybid oedd yno er amser y
Rhufeiniaid. Yn nechrau'r gwanwyn hwnnw, daeth o hyd i bentwr
o esgyrn dynol; esgyrn pen dyn, esgyrn 'i draed o, a'i ddannedd; a
roedd o wedi'u cadw nhw'n ofalus i bawb leiciai gael sbêc arnyn

nhw. Wyddai'r hen Jones ddim byd am hyn, a mi ddaru ninnau weld
na chafodd o ddim gwybod ychwaith, neu efallai na fasa fo byth yn
cymryd y *job* yno. Tra roedd teulu'r plas 'ma i ffwrdd roedd Mr. Jones
i weithio yno, a mi wyddwn i y byddai raid iddo fo weithio'n hwyr
er mwyn gorffen y tŷ cyn iddyn nhw ddŵad adre. A roeddwn i'n
digwydd bod yn ffrindia mawr efo'r gwas oedd yno yn edrych ar ôl y
lle tra byddai'r gŵr bonheddig a'i deulu i ffwrdd, ond wyddai'r hen
Jones mo hynny chwaith.

Fel y dywedais i, roedd rhai o hogiau'r pentre a finnau wedi
penderfynu rhoi un sgêr iawn i'r hen baentiwr cyn iddo orffen 'i
dymor, a dyma gyfle i'r dim. Er mwyn hwyluso'r tric, cymerasom y
gwas i'n cyfrinach. Y peth nesa oedd naddu ar Mr. Jones i'n gwadd i
lawr i weld y plas. Hanner gair oedd eisio, achos golygai ein cael i lawr
gwmni adre iddo fo. Aethom ein pedwar at y tŷ wedi iddi dywyllu,
ond aeth dim ond dau ohonom i mewn. Roedd yr hen Jones yn falch
iawn o'n gweld, a galwodd ar y gwas ar unwaith i ddangos y plas i
ni. Toc, mi ddoth hwnnw, dan chwibianu, yn bur ddidaro – smalio.

'O,' meddai, pan welodd ni, 'mae gynnoch chwi rywun diarth,
Mr. Jones.'

'Oes, ochi,' meddai Mr. Jones fel ledi, a phob gair yn gorect yn 'i
le, 'dau ffrind i mi ydynt, wedi dod, yn garedig iawn, i fy hebrwng
adref; ac yr oeddwn yn meddwl, gan eu bod wedi dod, y buaswn yn
gofyn i chwi ddangos y plas hardd yma iddynt; efallai na wnewch
ddigio wrthyf am fod mor hy?'

'O diar annwyl, na wnaf,' meddai'r gwas, 'mi fydd yn bleser mawr
gin i gael gwneud hynny, gan fod chi'n deud bod yr hogiau yn ffrindia
i chi, Mistar Jôs.'

Felly fu. Aethom ar ei ôl o stafell i stafell, gan ganmol y dodrefn a'r
harddwch, a chan ganmol y paent yn neilltuol. Ar ôl gweld yr holl
dŷ, fel y tybygid, dyma'r gwas yn deud fod gynno fo un stafell wedyn
i'w dangos, ond na fydda neb yn cael mynd i honno am fod ei feistr o
wedi ordro ei bod i fod dan glo bob amser. 'Ond os ewch chi eich tri
ar eich llw,' meddai, 'na ddeudwch chi byth wrth neb, mi ddangosa'
i hi i chi; ma' hi'n werth 'i gweld, achos ma' 'na hanes reit ryfedd yn

perthyn iddi.' Sicrhaodd yr hen baentiwr ef nad oedd raid iddo ofni
y deudai neb ohonom ni na siw na miw byth am beth welem, wrth
undyn byw bedyddiol. Wedi'r sicrhad, arweiniodd y gwas ni i stafell
fawr, a llenni tywyll wedi'u taenu dros y dodrefn nes bod pob un yn
edrych fel arch dan orchudd Un ochr i'r stafell roedd ffenestr fawr
heb fath o fleind na dim drosti hi. Mi welodd yr hen baentiwr hon yn
y fan, a meddai fo wrth y gwas:
'Well i chi dynnu'r bleind i lawr.'
'Na,' meddai hwnnw, a rhyw olwg awgrymiadol arno, 'fiw i mi roi
gorchudd ar y ffenestr yna.'
Roedd yn hawdd gweld fod 'rhen Gynffon Deryn braidd yn
anesmwyth, ond ddeudodd o ddim chwaneg. Caeodd y gwas y drws,
ac arweiniodd ni at rywbeth fel sêff fawr oedd mewn congl wrth y
ffenestr. 'Yn hon mae trysorau penna'r mistar,' meddai; yna agorodd
hi, a thynnodd allan ddesgil ddu fawr, a phentwr o esgyrn arni, a thua
hanner dwsin o ddannedd. Ciliodd Mr. Jones yn 'i ôl pan welodd y
rhain.
'Peidiwch â bod yn ypset, hogiau,' meddai'r gwas, 'wrth gwrs, 'toes
ar Mistar Jôs ddim ofn, mae o'n Gristion; mi ddeuda' i yr hanes sy'n
perthyn i'r rŵm yma i chi rŵan. Ewyrth i mistar, o frawd 'i dad, oedd
bia'r plas yma ar y dechrau, ac mi briododd hwnnw hefo Seusnes,
un glws ofnadwy. Hen gono go blaen oedd o, faswn i'n meddwl, ac
ymhen dipyn mi ddechreuodd amau'i wraig, ac i feddwl fod pob dyn
yn y cyffiniau yn reifal iddo fo. Mi 'ffeithiodd hyn mor drwm arno fo
fel yr aeth i gredu'n siŵr 'i bod hi'n anffyddlon iddo, a rhyw noson
– noson debyg iawn i heno – mi boddodd hi mewn pydew sy dest o
dan y ffenestr yma. Onibai 'i bod hi mor dywyll mi fasech yn medru
gweld y pydew (closiodd yr hen baentiwr ataf, a chydiodd yn dyn yn
'y mraich i). Aeth y gwas yn 'i flaen efo'i stori, a Mr. Jones yn llyncu
pob gair er 'i fod o'n crynu fel deilen.
'Mi gawson hyd i gorff y wraig y bore wedyn, ond ddaru neb
ddim meddwl nad wedi syrthio i'r pydew a boddi'n ddamweiniol
yr oedd hi; ond mi wyddai'r gŵr o'r gorau be oedd 'i bechod o, a
bob tro y deusa fo i'r rŵm yma, roedd o'n dychmygu gweld corff

'i wraig yn gorwedd fel y rhowd hi ar ôl 'i chodi, yn wlyb dyferu, a dest yn lle mae Mistar Jôs yn scfyll rŵan yr oedd hi.' Gollyngodd yr hen baentiwr fi, ac aeth i sefyll ar garreg yr aelwyd.. 'Ac ymhen blynyddoedd, roeddan nhw yn cau i fyny fynwent yr eglwys bach sy 'nglan y môr yna, lle claddwyd y wraig druan; thalai dim ond i'r gŵr gael carreg fedd 'i wraig i neud llechan aelwyd. Mi ddoth â hi adre, a dyna lle mae hi heddiw, jest yn lle mae Mistar Jôs yn sefyll rŵan.' ('Y-y-yh!' meddai'r hen fachgen, a sbonciodd at f'ymyl yn 'i ôl.) Ddaru'r gwas ddim cymryd arno ddim byd. 'Wedi i'r hen ddyn neud llechan aelwyd o'r garreg bedd,' medda fo, 'chafodd o funud o lonydd tra buo fo byw, a rhyw noson, mi collwyd o, a welwyd mono fo byth. Roedd rhai yn deud 'u bod nhw wedi gweld, y noson honno, ddynes wen, yn tynnu dyn trwy ddrain, ac yn 'i lusgo fo heibio'r ffenestr yna at y pydew. (Clywn ddannedd yr hen Gynffon yn clecian ar 'i gilydd.) 'Beth bynnag am hynny,' medda'r llall, yn sobor fel sant, 'pan oedd mistar yn ceibio'r pydew yna i gael mwy o ddŵr iddo, ryw ha' go sych, mi gafodd hyd i'r pentwr esgyrn yma, a mae o'n hollol gredu ma' esgyrn 'i ewyrth o ydyn nhw, achos ma' rhyw hynodrwydd yn perthyn i'w ddannedd nhw fel teulu. Dowch yma, a mi dangosa' i o i chi.' Aeth yr hogyn arall a finnau i sbïo'r dannedd, ond ciliodd yr hen baentiwr yn 'i ôl. Gyda hynny, dyna dwrw yn ymyl drws y stafell, a llithrodd Mr. Jones atom yn ddistaw. Chymerodd neb ddim sylw, wrth gwrs, ac ymhen rhyw ddau eiliad, dyna dwrw wedyn, a siffrwd yn ymyl y ffenestr.

'Be sy 'na?' meddai'r hen baentiwr yn gynhyrfus.

'Be sy by-be, Mistar Jôs? meddai'r gwas.

'Glywsoch chi ddim twrw wrth y ffenestr?'

'Naddo wir! Glywsoch chi rwbath, hogiau?'

'Naddo wir,' medda ninnau, 'peidiwch â chodi ofn arno ni wir, Mr. Jones!'

Ar hynny dyna dwrw wedyn, a chnoc ar y ffenestr.

'Glywsoch chi rŵan, 'te?' meddai'r hen fachgen, a golwg wyllt arno, a'i wyneb o fel cap. Edrychodd y gwas a minnau yn hurt ar ein gilydd.

'Dychmygu rydach chi'n siŵr, Mistar Jôs bach,' meddai'r gwas, 'mi agora' i y ffenestr yma i chi gael gweld na does 'ma ddim.'

'Na, peidiwch wir,' meddai Jones, a chiliodd yn ôl at y drws, ond pan oedd dest â'i gyrraedd, dyna gnocio trwm arno wedyn, a neidiodd yr hen baentiwr yn 'i ôl i ganol yr ystafell.

'Edrychwch, Mistar Jôs, 'tocs yma ddim byd,' meddai'r gwas dan agor y ffenestr. Ond gyda'i fod o wedi dweud y gair, dyma rywbeth gwyn mawr yn disgyn dros y gannwyll nes diffoddodd, a llais annaearol o gyfeiriad y ffenestr yn gofyn:

'Lle mae nannedd i?'

'Paid â sefyll ar garreg fy medd i!' meddai llais arall meinach.

Clywn yr hen Jones yn neidio, ysgrechian, a gweddïo bob yn ail, ac yn y tywyllwch mi orweddais inna ar fy hyd ar lawr i chwerthin yn ddistaw: roeddwn i dest â thorri ar fy nhraws! Ond yn sydyn, dyma'r stafell yn cael 'i llenwi efo'r ysgrechiadau a'r nadau mwyaf diarth glywais i 'rioed. Teimlwn bob blewyn o 'ngwallt yn codi ar 'y mhen i, achos 'toedd peth fel hyn ddim yn y plan o gwbwl, a phan glywis i'r hogiau yr oeddym ni wedi eu gadael tu allan i neud y cnocio ac felly 'mlaen, yn sisial wrth 'i gilydd yn grynedig – 'O Wil annwyl, be sy 'ma, dŵad?' – dychrynais fwy byth, a chredwn y funud honno mai rhywbeth ofnadwy oedd yno, wedi dŵad i'n cosbi ni am y'n rhyfyg efo'r garreg bedd a'r esgyrn.

Roedd chwys oer dros fy holl gorff i, a mi dreiais godi, ond gydag y symudis i dyma'r sgrech fwya ofnadwy yn fy ymyl i, a phasiodd rhywbeth gwlyb esmwyth ar draws 'y ngwyneb. Mi ddechreuais weiddi, a dechreuodd yr hogiau eraill weiddi hefo mi, a gweiddi y buo ni na 'dwn i ddim am ba hyd. O'r diwedd distawodd yr hogiau, a distewais innau, ond âi'r sgrechiadau eraill ymlaen o hyd. Mi dreiais symud tipyn, achos roeddwn i wedi cyffio erbyn hyn; ac er fy llawenydd mi glywn y bocs matsus o dan y'n llaw ar lawr. Mi synnech mor hir y buo mi yn hel nerth i oleuo un o'r matsus, ond o'r diwedd mi wnes, ac anghofia' i byth mo'r olygfa welis i yn fflach y fatsian. Un ochor i'r stafell, mi welwn y gwas yn ei ddyblau yn chwerthin! 'R ochr arall roedd yr hogiau, yn gafal yn dynn yn 'i gilydd, a golwg fel delwau arnyn nhw; ac ar ganol y stafell roedd – be ddyliach chi? – dau baun! yn sgrechian nerth 'u bywyd!

Wel, os teimlais i ysfa yn 'y nylo 'rioed, mi teimlais o'r munud hwnnw, a chordeddwn am gael 'u gosod nhw ar y 'gwas anffyddlon', welwn i yn 'i ddwbwl o mlaen i. Estynnais at y gannwyll, ond erbyn i mi 'i goleuo hi, roedd y cna wedi dengid, a welis i byth mohono. Pwy fasa'n meddwl y basa fo mor ddigwilydd â bradychu'n tryst ni yn'o fo, a methu bod yn fodlon heb fynnu sbort ar y'n cost ninnau hefyd?

Wedi cael y'n gwynt atom dipyn, mi gofiodd un o'r hogiau am Mistar Jones. Doedd o ddim yn y golwg yn unlle, a mi ddylis i ar y dechrau 'i fod o *in the know*, ond doedd dim posib i hynny fod, achos roedd dychryn yr hen Gynffon Deryn yn rhy riol efo'r esgyrn.

'Wedi rhedeg i'r coed mae o,' meddai'r hogiau, a ffwrdd â ni i gychwyn chwilio amdano. Roedd hi'n dywyll fel y fagddu, a'r glaw yn tywallt erbyn hyn; ac er gweiddi 'Mistar Jones' a 'Mistar Jones' lawer gwaith, nid oedd llais neb yn ateb. Doedd dim i neud ond bodloni i fynd adre, a'i adael o ar y drefn. Ond, ni chlywais iddo byth wedyn ddyfod i baentio i Sir Fôn!

Y Garreg Saethau

Meuryn

Prynhawngwaith hyfryd o haf ydoedd, a minnau ar fy ffordd i'r mynydd. Gartref ar fy ngwyliau yr oeddwn ar y pryd, ac yr oedd awydd cryf yn fy nghalon am weled y Garreg Saethau unwaith eto. Ganwaith y bûm yn gorwedd gynt ar fy hyd yn y rhedyn a'i cylchynai â'm dau benelin arni a'm dwylaw yn cynnal fy mhen fel y syllwn ar y rhigolau a oedd yn groes-ymgroes dros ei hwyneb. Bûm yn syllu arni felly mor fynych, mor fanwl, ac mor faith nes bod darlun ohoni wedi ei argraffu ei hun yn annileadwy ar fy meddwl. Petasai gennyf law arlunydd gallaswn yn hawdd dynnu darlun cywir ohoni, yn ei holl fanylion. Yr oedd rhai degau o rigolau ar ei hwyneb, ac yr oedd y rhan fwyaf ohonynt yn rhedeg yr un ffordd, yn gyfochrog ac union, ond torrai rhai rhigolau ar eu traws o wahanol gyfeiriadau. Yr oedd rhai o'r rhigolau yn ddyfnach na'r lleill yn enwedig un brif rigol a redai am gryn bellter ar hyd wyneb y garreg.

Ni allwn i byth fyned heibio i'r Garreg Saethau, ar hyd y llwybr i gyfeiriad y Llyn, heb droi o'r neilltu ac aros yn hir i syllu arni, ac ni allwn bysgota heibio iddi yn yr afon islaw heb adael yr enwair ar lan yr afon a dringo ati drwy'r rhedyn. Byddwn yn rhyfeddu gweled fy nghymdeithion, y bugeiliaid, mor ddisylw ohoni. Ni welais yr un ohonynt hwy erioed yn troi lathen o'u ffordd i edrych arni; ond gwyddent bob un gymaint o swyn i mi a oedd yn y Garreg Saethau, ac nid anfynych y cyfeirient mewn ysmaldod at hynny.

'Mi fyddwn yn 'i golli fo yn y munud,' ebr un o fintai ohonom un diwrnod, gan nodio ataf i, pan nesaem at y Garreg Saethau.

'Sut hynny?' ebe rhywun. 'Ydi o'n mynd i ffwrdd?'

'Dwyt ti ddim yn deall ein bod yn nesu at y Garreg Saethau?' oedd yr ateb. 'Mi wyddost fod y garreg honno fel tynfaen iddo fo.'

Yn wir, yr oedd un hen fugail wedi fy rhybuddio i wylio rhag i'r Garreg Saethau fy rheibio. 'Gwylia di', meddai, 'rhag i'r hen garreg yna dy hurtio di. Mae peth felly'n bosibl, wyddost. Bu digwyddiadau rhyfedd yn y dyddiau gynt o gwmpas y garreg yna, ac ni ŵyr neb ar y ddaear sut bobl ryfedd oedd yn byw yma gynt. Dyna pam y mae'r awyrgylch yma yn annaturiol – yn annaearol, os leici di.'

Yr hen fugail hwnnw a ddywedodd wrthyf gyntaf mai Carreg Saethau oedd y maen rhyfedd hwnnw. Amser maith yn ôl byddai'r hen Frythoniaid, fel y galwai ef hwynt, yn hogi eu saethau ar y garreg honno.

'Meddwl, mewn difri,' meddai, 'meddwl faint o rwbio oedd eisio i wneud y rhigolau yma. Bu cenhedlaeth ar ôl cenhedlaeth o ryw bobl ryfedd yn hogi eu saethau yma – ac i beth? I ladd, wrth gwrs, lladd bwystfilod a lladd pobl. Digwyddodd pethau dychrynllyd iawn yn y cwm yma yn y dyddiau gynt. Does ryfedd yn y byd fod rhyw iasau rhyfedd yn cerdded dyn o gwmpas y garreg yna.'

Yr oedd yr hen fugail yn credu, neu o leiaf cymerai arno gredu, bod ysbrydion yr hen gyndadau yn cyniwair eto yn eu hen gynefin; a haerai iddo ef ei hun glywed gwaedd yr ysbrydion yn y gwynt.

'Dychmygu'r oeddach chi,' meddwn innau.

'Dychmygu, machgen i? Aros di nes y clywi dithau'r waedd – nid mater o ddychymyg fydd y peth iti byth wedyn,' oedd sylw'r hen fugail.

'Glywsoch chi'r waedd fwy nag unwaith?' gofynnais.

'Do, machgen i, fwy na dwywaith hefyd,' oedd yr ateb; 'ac mi fyddaf yn gweddïo na chlywaf i byth moni eto. Fydd dyn byth yr un fath ar ôl ei chlywed. Ni chlywodd clustiau dyn erioed waedd â mwy o ddychryn ynddi na'r waedd honno. Yr oedd y waedd a glywais i yn cynnwys ynddi ei hun holl wae ac anobaith y cyn-oesoedd.'

'Nid brawddeg ddifyfyr mo'r frawddeg yna,' meddwn i.

'Nage, machgen i; mae'r frawddeg yna yn fy meddwl ers tro. Yn fy ngwely y daeth i'm meddwl gyntaf. Methu cysgu'r oeddwn i wedi clywed y waedd y noson cynt, a'r frawddeg yna oedd y disgrifiad gorau fedrwn i gael o'r waedd. Gweddïa, machgen i, na chlywi di byth mo'r waedd, a chadw cyn belled ag y medri di o'r cyffiniau yma ganol nos.'

Noson hel defaid, rhwng un a dau o'r gloch y bore, y clywodd yr hen fugail y waedd y tro cyntaf, ebr ef. Nesu at Glogwyn Llyn yr oedd, rhyw ddau ganllath uwchlaw'r Garreg Saethau, a bu agos iddo syrthio ar ei ben i'r creigiau pan syfrdanwyd ef gan y waedd.

'Yr oedd y waedd yn codi o'r ceunant mawr otanaf, fel petai caead Annwn wedi ei godi,' meddai; 'ac ymdonnai i fyny yn erbyn lli'r afon, ac ymgymysgu â gwynt y nos. Teimlais fy ngwallt yn codi ar fy mhen, a rhyw iasau rhyfedd yn cerdded drwy fy holl gorff.'

Yr oedd yr hen fugail yn hollol sicr yn ei feddwl ei hun mai ysbrydion ei gyndadau oedd yn gweiddi yn y gwynt y noson honno; ond yr oeddwn i, ar y llaw arall, yn hollol sicr mai dolef y gwynt yn agennau'r creigiau yn ymgymysgu â su dwfn yr afon islaw a glywodd ef. Oni chlywswn innau'r un peth liw dydd golau? Rwy'n cofio llechu yng nghysgod y creigiau hynny pan dorrodd storm sydyn arnaf, ac nid anghofiaf byth sŵn brawychus y gwynt wrth chwipio'r creigiau o'm cwmpas. Gallai dyn fyned ar ei lw fod y gwynt yn cludo sŵn ochain a griddfan o rywle; ac ni allai'r hen fugail byth fy argyhoeddi iddo ef glywed dim gwaeth na hynny. Gallwn i yn hawdd ddychmygu peth mor ddychrynllyd fyddai sŵn felly yn nistawrwydd trymllyd y nos.

Am hyn oll y ceisiwn i feddwl pan oeddwn ar fy ffordd i'r mynydd y prynhawngwaith hyfryd hwnnw o haf; ond anodd iawn oedd meddwl am fro'r cysgodion a'r haul mor ddisglair ar y llethrau o'm deutu ac ar byllau'r afon rhwng y cerrig.

Wedi cyrraedd at y Garreg Saethau synnais weled rhedyn wedi llwyr gau amdani. Yr oedd yn amlwg nad oedd neb wedi bod ar ei chyfyl ers amser maith. Cawsai pawb, ond un mor gyfarwydd â mi â'r lle, gryn drafferth i gael hyd i'r garreg; ond yr wyf yn llwyr gredu y cawswn i hyd iddi mewn mwgwd. Synnais hefyd weled cen trwchus wedi tyfu dros holl wyneb y garreg nes cau pob rhigol; a'r cyntaf peth a wneuthum i oedd crafu'r cen ymaith, a glanhau pob rhigol; ac ymhen ychydig funudau yr oedd wyneb y Garreg Saethau yn berffaith lân – mor lân, yn ddiamau, ag ydoedd pan ddefnyddid hi i hogi saethau amser maith yn ôl.

Yna gorweddais ar fy hyd yn y rhedyn, fel y gwnaethwn ganwaith yn y dyddiau dedwydd gynt, a bûm yn syllu'n hir ar wyneb rhychiog y garreg. Dychmygwn weled yr hen frodorion gynt yn finteioedd o gwmpas y garreg, a cheisiwn credu bod rhai o'm hynafiaid i fy hun yn eu plith.

'Yn y cwmwd hwn', meddwn wrthyf fy hun, 'y bu fy nghyndadau yn byw erioed. Y mae fy ngwreiddiau yn ddwfn iawn yn y ddaear yma; a thystia pob diferyn o waed sydd yn fy ngwythiennau y byddai pob copa walltog ohonynt hwy ar y blaen ym mhob gornest – ym mhob ymgyrch i amddiffyn eu treftadaeth rhag y gelyn.'

Yna digwyddodd peth rhyfedd iawn, peth cwbl anhygoel, ond peth llythrennol wir, er hynny. Gwelais ddyn mawr tal, mewn gwisg ddieithr iawn i mi, fel gwisg dyn o'r cynfyd, yn dyfod ar letraws y foel yn unionsyth tuag at y Garreg Saethau. Yr oedd bwa bychan yn ei law, a chawell saethau llawn yn crogi wrth ei ystlys. Ond wyneb y dyn a'm llygad-dynnai i. Ni allwn dynnu fy llygaid oddi arno, a deliais i syllu ar ei wyneb barfog hyd oni chyrhaeddodd yn bur agos ataf. Ni fedrwn yn fy myw beidio â chredu y dylwn adnabod y dyn. Yr oeddwn yn dra sicr nad hwnnw oedd y tro cyntaf imi weled yr wyneb hwnnw a'r llygaid mawr disglair hynny o'r blaen; a daeth syniad i'm pen mai un o'm hen gydnabyddion wedi ymddieithrio oedd y dyn. Ond ni choleddais y syniad hwnnw'n hir; ni allwn i gredu mai wyneb bugail oedd wyneb y dyn â'r bwa. Ym mhle, ynteu, y gwelswn ef o'r blaen? Yna, fel fflach mellten yn nhywyllwch nos, llewyrchodd goleuni ar fy meddwl. Cofiais ym mhle y gwelswn yr wyneb hwnnw – mewn pictiwr yn nhŷ fy nain, a dechreuais grynu gan ofn.

Canwaith y bûm yn syllu mewn rhyfeddod mud ar y pictiwr hwnnw. Dyna'r peth cyntaf a'r peth olaf a wnawn bob tro yr awn i dŷ fy nain. Ni byddwn byth yn blino edrych arno, nac ychwaith yn blino holi fy nain yn ei gylch – ynghylch y dyn ac ynghylch y llun. Rwy'n cofio gofyn, pan oeddwn yn ieuanc iawn, pwy oedd y dyn rhyfedd a phaham yr oedd ei lun yn nhŷ fy nain, a chofiaf byth bob gair o ateb fy nain.

'Siôn Wiliam Belis ydi o,' ebe hi, 'dy orhendaid di – taid dy daid, ac y mae nhw'n deud i mi 'i fod o'n ddyn od iawn; ac y mae o'n od o ran 'i olwg, ac y mae'r odrwydd yna yn y teulu o hil gerdd, ac mi fydd tra byddi di byw, beth bynnag. Yr wyt ti'r un ffunud â'r hen ddyn yna – yr un trwyn, yr un geg, a'r un llygad. Rhyw ddyn diarth, medda nhw, a baentiodd y llun, wedi gweld y peth od yna yn llygad yr hen Siôn.'

Yr oeddwn i wedi sylwi ar rywbeth anghyffredin yn wyneb dyn y pictiwr, ond digio wrth fy nain a wneuthum i pan ddywedodd fy mod i'n debyg iddo; ond parhau a chryfhau yr oedd ei atyniad i mi. Ceisiwn fy ngorau ddyfalu beth oedd cyfrinach ei atyniad. Er bod y trwyn amlwg yn tynnu fy sylw bob amser, credwn mai yn y llygaid yr oedd y gyfrinach. Ni welais ym mhen dyn erioed lygaid mor fyw a disglair â'r llygaid hynny, a phan euthum yn hŷn rhyfeddais lawer i neb allu gosod y fath ddisgleirdeb mewn paent. Y peth a'm synnai fwyaf pan oeddwn yn blentyn oedd y ffaith ryfedd fod y llygaid hynny yn syllu arnaf i ba le bynnag yr awn. Safwn wrth y drws un diwrnod â'm llygaid wedi eu hoelio ar y llun, a gofynnais i'm nain, a eisteddai wrth y tân, a oedd dyn y llun yn edrych arni hi. 'Ydi, wrth gwrs,' oedd yr ateb. 'Mae o'n edrach ar bawb ddaw i'r tŷ yma.' Ni allwn i ddeall y peth o gwbl, ac aeth y llun yn fwy o destun syndod imi nag erioed.

Rwy'n cofio i'r llygaid hynny fy llenwi â braw mawr un tro. Digwydd bod yn y tŷ ar fy mhen fy hun yr oeddwn, ac fel arfer yn syllu ar y pictiwr. Yn y man, ceisiais fynd o olwg y llygaid rhyfedd hynny ond yr oeddynt yn fy nilyn i bob cwr o'r ystafell. O'r diwedd, ceisiais ymguddio wrth dalcen y cwpwrdd llyfrau, a syllu heibio i'w ymyl, yn slei bach, i weled a oedd yr hen ddyn yn dal i edrych arnaf, a bu agos imi weiddi gan fraw pan welais y ddau lygad yn disgleirio arnaf, fel dwy seren, a rhyw wên wawdlyd, fel y tybiwn i, ar wyneb y dyn. Ni wn i beth a wnaethwn oni bai i'm nain ddyfod i mewn y munud hwnnw.

Tebygrwydd i'r llun hwnnw a welwn i yn wyneb y dyn â'r bwa, ond erbyn sylwi'n fanylach mi welwn eu bod yn annhebyg hefyd. Rhyw un peth od yn y ddau wyneb oedd yn eu gwneud yn debyg i'w gilydd, a chofiais sylw fy nain fod yr odrwydd hwnnw yn y teulu.

Nid wyf yn cofio imi synnu nac ofni wrth weled y dyn â'r bwa yn nesu tuag ataf ar draws y foel mewn dillad drama, ond cofiaf fy mod yn craffu cymaint arno fel na fedrwn weled dim na neb arall. Ond pan oedd ef o fewn ychydig lathenni imi gwelais fod mintai o ddynion gydag ef, a phob un ohonynt mewn gwisgoedd tebyg iddo ef, a bwa bychan gan bob un. Bu agos imi neidio ar fy nhraed a ffoi am fy mywyd, a diamau mai dyna a wnaethwn oni bai imi y munud hwnnw deimlo fy aelodau yn hollol ddiymadferth – effaith ofn, yn ddiau.

Daeth y pennaeth ymlaen – yr oedd yn hawdd iawn canfod arno mai ef oedd y pennaeth – at y Garreg Saethau, a gwyrodd ar ei gwrcwd wrthi a dechrau hogi ei saethau arni. Craffwn arno yn rhwbio'r naill saeth ar ôl y llall yn y rhigol fawr a oedd ar wyneb y garreg, ac yn teimlo'r min â'i fawd cyn rhoi'r saeth yn ôl yn y cawell. Wedi hogi ei holl saethau cododd y pennaeth, a daeth pedwar neu bump o'r lleill ar unwaith at y maen i hogi eu saethau, ac ar eu hôl hwy y lleill i gyd fesul pedwar a phump. Er fy nirfawr lawenydd, ni chymerai'r un ohonynt y sylw lleiaf ohonof i.

Yna gwelais y pennaeth yn cyfeirio â'i law i lawr at yr afon, a phan edrychais i i'r cyfeiriad hwnnw synnais yn fawr weled glasonnen fain yn tyfu ar ochr bellaf yr afon. Nid oeddwn erioed o'r blaen wedi gweled coeden o unrhyw fath o fewn rhai milltiroedd i'r lle hwnnw, ac yr oeddwn yn sicr na welswn goeden yn y lle hwnnw erioed o'r blaen. Ond ni chefais fawr o amser i synnu, oblegid gwelais y dynion, y naill ar ôl y llall, yn camu ymlaen ac yn anelu at y lasonnen fain – nid oedd fawr ffyrfach na ffon – ac yn gollwng eu saethau tuag ati. Os ei tharo oedd eu hamcan, yr oeddynt yn aflwyddiannus bob un, ac yr oedd eu methiant yn cythruddo'r pennaeth. Yn y man, camodd yntau ymlaen, a chiliodd y lleill o'i ffordd. Cododd y pennaeth ei fwa yn hollol ddidaro, tynnodd y llinyn, a gollyngodd y saeth, heb anelu o gwbl, hyd y gwelwn i; ond yr oedd ei annel yn ddi-feth. Gwelais ei saeth ef yn treiddio trwy'r lasonnen, nes bod y goeden yn ysgwyd, a'r saeth at ei hanner trwyddi.

Yna gwelais amryw o'r dynion yn rhedeg i lawr at yr afon, yn ei chroesi ac yn casglu'r saethau; a throais innau at y pennaeth gan feddwl gofyn iddo ai mynd i ryw fabolgampau yr oeddynt yn y dilladau rhyfedd hynny; ond fe'm trawyd yn fud gan yr olwg ellyllig a oedd ar y pennaeth. Yr oedd ei lygaid mawr yn fflamio yn ei ben, a'i farf yn codi fel gwrychyn ci; ac yr oedd yn amlwg i mi mai myfi oedd achos ei gynddaredd. Arnaf i y syllai ei lygaid dychrynllyd, ac ataf i y cyfeiriai ei fys. Pan welais ef yn camu'n fygythiol tuag ataf neidiais ar fy nhraed a ffoais am fy mywyd.

Rhedais i fyny i gyfeiriad Clogwyn Llyn, am fod y pennaeth a'i ddilynwyr rhyngof a'r ffordd adref, a rhoddais fy holl egni ar waith i ffoi o'u cyrraedd, ond ni allwn fy ngweled fy hun yn ennill tir arnynt. Credwn fy mod yn un o redwyr gorau'r wlad, ond y diwrnod hwnnw, er fy holl egni, araf iawn y gwelwn fy hun yn mynd. Yr oedd y gweiddi mawr o'm hôl – gweiddi fel gweiddi anwariaid wrth ymlid eu hysglyfaeth – yr oedd y gweiddi, meddaf, fel swmbwl angau yn fy nghnawd, ond teimlwn drwy'r cwbl fod arswyd yn diffrwytho fy aelodau.

Cefais fy hun yng nghanol creigiau – dim ond creigiau danheddog a welwn ym mhob cyfeiriad, a dim ond un llwybr cul a serth drwy ganol y creigiau, ac ar hyd y llwybr hwnnw y rhedwn i; a gwaethygu bob cam yr oedd y llwybr. Nid oedd le arno ond i un troed ar unwaith, ac yr oedd y dyfnder erchyll otanaf yn codi'r bendro arnaf. Llithrodd fy nhroed unwaith, a chefais fy hun yn crogi dros y dibyn gerfydd fy llaw; ond rywsut – ni wn i sut – dringais yn ôl i'r llwybr, a mynd ymlaen wedyn. Rhyfeddwn ataf fy hun yn gallu rhedeg ar hyd y fath lwybr peryglus; ond peth mawr am yrru dyn ydyw dychryn.

Ac yna fe'm daliwyd gan fraw mwy nag erioed – gwelais y llwybr yn darfod o'm blaen, yn ymgolli yn y gwagle dros ymyl y graig; ac o'm hôl yr oedd yr ymlidwyr barfog; ac yn yr awr gyfyng honno y clywais innau'r Waedd. Ni allwn i ddweud ei bod yn codi o'r ceunant mawr otanaf, na'i bod yn ymdonni i fyny yn erbyn lli'r afon. I'm clustiau i yr oedd ym mhobman ar unwaith – yn codi o'r creigiau dan fy nhraed, yn diasbedain o'r creigiau o'm cwmpas, ac yn llenwi'r awyr i gyd. Am eiliad gwallgof tybiais fod y waedd yn cymryd ffurf bwystfil, a bod y bwystfil yn rhuthro amdanaf. Dyna a wnaeth i minnau roddi gwaedd a neidio dros y dibyn i'r diffwys a agorai ei safn otanaf, ac yn sŵn fy ngwaedd fy hun – deffroais! Deffroais a'm cael fy hun wedi cysgu â'm talcen ar y Garreg Saethau.

Clos y Fynachlog

J. E. Williams

Neithiwr ddiweddaf y deuthum i ar draws yr hen siaced o frethyn cartref a wisgwn i ar y pryd, a'r llythyr a dderbyniaswn i oddi wrth Gerallt yn fy ngwadd i yno ato yn ei phoced hi. Dyma fo, neu o leiaf ddyfyniadau o'r rhannau hynny ohono sydd i'r perwyl ar hyn o bryd:

'Clos y Fynachlog,

....

Hydref 3ydd, 1935.

'... Heb ddim sarhad ar dy wybodaeth di o ddaeareg "Gwlad dy Dadau", mi fentraf ddweud na chlywaist ti erioed yn dy fywyd am y fan yma o'r blaen. Colli'r ffordd i rywle arall a barodd i mi fy hun ddarganfod y fro ddiarffordd yma ... Mewn ffermdy yr ydwyf i, yn sefyll ar waelod y dyffryn fel rhyw nyth ynghanol llain o goed cnau Ffrengig a pherllan geirios. Tŷ rhyw drichant oed wedi ei godi o feini adeilad arall lawer canrif hŷn ... Y mae tafod ymhob carreg yn y mur yma, co' bach, a choelia fi, nid tafodau mud mohonynt chwaith! Buasai yn werth i ti weld yr ysgubor yma – hen gapel y fynachlog, a meini ei furiau yn union fel y'u gosodwyd yn eu lle wyth gant o flynyddoedd yn ôl. Traddodiadau? – Beth ddyliet ti? Ac nid mwg heb dân sy'n codi o'r llain coed yma, ar fy llw ... Cofiaf iti ddweud bod gen ti wythnos o wyliau rywdro y mis yma. Beth am ddod trosodd yma ataf fi? Byddaf yn gorfod dychwelyd i'r tresi ar y nawfed cyfisol. Pe gallet ti ond dod yma am ddeuddydd neu dri mi fuaswn i fy hun wrth fy modd, ac ni'th anogwn i ddod heb wybod yn iawn y cawset ti dy hun fodd i fyw ... Y mae yma afon ar waelod y dyffryn yma a arlwyodd ford y Brodyr Gwyn am ganrifoedd o amser, ac ni bu cysgod genwair ar ei chyfyl hi ers blynyddoedd, medde

nhw ... Gyr delegram i ddweud ... etc., etc. Byddaf yn disgwyl
yn ddyfal am air yfory ...

Yr eiddot, etc., etc.,
GERALLT.'

Ie, dyna hi, yn yr hen lawysgrif rigil, a 'chymraf fy siawns' ei gymeriad
anorffwys yn llithriad pob llinell ohoni. Wel, coffa da fel y llamai
fy nghalon wrth feddwl am gychwyn. Pacio ychydig gyfreidiau heb
anghofio'r enwair, a stoc o blu, a'r gaff, a'r rhwyd landio. Dodais
bopeth yn y car yn barod, a chychwyn cyn canol dydd.

Cefais gryn drafferth i ddod o hyd i'r fan. Y mae y rhan honno o'r
wlad yn debyg iawn i rannau o Sir Fôn ond ei bod yn fwy bryniog.
Y mae yno lawn cynifer cymhleth o lonydd bychain blith draphlith
â'i gilydd nes ei bod bron yn amhosibl teithio'n ddiffael trwyddi hefo
map. Yr oedd yn dechrau nosi pan gyrhaeddais y drofa dros yr hen
bont gul a groesai yr afon sy'n rhedeg trwy ddolydd Clos y Fynachlog.
Ac yno ar y tro y cyfarfu Gerallt fi wedi bod yn fy nisgwyl ers teirawr.

'Rhaid i ti weld y bont yma yn y dydd,' meddai wrth i mi droi
i'w chroesi. Rhyw gamfa o bont a dim ond trwch llaw rhwng yr
olwynion a'r mur isel ar y naill ochr a'r llall, a'i hwyneb yn codi a
gostwng yn sydyn fel to tŷ tros y brig – 'dwn i ddim sut na tharawodd
y *cardan shaft* ar y brig a dal y car yno megis ar gamfa led. Ond wedi
disgyn yr ochr arall, llithrem yn esmwyth ddigon hyd ffordd raean
ar draws y ddôl tua'r llain coed nes bod golau'r lampau yn ariannu'r
boncyffion a duo'u cysgodion fel y dynesem tua phen y daith. A
dyma hen furiau mwsoglyd yr ysgubor fawr yn codi megis i'r awyr
o'n blaenau yn sydyn nes i mi daro 'nhroed ar y brêc a stopio'r car.

Chwarddodd Gerallt am fy mhen. 'Mi wnes innau yr un peth yn
union,' meddai. 'Be welaist ti?'

'Dim ond y wal yna,' meddwn i.

'Nacw welais i,' meddai yntau a nodio'i ben tua'r dde i mi. A phan
droais fy mhen, yno ar fin y fynedfa yn rhythu arna i tan sgyrnygu,
yr oedd y ci mwyaf a welais erioed â'm llygaid. Yr oedd o fel ebol.

Aeth ryw ias oer tros fy nghalon i pan y'i gwelais. Dau beth sydd arna i wirioneddol eu hofn – ci, a tharw.

'Ydi o yn dy nabod di?' meddwn i wrth fy nghydymaith.

'Nag ydi,' chwarddodd yntau, 'ond yr ydw i yn ei nabod o erbyn hyn. Dos yn dy flaen a thro'r golau arno yn iawn.'

'Gwelais bryd hynny mai wedi ei angori ar fath o blatfform pren yr oedd y ci, a'i fod mor ddiniwed a difywyd hefyd â'r platfform ei hun.

'Dyma'r unig gi sy'n y fan yma,' meddai Gerallt. 'Y mae pob ci a fu yma erioed wedi dianc oddi yma na ŵyr neb i ble, medde nhw. Tro i'r chwith rŵan a medri fynd ar dy union i'r ysgubor.' Gwneuthum innau fel y dywedai, a hanner fy mryd i ar y cŵn a oedd wedi dianc. Ni sylweddolais ar y funud fy mod i dan do o gwbl. Yr oeddem i mewn yn yr hen ysgubor fawr. Tas wair yn y pellter draw, dwy neu dair o droliau, gwlad o wagle a dim ond *Austin* Gerallt fel rhyw degan plentyn bach ar lawr wrth y mur ar y dde i mi. Gwelwn gysgodion duon yr hen ddistiau fel rhwydwaith yn y nenfwd uwch ben, ac ambell i dylluan lwyd yn hedfan yn y gwagle wedi ei chythryblu gan oleuni'r lampau.

'Tyrd i'r tŷ i gael bwyd,' meddai Gerallt. 'Rhaid i ti aros tan y bore i weld y lle yma yn ei ogoniant.'

Rhywdro ar ôl swper mi gofiais wedyn am fater y cŵn a'i grybwyll i'r ffermwr. 'Wel,' meddai yntau, 'yr ydw i wedi treio cadw ci yn y fan yma nes blino. Yr oedd yn union yr un fath yn amser fy nhad. Methodd yntau â chadw yr un ci yma, a 'nhaid o'i flaen yntau yn union yr un fath. Weithiau bydd ffarmwr arall yn digwydd galw yma â chi yn ei ganlyn, ond ni welais i erioed gi dieithr yn dod ddim cam pellach na chwr y coed yma. Troi yn ei ôl a mynd adre dan udo â'i gynffon yn ei afl.'

'Fyddwch chwi eich hun yn gweld rhywbeth o gwmpas y lle yma, Mr. Richards?'

'O,' atebodd yntau, 'y mae nhw yn mynd a dod yn y sgubor yna byth a beunydd, ond welwch chwi mohonyn hwy bob amser.'

'Pwy ydych yn ei feddwl, deudwch?' gofynnais innau.

'Y Brodyr Gwyn,' atebodd yntau. 'Mi gwelais i hwy laweroedd o weithiau, bob un mewn hugan wen laes a chwcwll gwyn yn hongian dros ei ysgwyddau. Ond ni fyddaf yn cymryd nemor o sylw yn awr. Byddai nhad yn dweud mai hwy biau y lle yma yn eu ffordd eu hunain, a wnânt hwy ddim mwy o niwed na'r awel ei hun. Ond fe ddigwyddodd un peth pan oeddwn i yn fachgen nad ydw i byth yn rhy dawel fy meddwl yn ei gylch. Rhybuddiodd fy nhad fi rhag cyffwrdd o gwbl mewn rhyw fymryn o hen ardd sydd yng nghornel y berllan yma yn nhalcen y tŷ. Ddeudodd yr hen ŵr ddim pam, ond yn unig fy rhybuddio i'w gadael yn llonydd fel petai yn perthyn i rywun arall. Rhywdro i chi, tua'r amser pan dorrodd y Rhyfel allan, aeth un o'r gweision yno ac agor mymryn o draen trwy y lle i gael gwared o ryw ddŵr-sefyll oedd yng ngwaelod y berllan. Drannoeth ar ei ffordd i'r farchnad hefo chert, fe redodd y ceffyl, a chadd y gwas ei ladd yn y tro yng ngwaelod y rhiw wrth ochr y ceunant yna a'r hen *durnpike* yn wynebu'r tro – gwelsoch o mae'n debyg. Ni feddyliais i ddim am gysylltu pethau ar y pryd; ond chwe blynedd yn ôl aeth gwas arall i wneud yr un peth yn union, sef agor y ffos, a lladdwyd yntau yn union yr un fath ac yn yr un lle!'

Dadleuai Gerallt mai ar y tro yng ngwaelod y rhiw yr oedd y bai, ac mai *coincidence* syml ydoedd bod y ddau was wedi bod yn agor y ffos. Ond ni chytunai yr hen ŵr am foment, ac ar ryw ystyr ni wnawn innau chwaith. A'r bore trannoeth, wedi bod yn edrych o amgylch a manylu ar y neillbeth a'r llall o'r hen adeiladau, 'Tyrd i weld y mymryn gardd hwnnw yr oedd yr hen ŵr yn sôn amdano neithiwr,' meddwn i wrth Gerallt. Ac i ffwrdd â ni tua chornel ddwyreiniol y berllan. Yno yr oedd rhyw damaid ysgwâr o dir yn amlwg wedi ei neilltuo rywdro a'i furiau wedi chwalu a lled suddo i'r ddaear nes bod yn ddim amgen na rhyw rimynnau anwastad mwsoglyd yn cau ar anialwch o ddrain a chwyn. 'Weldi,' meddai Gerallt, 'dacw hi y draen debygwn i a dorrodd y gwas.' Ac yn rhedeg ar hirtraws un gornel o'r fan yr oedd yno ffos fechan a drain a mieri wedi ei lled orchuddio. Cydiais innau mewn picwarch a chlirio tipyn o'r mieri i weld y ffos yn well, a'r peth cyntaf a dynnodd ein sylw ydoedd rhyw dalp melynwyn yn codi allan o waelod y ffos a mymryn o ffrwd yn torri'n ddwy heibio iddo. '*Skull*,' meddai Gerallt y foment y'i gwelodd. A phenglog dynol yn sicr ddigon ydoedd. Neidiais innau i'r ffos, ac heb nemor drafferth, daeth yn rhydd o'r llaid, a chodais ef allan. Nid ydoedd namyn asgwrn noeth ac eithrio'r llaid coch o'i fewn ar y lledpen hwnnw oedd dan y wyneb yng ngwaelod y ffos. O'm rhan fy hun, dodaswn ef yn ei ôl yn y bedd llaith a oedd eiddo ef. Ond yr oedd Gerallt yn wyllt am ei gadw ac nid oedd darbwyllo arno. Aeth ag ef i'r afon i'w olchi. Fe'i cadwodd, a mynd ag ef gydag o i ffwrdd oddi yno drannoeth. Arhosais i fy hun ddeuddydd yn hwy yng Nghlos y Fynachlog i fanteisio ar y lli oedd yn yr afon i enweirio. A'r noson ddiwethaf i mi yno, a hithau yn dal i fwrw galw, wedi iddi nosi, euthum â'r car allan hyd y ffordd i fan y gallwn ei adael a'i oleuadau yn llewychu ar draws pwll dwfn yn yr afon a chryn ddwsin o eogiaid ynddo. Euthum i fyny y tu uchaf i'r goleuni gan feddwl gollwng fy mhluen hefo'r lli i lawr tuag ato. Ond pan yn croesi'r cae tua'r dorlan yn y tywyllwch, mi sefais yn sydyn â'm llygaid wedi eu hoelio ar ryw ffurf yn sefyll fel ysbur o'm blaen i ar fin y dorlan – ffurf dyn o'i ysgwyddau i lawr, mewn hugan mynach wenllaes at ei draed, a chwcwll gwyn yn hongian oddi ar ei ysgwyddau crymion heb ben ar eu cyfyl! Pan gefais fy anadl, euthum yn ôl wysg fy nghefn yn ara deg i gyfeiriad y ffordd heb syflyd fy llygaid oddi arno. Safai yntau yn ei unfan yn ddisyfl nes i mi gyrraedd gwal y ffordd a neidio i'r car i'w gychwyn oddi yno. Baciais y car yn ei ôl i'w safle briodol ar y ffordd. Ond nid cynt fy mod wedi gwneud hynny a chychwyn y car yn ei flaen na sylweddolais i fod y ddrychiolaeth yn eistedd yn y car wrth f'ochr i! Sylweddolais ar yr un foment fy mod wedi colli pob llywodraeth ar y car. Gallwn ei lywio, a hynny yn unig. Yr oeddwn ar oriwaered i lawr tua phen isa'r ceunant a'r tro yn ei waelod wrth yr hen *dumpike*. Brêc – na, ni allwn roi fy nhroed ar ei gyfyl, a'm dwylo wedi eu selio ar yr olwyn fel nad oedd modd ymestyn at na *switch* na *handbrake*. Yr oedd ar ben arnaf – dyma'r *turnpike* yn fflachio o flaen y lampau – y tro – a'r olwyn yn fy nwylo yn gwrthod tr ... Duw! ...

Lluoedd o fynachod gwyn o'm hamgylch ymhobman, pob un ohonynt yn union yr un fath â'i gilydd. Cipiant fi gyda hwy i ymuno yn eu gosber yn yr hen ysgubor fawr, a'r byrdwn – *Miserere Domine, Miserere Domine*, yn ddiddarfod yn fy nghlyw. Ond dacw un y fan draw yn sefyll ar letro tuag ataf i, â rhywbeth, rhywbeth bach yng ngosodiad ei ysgwyddau crymion yn ei wahaniaethu oddi wrth y rhelyw. Oes y mae gen i gof am ambell i beth. Af ato a gofyn, 'Beth, os maddeuir i mi am ofyn – beth a ddigwyddodd i'm cyfaill Gerallt?'

'Dim,' etyb yntau yn ddioed. 'Fe syrthiodd ar ei fai, a dychwelyd eiddo arall i'w feddrod drannoeth ar ôl i ti gael dy ladd!'

Yn Fflach y Fellten

Elizabeth Watkin-Jones

Oedd, yr oedd ysbryd ym Mlas Bryn Mynach. Wyddai neb yn y byd ysbryd beth na phwy, ond yr oedd rhywbeth yn aflonyddu ar y teulu.

Nid oedd Llywelyn ap Maelgwyn wedi byw rhyw hir iawn ym Mhlas Bryn Mynach. Swyddog ym myddin Cromwell oedd Llywelyn, ac yr oedd wedi rhoddi ei eiddo a'i dda at wasanaeth y Senedd ym mlynyddoedd cyntaf y Rhyfel Cartref.

Ar ôl dienyddio'r Brenin Siarl, cymrodd Cromwell feddiant o dai a thiroedd amryw o frenhinwyr blaenllaw, a rhoddodd hwynt i'w ddilynwyr ei hun fel tâl iddynt am wasanaeth, ffyddlondeb ac aberth yn ystod y rhyfel. Tir wedi ei drawsfeddiannu felly oedd Plas Bryn Mynach. Enw ei wir berchennog oedd Syr Arthur Vaughan, ac yr oedd wedi dilyn ei frenin drwy'r holl helyntion ac wedi bod yn gymaint draenen yn ystlys y Werinlywodraeth ar ôl hynny nes ei garcharu ganddynt yn ninas Caer.

Safai Plas Bryn Mynach ar fryn isel a elwid Bryn Mynach oddi wrth y ffaith mai ar y llecyn yma y gorffwysai'r Myneich pan fyddent yn teithio trwy Nefyn ar eu pererindod i Ynys Enlli flynyddoedd cyn heldrin y Rhyfel Cartref. Ymsythai bryniau'r Gaerdderwest tu ôl iddo, ynghyd â'r Gwylwyr ar y dde, a'r Garn ar y chwith. O'i flaen ymdaenai'r môr, ac ar ddiwrnod clir gellid gweled mynyddoedd Iwerddon o ben tyrau'r hen dŷ.

Ar nos Sul drymaidd, glos, tua diwedd mis Awst 1658, eisteddai Nest, unig blentyn Llywelyn ap Maelgwyn, wrth lygedyn o dân mawn yn neuadd Plas Bryn Mynach.

'Mam,' meddai'n sydyn wrth wraig ganol oed a eisteddai gyferbyn â hi, a'i llaw yn chwarae yn ysgafn â'r brodwaith mewn ffrâm bren a safai gerllaw. 'Mam, peth rhyfedd na buasai rhywun wedi gweled yr ysbryd y mae cymaint o sôn amdano yn y tŷ 'ma.'

'Paid â siarad amdano yn fy nghlyw i,' meddai'r fam. 'Nid wyf yn credu am funud fod yma ysbryd. Gwir fod rhywun neu rywbeth yn troi a throsi'r celfi a'r dodrefn ar ôl inni fynd i'r gwely, ond fy nghred i ydyw mai llaw ddynol sydd yn gwneud peth felly ac nid ysbryd, a gorau po leiaf i ti a minnau feddwl amdano. Edrych ar y brodwaith 'ma, Nest. Pa liw fuasai orau i roi ar y rhosyn yma? Mae'n bryd imi ei orffen bellach, ac oni bai mai'r Sul ydyw, buaswn wedi gweithio cryn dipyn arno heddiw.'

'Lliw coch neu wyn,' meddai Nest, ond yr oedd yn amlwg nad ar y brodwaith yr oedd ei meddwl. 'A ydych wedi sylwi, mam, mai ar nos Sul y bydd yr ysbryd yn ymweld â'r tŷ 'ma amlaf? Ar fore dydd Llun y bydd y genethod yn cwyno fod pethau wedi cael eu troi a'u symud yn ystod y nos. Mae un o'r morynion eto am ymadael o achos y peth, meddai Malen. Peth rhyfedd na buasai rhywun yn ei weled yn rhywle ynte!'

'Does yna ddim byd i'w weled, eneth, a phaid â siarad mor ffôl,' meddai ei mam yn ddiamynedd. 'Llaw ddynol sydd yn gwneud y pethau ynfyd yna i gyd, a gwae ef pan gaiff dy dad afael ynddo!'

'Ond sut y mae'n gallu dod i mewn i'r tŷ?' dadleuai Nest gan fynnu dal ar ei thestun. 'Byddwn yn cloi'r drysau a'r ffenestri bob nos, ac mae barrau haearn arnynt, ac eto, yr oedd y darn tapestri sydd yn fy ystafell wedi ei droi un noson a'i wyneb i'r mur, a minnau wedi rhoddi'r bar ar ddrws fy ystafell ac ar fy ffenestr y noson honno!'

Cododd y fam ar ei thraed, ac meddai dan hanner gwenu, 'Buasai'n well gennyf siarad am ysbryd Plas Bryn Mynach – gan mai dyna y mynni ei alw – yn y bore nag ar noson drymaidd fel heno. Yr wyf am fyned i'm gwely. Nid yw fy nghefn wedi bod yn rhyw dda iawn heddiw, ond mae'n siŵr mai ar y tywydd mae'r bai. Rwy'n credu ei bod yn terfysgu, Nest. Ydi'n wir! Glywaist ti'r daran yna? Dos i roddi llenni dros y drychau. Mae'r arian bywion yn siŵr o dynnu'r mellt atynt!'

Cyn fod Nest wedi gorffen y gwaith o orchuddio'r drychau, yr oedd y glaw yn pistyllio a'r taranau yn dyfod yn nes. Clywai'r cŵn yn cyfarth oddi allan, a phan edrychodd drwy'r ffenestr, gwelai fellten yn goleuo'r hen eglwys a safai yng nghwr coed Bryn Mynach gan wneud i'r tŵr a'r clochdy edrych fel petaent wedi eu paentio ag inc yn erbyn awyr guchddu. Clywai lais ei thad yn y cyntedd yn rhoddi gorchymyn i un o'r gweision ynglŷn â chloi rhyw geffyl neilltuol mewn ystabl arbennig. Yna clywai ei thad yn dod i'r tŷ ac yn tynnu'r bolltau trymion ar draws y drws. Gwyddai yr âi ei thad o amgylch y tŷ i weled fod pob drws a ffenestr wedi eu cloi a'u sicrhau â'r barrau mawrion. Beth bynnag oedd yn aflonyddu arnynt yn ystod oriau'r nos, gan droi a throsi'r dodrefn a'r taclau, nid oedd modd iddo ddyfod i mewn na myned allan heb iddo gyflawni gwyrth.

Aeth Nest i'w hystafell, a thynnodd y llenni melfed dros y ffenestr. Yna, wedi gweled fod y clo yn sicr, tynnodd y bar ar draws y drws cyn diffoddi'r golau, a rhoddodd y blwch tân wrth ymyl ei gwely. Bu'n hir cyn syrthio i gysgu, ond o'r diwedd, clywai sŵn y taranau'n myned ymhellach, bellach, a syrthiodd hithau i gwsg trwm. Pa hyd y bu'n cysgu ni wyddai, ond deffrôdd yn sydyn gan sŵn taran yn clecian nes yr oedd y tŷ yn crynu ar ei sylfeini. Yr oedd y storm wedi crynhoi yn union uwchben, a'r hen fynyddoedd a'r creigiau yn diasbedain yn atsain y rhyferthwy. Dilynwyd y daran gan fellten a oleuai'r ystafell fel canol dydd, ac yn fflach y golau, gwelai Nest wyneb yn syllu arni – wyneb bachgen!

Edrychodd y ddau ym myw llygaid ei gilydd am amrantiad yn y fflach golau, ond y funud nesaf yr oedd yr ystafell yn ddu fel y fagddu, a'r lle yn crynu yn sŵn y daran a ddilynai'r fflach golau.

Mewn eiliad, yr oedd y blwch tân yn nwylo Nest, a'r gannwyll oedd yn y corn wrth ei hymyl wedi ei goleuo, ond yr oedd yr ystafell yn wag. Nid oedd neb yno.

(Pennod gyntaf *Y Cwlwm Cêl*.)

Y Rhwyfwr

J. O. Williams

Saith blwyddyn! – Saith Haf, a Saith Rhagfyr!

Tybiwn unwaith y buasai amser gyda mwynder ei hafau yn gwisgo popeth i ffwrdd, ond nid yw ymdaith y blynyddoedd, rywsut, ond yn angerddoli'r atgof o'r profiad a gefais un noson saith mlynedd yn ôl. Cedwais y gyfrinach hyd yn awr, ond ni fedraf ei chadw'n hwy. Dau yn unig a aeth drwy'r profiad. Heno, y mae un o'r ddau yn rhy ddiymadferth i wybod y gwahaniaeth rhwng angof ac atgof. Tybed? Amheuaf hynny ambell dro, canys rwy'n siŵr y gwêl fi heno ar fin torri'r cytundeb a wnaethom â'n gilydd saith Rhagfyr yn ôl. Gwn y maddau imi. Buasai yn gwneud yr un peth ei hunan pe na byddai'r bedd yn cloi ei wefusau.

Noson dduoer, anesmwyth yng nghanol Rhagfyr ydoedd. Cerddem, ddau ohonom, ar hyd ffordd goediog canol gwlad, a'n bryd ar weled goleuni tŷ neu westy a allasai roi cysgod inni dros y nos. Yn awr ac eilwaith, chwipiai awel o wynt nerfus y dail crinsych a oedd bob ochr i'r ffordd, a'u gyrru'n fintai dyrfus o'n blaen. Buasai'r nos yn dawel iawn onibae am sŵn y gwynt yn y coed, a siffrwd y dail ar gledr y ffordd.

Yr oedd yn gynnar ar y nos. Ychydig ynghynt trawsai cloc eglwys yn rhywle naw o'r gloch; gwyddem ninnau felly fod pentref heb fod ymhell. Cyn bo hir daethom at hen dafarn ar fin y ffordd, a'r sein yn gwichian yn gryglyd gyda phob cip o wynt. Troesom i mewn a threfnwyd am y noson. Wedi ymolchi, twtio, a chael tamaid o swper, aethom i mewn i ystafell gynnes. Cofiaf y boddhad moethus a gefais wrth agor drws yr ystafell honno – y simdde fawr ddugoch yn un pen iddi, silff dderw lydan uwch ei phen a hen biwtar a phres yn sgleinio yma ac acw ar hyd-ddi, a thrawstiau derw yn rhesi anunion ar hyd y nenfwd – yn ddu gan henaint; ac yn goron ar y cwbl yr awyr yn llawn aroglau pêr coed pîn yn llosgi yn y grât fawr agored. Ar un ochr i'r simdde, yr oedd hen setl dderw gefn-uchel, ac o flaen y tân dwy gadair esmwyth, gymfforddus, a barnu oddi wrth eu cefnau. Wrth glosio at y cadeiriau, sylwasom fod rhywun yn barod yn eistedd yn un ohonynt. Lled orweddai dyn ynddi a'i ddwy droed yn ymestyn at y tân. Ar y llawr roedd llyfr agored. Ni wnaeth unrhyw arwydd ein bod wedi dyfod i mewn. Cysgai ac anadlai'n drwm. Dyn canol oed ydoedd; ei wallt yn frithwyn, a'i wyneb yn denau a rhychiog.

Cymerodd fy nghyfaill y gadair arall, ac euthum innau ar y setl, a symudais ar hyd-ddi i gysgod clyd yr hen simdde fawr. Yn ddamweiniol sydyn trewais fy nhroed yn erbyn gefail a oedd ar garreg yr aelwyd. Deffrôdd y cysgadur. Agorodd ei lygaid yn araf gan edrych yn syn arnaf fi, yna ar fy nghyfaill a thrachefn yn ôl ataf fi.

'Maddeuwch i mi,' meddwn ar unwaith.

'Popeth yn iawn,' ebe yntau, gan ymestyn ei freichiau a thynnu ei draed ato. 'Ho! Ho! Y gwres a'r mwg coed yma sy'n gwneud rhywun yn swrth wyddoch.'

'Ie,' ebe fy nghyfaill.

'Mae blas ar dân ar noson fel heno,' ebe'r gŵr dieithr, gan led-droi ei ben i'm cyfeiriad i, a throi wedyn i edrych braidd yn syn ar Tom, fy nghyfaill.

'Oes wir,' ebe yntau, gan sgrwtian, a thynnu ei gadair yn nes at y tân. Yna sythodd y dieithryn yn sydyn, a meddai, 'Y ... faint sydd ers pan ddaethoch chi i mewn i'r ystafell yma?'

'Rhyw ddeng munud,' meddwn innau.

'Beth? Yn siŵr, y mae mwy o lawer na hynny.'

'Diar, nac oes,' meddwn drachefn.

'Wel, mi gymra' i fy llw eich bod yn eistedd yn y fan yna pan es i i gysgu.'

Tystiais yn gryf nad oeddwn, a thybiais imi weled ei wyneb yn gwelwi. Pefriai llygaid y gŵr, fel y taflai gilwg atom o'r naill i'r llall.

'Od iawn wir,' meddai, gan syllu'n syn i'r tân. Yna, cododd yn sydyn o'i gadair, a cherddodd allan o'r ystafell heb ddweud gair yn ychwaneg.

'Ia, od iawn wir,' meddwn wrth fy nghyfaill. 'Be ar wyneb daear ydi'r mater ar y dyn?'

'Breuddwydio reit siŵr,' ebe yntau, gan chwerthin yn ddistaw.

Yna symudais oddi ar y setl i'r gadair wag i drafod y gŵr a'r digwyddiad rhyfedd a barodd iddo ein gadael mor swta. Ymhen ennyd clywyd cnoc ar y drws ac agorwyd ef yn araf. Codais o'r gadair gan dybied mai'r gŵr dieithr oedd yn dyfod yn ôl, ond perchennog y gwesty oedd yno. Symudais i'r setl drachefn. Pam, 'dwn i ddim; ei chlydwch a chysgod yr hen simdde mae'n debyg.

'Peidiwch styrbio dim arnoch eich hunain, gyfeillion,' meddai, wrth gau y drws a cherdded yn hamddenol tuag atom. Sylwais nad oedd neb ond y chwi eich dau i mewn, a wel, dyma fi!'

Daeth at y tân, ac eistedd i lawr yn y gadair wag, gan dynnu ei getyn allan o'i boced a hwylio i'w lenwi.

'Chawsoch chi fawr o gwmni'r boneddwr arall, mi welaf,' meddai gan amneidio â'i ben tua'r drws.

'Wel, naddo,' ebe Tom, a dywedasom wrtho beth a ddigwyddodd cyn iddo ef ddod i mewn.

'Rhyfedd iawn, yntê?' ebe'r perchennog. 'Wel, a dweud y gwir wrthych, dyna pam y dois i i mewn,' ac adroddodd ychwaneg o droeon rhyfedd y dieithryn.

'Fe ddaeth i'r gwesty hwn ryw dair wythnos yn ôl. 'Dŵyr neb ddim amdano, nac o'i gerdded yn ystod y dydd, na'r nos, o ran hynny. Bron bob min nos, y mae'n treulio'i amser yn y gadair yma, yn darllen, yn cysgu ac yn pensynnu i'r tân.'

Cyn hir deallasom mai nid dyma y tro cyntaf iddo weld rhywun yn eistedd ar y setl. Pan ddywedasom mai breuddwydiwr heb ei ail ydoedd, gwenodd y perchennog, ac ysgydwodd ei ben.

'Na, mae mwy yn y stori na breuddwyd, mi greda' i, ac y mae'r boneddwr yna'n gwybod mwy nag sy mewn breuddwyd, rwy'n tybio.'

Taenodd gwên sych dros ei wyneb a chiliodd yn sydyn.

'Be ydach chi'n ei feddwl?' gofynais.

'Wel, wyddoch chi rywbeth o hanes yr hen le yma?' ebe'r perchennog.

Dywedasom na wyddem ddim. Yna aeth i ddweud ychydig o'r hanes yn ôl yr hyn a glywsai ef amdano.

'Fe ddois i yma rhyw bum mlynedd yn ôl – pum mlynedd i Chwefror nesaf, i fod yn gywir,' meddai. 'Hen dafarn min y ffordd a fu erioed, ac y mae'r adeilad 'ma tua thri chant a hanner oed, fel y gwelwch chi oddi wrth yr hen ddistiau derw sy'n dryfrith drwyddo, a'r conglau sydd yma a thraw yn y muriau trwchus. Daethpwyd ar draws yr hen simdde fawr yma ymhen rhyw flwyddyn ar ôl i mi gymryd y lle. Roedd hi wedi'i chau i fyny ers blynyddoedd lawer, ac adnewyddais innau hi i'w chyflwr presennol. Yng nghil y coed sy ar draws y ffordd inni, yr oedd 'ma hen dderwen gnotiog, ganghennog, lle'r arferid crogi lladron pen ffordd yn yr hen ddyddiau. Y mae hi wedi'i thorri i lawr ers talwm bellach, ac y mae aml stori am gysylltiadau'r hen sibed a'r gwesty hwn. Mewn geiriau eraill,' ebe'r perchennog, 'y mae'r lle yma'n cael enw da fel tŷ sy'n cael ei drwblo, ar ryw adegau.'

'Felly'n wir,' ebe fy nghyfaill.

'Ond cofiwch,' meddai'r perchennog, 'welais i ddim byd erioed o'i le yma. Ond fe ddywedir na wêl neb, os nad yw o hil gwŷr yr hen sibed dderw a fu ar draws y ffordd.' A chwarddodd yn galonnog wrth estyn am ddarn o bren llosg o'r tân i danio'i bibell.

'Hyd y gwn i, ni welwn ninnau chwaith,' ebe Tom. 'A chredaf,' meddwn innau, 'eich bod chwithau, syr, hyd yma, beth bynnag, yn bur ddiogel,' ac amneidiais yn chwareus arno. Chwarddodd yn ysgafn ac aeth ymlaen gyda'i stori.

'Dydwi'n rhoi fawr o goel ar y straeon a glywais i o dro i dro, gan fod cymaint yn cael eu gwau am bob hen dŷ fel hwn. Wir i chi, cyn belled ag y caf lonydd fy hunan ac y caiff fy nghwsmeriaid lonydd hefyd, y mae can croeso i'r bodau trwblus wandro o gwmpas fel y mynnon'. Ond y mae straeon o'r fath i fusnes fel hyn, fel saws mewn bwyd – rhoi tipyn o gic a blas arno, wyddoch. Ychydig iawn a welais i o neb yn ofni dim os byddant yn gymfforddus ac yn cael digon o fwyd da. Wir, mi fydda' i'n meddwl bod rhyw gyfeillgarwch rhwng hen, hen ysbryd a ni, fodau byw. Peth arall a fuasai i'r lle yma fod yn wag, gyda'i ffenestri noeth fel tyllau llygaid penglog. Dyna ichi'r hen blasty 'na sydd i fyny tu cefn i'r clwmp coed sydd ar draws y ffordd – lle o'r enw Glyn y Meudwy. Y mae'n wag ers cyn i mi ddod yma. Does neb yn gofyn i beth y mae o'n dda. Saif ar ei dir ei hun, mewn sbotyn hyfryd ryfeddol, ag afon loyw, lonydd yn rhedeg drwy'r parc coed sydd yng ngodre'r lawnt glas o'i flaen. Ond, y mae stori gwlad ai dro fod rhywbeth yn trwblo y tŷ yna, er na ches i fawr o grap ar y stori fy hunan. Yn ôl a glywais i gan un o'r hen weision, oedd yma o fy mlaen, fe ddaeth gŵr a gwraig i fyw i'r Glyn rhyw bymtheng mlynedd yn ôl. Dieithriaid oeddynt i'r rhan yma o'r wlad ac yn amlwg oddi wrth eu dull o fyw eu bod yn bur gefnog. Ychydig a wyddai neb amdanynt gan mor annibynnol y byddent. Ond fe ddeuai amryw atyn nhw i aros o dro i dro, ac yn enwedig o gwmpas gwyliau'r Nadolig, fel hyn.

'Un Nadolig, ymhen rhyw ddwy neu dair blynedd ar ôl iddyn nhw ddod i'r Glyn, daeth parti mawr atynt a chafwyd 'sbleddach na fu ei bath. Yr oedd y tŷ yn olau hyd oriau mân y bore, a lanterni lliw yn goleuo drwy'r coed ac ar lan yr afon. Noson i'w chofio ydoedd, meddai rhai a welodd yr olygfa. – Treiwch y baco yma syr,' ac estynnodd ei flwch imi wrth fy ngweld yn dal cetyn oer yn fy llaw. Llenwais a diolchais.

'... Ond y noson honno fe ddigwyddodd rhywbeth rhyfedd yng Nglyn y Meudwy. Drannoeth, canfuwyd nad oedd y parti yn gyflawn. Yr oedd un o'r dynion, gŵr ifanc cyfoethog, ar goll. Bu cryn stŵr a holi a chwilio amdano, ond yn ofer. Yr oedd ar fin priodi, medden nhw, gyda geneth hynod o brydweddol, a'r ddau yn treulio gwyliau, fel 'tae, yng Nglyn y Meudwy. Ond i dorri'r stori'n fyr, wedi cryn chwalu a chwilio daethpwyd o hyd i gorff y gŵr ifanc mewn pwll dwfn dan gysgod torlan yn yr afon. Pan glywodd ei gariad y newydd, aeth yn orffwyll, a'r noson honno taflodd yr eneth druan ei hunan drwy ffenestr ei hystafell wely i'r cwrt cerrig islaw, a chafwyd hi'n farw bore drannoeth.

'Dyna i chwi hanes y parti olaf a gafwyd yn y Glyn. Bu llawer o ddyfalu a llawer o chwilio pa sut y cyfarfu'r gŵr ifanc â'i ddiwedd. Cyn pen blwyddyn yr oedd y tŷ yn wag. Gwag ydyw byth.

'Mae'n debyg fod a wnelo'r trychineb â chadw pobl oddi yno,

ac aeth y stori o gwmpas fod ysbryd yr eneth yn crwydro drwy'r tŷ a'r coed o gwmpas. Naturiol iawn y cyfyd peth felly, wyddoch, fel ofergoel pobl syml y wlad. Welais i erioed ddim byd, ac nid wyf yn disgwyl gweled ychwaith, o ran hynny.'

Yna cododd, a rhoddodd ddarn o bren ar y tân.

'Cyffrous iawn wir,' ebe fy nghyfaill, 'cyffrous a diddorol hefyd ar noson fel heno, o flaen tanllwyth o dân mor braf.'

Trawodd hen gloc yn drwm ac araf yn y neuadd.

'Un-ar-ddeg,' meddwn innau wrth gyfrif, a symudais yn araf o'm congl a thua phen arall y setl. Roedd hi'n gynhesach yn y fan honno rywsut.

'Maddeuwch i mi, syr,' ebe'r perchennog yn gwrtais wrth hwylio i fyned allan, 'doeddwn i ddim yn bwriadu eistedd yn y gadair yma cyhyd. Un peth arall, cyn dweud "Nos dawch," os digwydd i chwi glywed sŵn siarad a rhyw stwyrian yn y stafell agosaf atoch yn ystod y nos, peidiwch â chynhyrfu dim. Y boneddwr oedd yma pan ddaethoch chwi i mewn bia'r ystafell honno. Cysgwr siaradus braidd ydyw, ac nid yw'n ddim ganddo godi ambell waith a cherdded o gwmpas yn ei gwsg. Peidiwch â hidio dim; gadewch iddo. Fe ddaw yn ei ôl yn saff. Wel, cwsg melys i chwi'ch dau! Nos dawch!' Aeth allan a chaeodd y drws yn ddistaw ar ei ôl.

'Un smôc, ac am y gwely,' ebe Tom, a thynnu sigarét o'i flwch.

'Wel, be wyt ti'n ei feddwl o stori fel yna?' meddai drachefn. Atebais yn ddihitio mai amserol iawn ar noswaith o aeaf, ac y buasai'n taro'n well ar nos Nadolig, gyda chriw go lew o gwmpas y tân.

'Codi a cherdded yn ei gwsg, ai-ê!' ebe yntau, gan edrych yn freuddwydiol ar y mwg yn esgyn i fyny o'i geg yn gylchau llwydwyn. 'Clywais am lawer felly, ond ni welais yr un erioed. Wyddost ti beth?' meddai, ac yn codi'n syth o'i gadair, 'mae'r noson wedi dechrau'n dda, beth am ei gorffen yn well os cawn gyfle?' – a thrawodd ei law ar fy nglin.

Gofynnais iddo pa beth oedd yn ei feddwl.

'Os bydd dyn y llofft nesaf inni'n mynd trwy ei gampau heno, wyt ti'n gêm i gadw llygad arno a mynd ar ei ôl?'

'Os byddwn ni'n ddigon effro,' meddwn innau'n hanner cysglyd.

'Mi awn ni'n syth am y gwely, ynta – tyd,' ac i ffwrdd â ni.

Aethom iddo yn ddistaw a diffoddwyd y golau.

Buom yn synfyfyrio yn y fan honno am beth amser, a'n chwilfrydedd yn ein cadw'n effro.

Trawodd yr hen gloc hanner nos â rhyw glonc hamddenol. Clywem eco ei glonc olaf yn marw yn y pellter. Yr oedd y distawrwydd yn drwm.

O dipyn i beth, syrthiais i i gysgu, mae'n debyg. Deffroais rywbryd wrth deimlo penelin fy nghyfaill yn fy mhwnio'n gynhyrfus.

'Clyw, clyw!' meddai, dan ei anadl.

Gwrandewais. Deuai sŵn cwynfanus o gyfeiriad y pared a wynebwn.

Codasai fy nghyfaill ar ei eistedd yn y gwely.

Newidiodd y sŵn cwyno i sŵn llais yn preblan yn wyllt, yna cwyno wedyn.

Llithrasom o'r gwely yn ddistaw. Goleuwyd cannwyll a gwisgasom amdanom rywsut, rywfodd.

O'r ystafell nesaf, clywem sŵn gwely'n gwichian, cwyno a siarad bob yn ail, a sŵn troed yn disgyn ar lawr y llofft; ychydig 'stwyrian, ac yna wich ysgafn dwrn y drws yn troi yn araf.

'Dyna fo,' ebe Tom yn gynhyrfus, 'mae o ar gychwyn i rwla.' Patiai rhywbeth yn esmwyth a phetrusgar yn y lobi o'r tu allan a phasiodd heibio drws ein hystafell. Clywem ef yn gwanhau ac yn colli yn y pellter.

Agorwyd y drws, ac ymaith â ni ar ei ôl, cyn ddistawed â dau gysgod. Ymhen draw'r lobi yr oedd pen y grisiau. Fel yr oeddem yn cyrraedd yno, clywem glec ysgafn clicied drws y tu allan, a chwifiai awel oer o'n cwmpas. Aethom i lawr yn ofalus o ris i ris, ac allan trwy'r drws a gawsom yn hanner agored.

Yr oedd y noson yn llwyd olau, a darn o leuad yn rhywle'n ymwthio trwy niwlen denau o gymylau ar wasgar.

'Dacw fo,' meddai Tom, gan bwyntio â'i law at rywbeth a symudai'n araf, lechwraidd ar draws iard y gwesty.

Hwtiai tylluan o'r coed cyfagos.

Dilynasom yn ochelgar, gan gadw ein hunain yng nghysgod y mân adeiladau a oedd rhyngom a golau llwyd y lleuad.

Daliai'r dyn i fynd yn ei flaen; gwthiodd lidiart yn agored a oedd rhyngddo a'r ffordd; croesodd gyda'r un arafwch, a thrwy lidiart arall, ac i fyny i'r coed gyferbyn â'r gwesty. Erbyn hyn yr oeddym ein dau yn dynn ar ei sawdl.

'I ble ar wyneb daear yr â'r criadur?' ebe fy nghyfaill a'i lais yn crynu. Ni ddywedais i air, ond yn unig gwasgu ei fraich.

Aethom ar ei ôl i fyny drwy'r coed, nes inni ddyfod i gwr llain o dir. Ychydig i'r chwith gwelem glwstwr o dŷ yn fwgwd tywyll rhyngom a'r awyr. Safodd y dieithryn o'i flaen am ennyd a chlywem ef yn griddfan yn isel. Yna trodd yn sydyn a dechrau cerdded yn ôl yn gyflym. Neidiasom ninnau i gysgod coeden braff wrth ymyl fel y ciliai cwmwl oddi ar wyneb y lleuad, a chawsom gip ar ei wyneb wrth iddo basio heibio. Yr oedd cyn wynned â'r galchen, ei enau'n hanner agored, a'i ddau lygad yn fawr a phŵl yn ei ben. Trodd drachefn i'r chwith yr un mor sydyn, a cherdded i lawr y llain tir i gyfeiriad y goedlan dywyll yn y gwaelod.

Ei ddilyn drachefn gan gadw ein hunain yng nghysgod y coed.

Safodd unwaith eto. Yn araf, daeth cwmwl ar draws y lleuad, ond ciliodd yr un mor araf, a fflachiodd y golau am ennyd ar rywbeth a oedd wrth draed y creadur. Dŵr! Safai ar lan afon lonydd!

Ni fedrwn ddweud gair wrth fy nghyfaill; a barnu oddi wrth ei anadl ni fedrai yntau wrthyf innau. Gwyliem y cam nesaf a'n nerfau yn dynn.

Symudasom yn nes ato, ac i gysgod coeden arall. Llithrodd y lleuad i'r golwg drachefn, a thaflodd lewych hyd wyneb llyfn yr afon. Nid oedd na rhych na chraith ar wyneb y dŵr, na gwelltyn yn symud yn unlle. Roedd popeth yn iasol ddistaw a llonydd.

Gafaelai Tom yn dynn yn fy mraich. Yn sydyn gwasgodd fi, a theimlwn y gwaed yn brydio yn ei fysedd.

Troesai y creadur ei wyneb tuag i lawr yr afon.

Wrth syllu i'r un cyfeiriad, gwelem rywbeth fel cysgod du yn symud yn araf ar wyneb y dŵr.

Deuai yn nes, nes, a'r creadur ar y lan fel pe'n ei ddilyn. Tybiais i ddechrau mai cysgod cwmwl yn pasio rhyngom a'r lleuad ydoedd, ond yr oedd y lleuad yn ddigon clir erbyn hyn. Fel y nesâi tuag atom gwelais ei fod yn debyg i gwch. Aeth heibio inni a thybiais imi glywed sŵn fel sŵn rhwyfau yn siffrwd yn y dŵr, ac rwy'n siŵr imi weled wyneb esmwyth yr afon yn crychdonni'n ysgafn.

Y nefoedd fawr! Teimlwn ryw ias oer yn fy ngherdded, ac fel petai rhyw leithder yn yr awyr o'm cwmpas.

Nid oedd undyn ar ei gyfyl. Nid oedd na chwch na chysgod, ond rhyw bentwr afluniaidd yn symud yn araf. Duw a wyddai pa beth ydoedd!

Ni fedrwn ddweud gair, na symud cam. Anghofiais bawb a phopeth ond y peth du a lithrai heibio'n araf; sŵn sisialog y rhwyfau, a llepian y dŵr ar y geulan oddi tanom. Ni fedrwn symud o'r fan ond sefyll yno fel petawn wedi fy mharlysu. Roeddwn hefyd am wn i!

Dadebrais wrth deimlo brathiad fel y plannai fy nghyfaill ei ewinedd yng nghnawd fy ngarddwrn. Roedd yntau yn gweled yr un peth.

Wrth ddilyn y cysgod (galwaf ef felly am wn i), syrthiodd fy llygaid ar y dyn a safai ar lan yr afon. Dechreuodd symud yn araf, gan ddilyn y symud a oedd ar y dŵr. Estynnai ei ddwylo allan fe petai'n ymbalfalu am rywbeth. Yna safodd, a'i wyneb tua'r afon. Gwelem y cysgod yn newid ei gwrs ac yn croesi o'r canol am y lan. Llithrodd yn ddistaw o'r golwg dan y dorlan, fel petai talp meddal o dwllwch y nos yn gwthio'i hunan i'r dorlan honno. Ac uwch ei ben safai'r cysgadur druan.

Yna gwelem ef yn codi ei freichiau, a chyda rhyw sgrech fyglyd nad oes arnaf fyth eisiau clywed ei thebyg, diflannodd, a darn o'r dorlan gydag ef, a thrwy'r cysgod tywyll i ddyfnder du y dŵr oddi tano.

Fel y disgynnai, mae'n debyg i mi droi fy mhen neu rywbeth rhag ofn yr olygfa. Yr eiliad hwnnw, gwelais fflach o oleuni llachar yn ymddangos yn un o ffenestri uchaf y tŷ gwag tywyll a oedd ar ein haswy – Glyn y Meudwy.

Pe baech yn rhoi'r byd i gyd i ni 'n dau, ni allem symud na llaw na throed i roddi'r cynhorthwy lleiaf.

Edrychais tua'r dorlan drachefn. Nid oedd na chysgod na dim ond tywyllwch dudew yno. Ond mi welwn i fyny'r afon ryw ddarn tywyll yn llithro'n gyflym ar wyneb y dŵr. Yn fuan aeth o'r golwg yng ngwyll y pellter.

'Dwn i ddim am ba hyd y buom yn sefyll yn y fan honno. Cawsom ein hunain yn cerdded tua'r gwesty yn cydio'n dynn yn ein gilydd a'n mudandod yn huotlach na phe baem yn treio torri geiriau.

Wedi inni gyrraedd y gwesty'n ôl, penderfynasom gadw'r gyfrinach. Hyd heddiw ni ŵyr neb ddim o'r hanes.

Clywsom iddynt gael hyd i gorff y gŵr dieithr ymhen tridiau ar ôl y digwyddiad.

'Cafwyd wedi boddi wrth gerdded i'r afon yn ei gwsg,' ydoedd y dyfarniad. Dyfarniad eithaf cywir, am wn i! Gwyddoch chwithau yn amgenach erbyn hyn!

Ddeuddeng mlynedd i'r noson hon y bu trychineb Glyn y Meudwy. Saith mlynedd i heno yr aeth fy nghyfaill a minnau drwy'r profiad.

Ni fedrwn ddewis amgenach noson i ddweud yr hanes. Nid dewis mohono. Rhaid ydyw.

Siawns na fyddaf finnau'n esmwythach fy meddwl yn awr.

Kitty Haf

Rhiannon Davies Jones

Mi fyddwn i'n methu â deall ers talwm pam y byddai Meri, Tŷ Coch, yn mynd cymaint i lawr i'r traeth pan gafodd hi'r pwl hwnnw o iselder ysbryd, ac er i'w mam a phob un o'i phlant ei dilyn o bryd i'w gilydd, ni chlywais i erioed iddi drio gwneud amdani ei hun. Mi fûm i'n dychmygu llawer yr adeg honno beth oedd hi'n ei gael yno, ond mae Meri, Tŷ Coch, yn iach fel y gneuen erbyn heddiw ac ni fedrai'r un dewin ei gwahodd hi i'r traeth, ar wahân i bicnic y plant neu fin-nos rasus yr Ysgol Sul.

Yr oedd rhyw arswyd o gwmpas y traeth i ni'r plant bob amser – un rheswm am hynny oedd fod yn rhaid agor y glwyd haearn a chroesi llwybr yr eglwys i fynd i'r traeth, ac yr oedd crafiad y glwyd honno ar y mur carreg yn union fel rhygniad llafn wrth lifio.

Ar yr ochr dde i'r llwybr er pan fedrwn i gofio yr oedd carreg fedd Kitty Haf ac i mi yr oedd yna ryw ramant slei yn ei henw hi. Cysylltwn ei henw cyntaf hi â mân sibrwd fy mam a merched y capel, ac â'r papurau amheus hynny y byddai plant yr ysgol yn eu pasio i'w gilydd o dan y ddesg neu yn eu cuddio ym môn y clawdd wrth gamfa Dolrhedyn. Ie, yng nghudd yn y llenyddiaeth frawychus honno yr oedd ei henw cyntaf. Ond am ei hail enw hi, yr oedd hwn yn gymysg o furmur gwenyn ac aroglau melyn eithin, o gymylau blew-geifr ar awyr las Gorffennaf neu o sylywét mynyddoedd Llŷn ar nos o haf fel godreon du ar ffrog sidan.

Ac yna rhyw ddiwrnod, fel Meri Tŷ Coch ers talwm, fe gefais innau fy hunan yn croesi llwybr y fynwent heb deimlo'r un arswyd o glywed rhygniad y glwyd ar y garreg. Yn wir, yn y fan honno y teimlwn i orau, pan ddeuai pwff o wynt o gyfeiriad y môr yn llawn o aroglau gwmon, a hwnnw'n nawseiddio aroglau mwsg y fynwent.

Rhyw led nosi roedd hi pan eisteddais i lawr ar garreg fedd Kitty Haf – carreg fflat oedd hi, fel wyneb bwrdd, a'i llythrennau bras yn

llawn o fwsog a thywod a heli môr yn gymysg, ac eto neidient o flaen
fy llygaid fel llythrennau newydd sbon –

YMA GORWEDD

KITTY HAF ROWLANDS,

HAFOD-Y-LLIN,

Bu farw Medi 10fed, 189-

yn 21 mlwydd oed.

'Gwyn eu byd y rhai pur o galon'.

Eisoes yr oedd dydd byrrach y mis Medi hwnnw'n ymdoddi i'r nos
yn gyflym, fel dŵr lliw-glas yn colli ei lesni o'i ddefnyddio. Torrodd
sŵn y naill don wedi'r llall ar y traeth, ac o rywle na wn i o ble –
oblegid nid oedd coed yw na phridd coch yn y fynwent honno –
daeth sŵn ysgafn, lleddf fel cyffro glöyn byw ar wely o flodau ...

'Rydach chi wedi bod yma o'r blaen rwy'n credu? Mae rhywbeth
cynhesol yn sŵn eich troed chi, chlywais i ddim sŵn troed fel eich un
chi ers blynyddoedd ... roedd hynny newydd i mi ddŵad yma. Ond
rhyw ddŵad yn stelcaidd wedi iddi nosi y byddan nhw, fel tasa nhw
ofn i rywun eu gweld nhw ... Kitty Haf oedd f'enw i.'

'Mae'n dda gen i glywed eich llais chi, Kitty Haf. Rydw i fel 'tawn
i'n meddwl i mi'i glywed o, o'r blaen yn rhywle; mae o mor gynefin
i mi ag ydyw bwyta a chysgu a chodi. Yn rhyfedd does arna' i ddim
o'ch ofn chi rŵan – am ein bod ni'r un oed hwyrach neu am ei bod
hi'n fis Medi neu am ein bod ni'n meddwl yr un fath ...? Wn i ddim.
A dyma enw tlws oedd gennych chi – Kitty Haf'.

'Ie, fel Kitty Haf y byddai pawb yn f'adnabod i, ar wahân i Bob
bach yr Hendre a Mr. Thomas, y gweinidog. Kitty, fyddwn i'n wastad
i Bob bach, a Haf i Mr. Thomas ac felly yr oedd rhyw ddeuoliaeth
ryfedd ynof erioed. Unig blentyn oeddwn i; yr oedd fy nhad yn hen
ac ef oedd pen-diacon a thrysorydd y Capel Mawr, ac am fy mam, yr
oedd hi'n gaeth i fympwyon fy nhad a Modryb Siwsan.

Mi fyddwn i ers talwm hefyd yn diodda oddi wrth yr asma a phob yn ail â pheidio, byddwn yn eistedd yn ffenestr y llofft ffrynt yn gwylio'r plant yn mynd i'r ysgol. Byddwn yn gwisgo gwlanen goch ar fy mrest a byddai aroglau camffarét ar honno'n wastad ... Ond doeddwn i ddim yn ddwl serch hynny, yn wir, byddwn yn difa pob llyfr stori o fewn fy nghyrraedd ac wedyn mi fyddwn yn methu â deall pam oedd yn rhaid i mi gael yr asma, dim ond i mi roi fy mhen heibio i'r drws, pan oedd Harriett, Tŷ Isa', yn cael sblasio'n y dŵr? Pam oedd yn rhaid i mi edrych ar wallt cyrls Helen y Ffatri ac ar ei chroen lliw-hufen? Ond wedyn yr oedd Helen yn ddwl fel post-llidiart, prin y câi fwy na phymtheg o farciau yn yr Arholiad Sirol er iddi eistedd yng nghornel y Sêt Fawr efo Beibl o dan ei thrwyn ...

Eistedd wrth ffenestr y llofft ffrynt yr oeddwn yn gwylio'r dynion yn cario dodrefn y gweinidog newydd i Lan-Dŵr. Rhyw led dau gae oedd rhyngom ni a thŷ'r gweinidog, ac wrth wylio'r cypyrddau eboni a'r cadeiriau plws coch yn cael eu cario i mewn dechreuais ddychmygu pethau. Unwaith y dechreuwn ddychmygu, byddwn yn byw mewn rhyw fyd bach fy hun ac wedyn mi fyddwn yn hapus ... Cofiais am furiau tamp y parlwr yng Nglan-Dŵr, ac am furiau ein llofft fach ni efo llinellau igam-ogam lliw-rhwd yn ffurfio fel wyneb dyn uwchben y ffenestr. Bron na allwn deimlo'r llwydni'n rhwbio ar y cadeiriau plws coch fel y tamprwydd yn fy mrest.

Roeddwn i'n eistedd ar y setl o flaen y tân, efo antimacasar coch a gwyrdd dros f'ysgwyddau a chlamp o lyfr *Fun and Frolic* ar fy nau benglin, pan alwodd y gweinidog a'i wraig heibio i'n tŷ ni. Ac felly y daeth ogla lafendar i'r gegin a dau lygad gloyw gwraig y gweinidog. Weithiau mi fyddwn i'n dychmygu y medrwn i ddal i edrych arni am byth efo dau lygad llonydd; ond nid oedd ei llygaid hi byth yn llonydd. Rhywsut neu'i gilydd mi fyddwn i'n cofio am Helen y Ffatri efo'i wyneb babi ar noson yr Arholiad Sirol ac i'r categori hwnnw y byddai gwraig y gweinidog yn syrthio bob tro. Ac am y gweinidog yn y cyfnod cynnar hwnnw – yr oedd ei lais melfedaidd o, fel eli ar sŵn cras 'nhad a thuchan Modryb Siwsan. Yr oedd yna hen wraig hefyd wedi ei chaethiwo i'w hystafell wely yng Nglan-Dŵr, ond prin y deuthum i gyffyrddiad â Mrs. Thomas, mam y gweinidog, yn y cyfnod hwnnw.

Ac yna o'r diwedd, daeth dydd gadael ysgol. Yr oeddwn innau wedi cefnu ar yr asma ac ar bnawn Mawrth wedi gorffen smwddio, mi fyddwn i'n mynd i Bant-y-Coed at Nain a Modryb Siwsan. Ar nos Fawrth byddai Bob bach yr Hendre'n noswylio'n gynnar ac yn sefyll ar groesffordd y Wern yn gwisgo'i drowsus melfaréd newydd a'i giw-pi. Ond rhywsut neu'i gilydd fe ddaeth i glustiau 'nhad fod Bob bach yn loitran wrth y groesffordd ac wedi hynny nid oedd pnawn Mawrth yn wahanol i unrhyw bnawn arall.

Gyda 'nhad a mam y byddwn i'n mynd i bobman ar wahân i'r Cwrdd Plant a'r Cwrdd Darllen ac wedyn byddai'n rhaid i mi aros y Seiat a'r Cwrdd Gweddi a mynd adre efo nhw. Ond, yn raddol, fe dyfais yn rhy hen i fynychu'r Cwrdd Plant ac wedyn byddwn yn dysgu'r Tonic Sol-ffa i'r plant bach ac yn cymryd dosbarth y bêbis yn yr Ysgol Sul. Ac felly'n feunyddiol, roeddwn i'n dod i gysylltiad â Mr. Thomas, y gweinidog. Weithiau mi fyddwn yn ennill mewn steddfod ar draethawd neu linell o limerig neu benillion coffa. Clywais rai'n dweud ar ôl Helen, y Ffatri, mai gwaith Mr. Thomas, y gweinidog oeddan nhw, ond o ran hynny yr oedd Helen byth a beunydd yng Nglan-Dŵr yn y cyfnod hwnnw. Ta waeth, yr oeddwn i'n hapus yn fy ffordd fach fy hun ac fe anghofiais am Bob bach yr Hendre a'i giw-pi.

Ond rhyw ddiwrnod daeth helynt rhyfedd i Lan-Dŵr. Clywswn Nansi, hogan Elin Pari – byddai Elin Pari yn mynd yno i lanhau – rhyw ddau Sul cyn hynny yn sibrwd wrth dwr o blant o'r tu allan i'r capel, eu bod nhw'n mynd â gwraig y gweinidog i'r un lle ag yr aethon nhw â Lias Tan-yr-Onnen, pan oedd hwnnw'n cymryd arno mai Huws y Sgŵl oedd o. Ond o ran hynny, doedd hyn yn newydd yn y byd gan nad oedd gwraig y gweinidog yn cyfathrachu â neb, ar wahân i deulu'r Ffatri, ers misoedd hir. Yn fuan wedyn, fe'i collwyd hi'n edrych heibio i gyrten y parlwr ffrynt ar adeg dechrau oedfa.

Ac wedyn bu farw Nain, Pant-y-Coed, ond yr oedd hi mor hen rywsut fel nad oedd raid crio ar ei hôl hi. Dyna pryd yr aeth Modryb Siwsan yn howscipar i Lan-Dŵr ac i gadw llygad ar yr hen wraig, mam y gweinidog. 'Dwn i ddim pa mor hen oedd hi mewn gwirionedd, ond i ni'r plant yr oedd hi'n hen pan ddaeth hi, a rhywsut fe fyddem ni'n synio y byddai hen wraig Glan-Dŵr yn dal i fyw am byth.

A phob nos Fercher wedi hynny fe fyddwn i'n mynd i dŷ'r gweinidog er mwyn i Modryb Siwsan gael ei noson allan ...

Bellach cawn fwy o bleser mewn rhoi tipyn o sglein ar dylwyth y silff ben tân ac fe allwn oddef gwylio mam â'i sbectol ar flaen ei thrwyn, yn gwthio'r nodwydd ddur trwy 'sanau gwlân 'nhad a gwrando 'nhad yn poeri ei sug baco i'r twll lludw.

Yr oedd cyflawnder o lyfrau yng Nglan-Dŵr, ac ar y cwpwrdd eboni yn y parlwr yr oedd Beibl â gwaeg lliw aur arno. O dipyn i beth, dysgais innau fagu digon o blwc i'w agor, ac ar ei dudalen flaen mewn ysgrifen gron blentynnaidd yr oedd a ganlyn:

CYFLWYNWYD I MI, ELLEN THOMAS

gan fy nhad,
William Pugh.

Yn ei ganol yr oedd cofnodiad o eni a marw y naill genhedlaeth wedi'r llall a darnau o bapurau newyddion yn cynnwys pennill coffa neu bregeth angladd, ac ymhlith y pentwr hwnnw y gwelais drachefn enw WILLIAM PUGH a fuasai farw yn YSBYTY'R MEDDWL LLAN—.

Ac felly wrth droi tudalennau'r Beibl Mawr a syllu i'r tân yng Nglan-Dŵr y dysgais i gyntaf, nad oedd byw ond rhyw grafiad ar dragwyddoldeb – dôi serch a llosgi dros dro ac yna disgynnai fel marworyn a sŵn llacrwydd yn ei ddisgyn. Pam y poeni am fyw? Pam yr ymgodymu â'r pridd? Ac eto yr oedd rhyw ymdeimlad o deyrngarwch o weld y swch fel arian byw yn y rhychau: teyrngarwch i'r pridd ar y naill law ac atgasedd arswydus ohono ar y llaw arall. Heddiw chwerthin a mynnu byw a gwawdio ogla pîn a chrachod lludw, ac wedyn pan ddeuai sŵn troed Mr. Thomas, y gweinidog, ar step y cefn, mi fyddwn i'n anghofio am dragwyddoldeb am fod yna rywbeth melfedaidd yn ei lais o, fel y sglein-esmwyth hwnnw ar betalau blodau "Jenny-Flowers" yn yr ardd gefn. Mi fyddwn i'n ffond o'r blodau hynny er dyddiau'r asma pan ddeuai eu hogla nhw i fyny'r pren eiddew trwy ffenestr y llofft ...

Mi ddysgais hefyd fod yn well gen i Mr. Thomas, y gweinidog, na 'nhad a 'mod i'n teimlo'n fwy cyfforddus yng nghegin nag ym mharlwr Glan-Dŵr – dim ond fod potiau "geraniums" yn ffenestr y parlwr a llun gwraig y gweinidog mewn ffrâm yn y cwpwrdd eboni yn gymysg ag ogla cadw. Ac felly y teimlais ryw wrthryfel dieithr ynof fy hun yn erbyn y llwch ar drysorau'r parlwr a'r gwêr yn enaid fy nhad ...

Nos Fercher ym mis Medi oedd hi pan gerddwn trwy'r pentref ymhen y rhawg wedyn. Aethai mis heibio er pan ddaethai gwraig y gweinidog adref. Wrth Siop-y-Post gwaeddodd Helen y Ffatri ar fy ôl,

"Dyma i ti lythyr, Kitty Haf", meddai efo'i hwyneb babi. "Rwyt ti'n cael llythyrau'n aml rŵan."

Gafaelais ynddo. Ie, yr un ysgrifen oedd hon ag o'r blaen, yr ysgrifen honno a barodd i mi drosi nos ar ôl nos. Yr oedd malais yn nhro'r llythrennau a'r un crynder plentynnaidd ag yn nhudalen flaen y Beibl Mawr ym mharlwr Glan-Dŵr.

Dringais dros y gamfa wrth y Black Lion a chroesais y cae'n frysiog i gyfeiriad ffordd y traeth heibio i Lan-Dŵr. Daeth ogla 'geraniums' a dau lygad gwraig y gweinidog i lenwi'r lle. Erbyn i mi gyrraedd y traeth roedd y lleuad yn dechrau codi dros grib y Foel ac yn disgleirio ar dragwyddoldeb llonydd y môr ac unwaith eto fe'm mygwyd ag ogla "geraniums".'

★ ★ ★

Peidiodd y sŵn ysgafn, lleddf a daeth gwynt trymach o'r môr i gymryd ei le. Teimlais ysgafnder rhyfedd fel myned o ofid i dir pell ac ymwthiodd oerni'r garreg trwy asgwrn fy nghefn. Yr oedd fy ngweflau'n sychion.

Ac yna daeth lleuad onest y naw nos olau i aros yn ei llawn anterth ar lythrennau tywod-aur carreg fedd Kitty Haf –

KITTY HAF ROWLANDS,

HAFOD-Y-LLIN,

'*Gwyn eu byd y rhai pur o galon.*'

Kitty Haf? ... Ni wyddwn innau mwy na'r lloer, fawr amdani hi ar wahân i fân sibrwd fy mam a merched y Capel.

Unwaith eto daeth sŵn ffals y dŵr yn goglais graean a chregin a gwmon.

Llithrais tua phorth y fynwent ac fel Meri Tŷ Coch ers talwm mi glywais eilwaith rygniad y glwyd fel sŵn llafn wrth lifio.

Y Tyddyn

Islwyn Ffowc Elis

Fel llawer nofelydd Seisnig arall, fe ddaeth awydd arnaf innau i sgrifennu nofel am Gymru. I mi, yr oedd Cymru yn dir glas yn llenyddol, nad oedd nofelwyr a dramawyr ond prin wedi cyffwrdd â'i ymylon. Gwlad estron wrth fy nrws, a dyn a ŵyr pa nifer o nofelau mawr yn ei chymoedd yn disgwyl am lenor i'w rhoi rhwng cloriau. Chwiliais y llyfrau taith am ardal ac am dafarn lle byddwn i debycaf o gael deunydd. Dewisais y Bedol ym Mhont Oddaith.

Am yr ychydig ddyddiau cyntaf ym Mhont Oddaith, ni wneuthum i ddim ond cerdded i fyny ac i lawr yr un stryd wyngalchog, dadfeddwi o'r awyr fynyddig, a gwrando ar y pentrefwyr ym mwmial â'i gilydd yn Gymraeg. Ni chlywswn erioed gymaint o Gymraeg. Gyda'r nos, yr oeddwn gyda'r dynion yn y dafarn, yn prynu am beint bob hen chwedl gwlad a oedd ar gof a chadw, ac yn araf ddethol fy nghymeriadau ar gyfer yr hen dafarn fach a fyddai yn fy nofel i.

Un bore, wedi imi fod yno wythnos, awgrymodd Tomkins y Bedol imi fynd i fyny am dro hyd Lwybyr y Graig. Yr oedd yr olygfa o ben ucha'r llwybyr i lawr ar y dyffryn yn fythgofiadwy, meddai Tomkins. Fe fyddwn i'n siŵr o'i mwynhau.

Gyda bod y gawod drosodd, mi gychwynnais. I fyny'r stryd wyngalchog, drwy lwyn o goed, ac yna troi oddi ar y ffordd galed drwy lidiart, ac i fyny'r llwybyr hwyaf a gerddais i erioed. Fe'i gwelwn o'm blaen, yn nyddu fel neidr hyd fin y llechwedd moel, i fyny hyd at dwr o goed yn cyrcydu ar y gorwel grugog. Gan nad oedd ond Medi cynnar, a'r haul wrthi'n sychu'r gwlybaniaeth gloyw oddi ar y glaswellt mynydd, yr oeddwn yn chwys diferol cyn cyrraedd hanner y llwybyr. Ond yr oedd yr olygfa ar y dyffryn, fel y dywedodd Tomkins, yn fythgofiadwy.

Ym mhen ucha'r cwm, sythodd y llwybyr a saethu'n felynwyn o'm blaen, drwy'r grug yr oedd defaid yn codi ohono fel caws-llyffant gwynion, yn syth i fuarth tyddyn. Nid oedd dŷ na thwlc i'w weld yn unman ond hwnnw. Yr oedd y tŷ unicaf a welswn i erioed.

Yn sydyn, rhwygwyd yr awyr gan chwiban miniog, a dechreuodd y defaid o'm cwmpas sboncio dros y twmpathau grug a'i gwneud hi am y tyddyn, a fflachiodd coleri gwynion dau gi meinddu, un o boptu imi, yn y grug. Trois fy mhen i weld o ble y daeth y chwiban. Llai na chanllath oddi wrthyf, yn pwyso ar ffon fugail hwy na hi'i hun, safai merch.

Gwaeddais rywbeth arni ar draws y grug, ond nid atebodd. Yr oedd yn dal i syllu arnaf, fel petai am amddiffyn ei mynydd rhagof â'i ffon fugail fain. Cerddais yn araf tuag ati. Ciliodd hithau gam neu ddau yn ôl wrth imi nesáu. Aeth yr haul o'm llygaid ac yr oeddwn yn syllu ar yr eneth yr oeddwn wedi'i darlunio i mi fy hun ar gyfer fy nofel. Yr oedd ei llun gennyf mewn pensil ar ddarnau o bapur yn fy nesg gartref. Yr un osgo, yr un wyneb, yr un llygad stormus, swil.

Fel dyn yn ceisio deffro o freuddwyd ac yn methu, gofynnais iddi beth oedd enw'r tyddyn y tu ôl iddi. Bu'n hir heb ateb, yn fy amau, hwyrach yn fy nghasáu.

'Blaen-y-Cwm,' meddai o'r diwedd, ac yr oedd ei llais yr un sŵn yn union â'r afon a glywn dros y boncen ar lawr y dyffryn.

'Yma'r ydych chi'n byw?' gofynnais.

Nodiodd ei phen.

'Beth ydi'ch enw chi ?'

Gwibiodd ei llygaid. Yna tynnodd anadl wyllt, a throi, a rhedeg o'r golwg drwy lidiart y tyddyn. Ymlwybrais drwy'r grug a'r llwyni llus ar ei hôl.

Pan gyrhaeddais lidiart y buarth yr oedd dyn yn dod i fyny i'm cyfarfod. Yr oedd tyfiant tridiau ar ei ên, ac yr oedd ei ddau lygad yr un ffunud â dau lygad yr eneth.

'Bore da,' meddwn i wrtho.

'Bore da.'

'Chi ydi tad y ferch ifanc y bûm i'n siarad â hi gynnau?'

Rhythodd y dyn arnaf.

'Ddaru Mair siarad â chi?' meddai.

'Do,' meddwn i. 'Ydi hynny'n anghyffredin?'

'Mae'n anhygoel,' meddai'r dyn. 'Ddaw hi byth i olwg neb diarth. Dydi'r cymdogion, hyd yn oed, ddim wedi'i gweld hi ers blynyddoedd.'

'Cymdogion?' meddwn i, gan edrych ar hyd y milltiroedd moelydd heb weld tŷ yn unman.

'Dowch i'r tŷ,' meddai'r dyn.

Yn y tŷ yr oedd ei wraig, gwraig fach fochgoch, yn siarad fel lli'r afon, ac ambell air Cymraeg yn pelydru yng nghanol ei Saesneg carbwl. Cyn pen dim yr oedd lliain claerwyn ar y bwrdd a chinio'n mygu arno.

'*Come to the table and eat like you are at home. You want a* paned, *I know after you climb Llwybyr y Graig.*'

Gwenais, a bwyta fel dyn wedi dod adref. Yr oedd fy nofel yn tyfu.

Buom yn sgwrsio ar hyd ac ar led, ac wrth ymadael gofynnais i'r dyn,

'Beth am ddod i lawr i'r Bedol am lasiad heno ar ôl cadw noswyl ?'

Cododd y dyn ei lygaid llymion a dweud,

'Dydw i ddim yn yfed.'

'Roeddwn i'n meddwl bod y Cymry i gyd yn yfed,' meddwn i.

Ysgydwodd ei ben.

'Byth er pan fu John Elias yng nghapel Saron,' meddai, 'mae'r arferiad pechadurus hwnnw bron wedi darfod o'r ardal.'

Meddyliais am y dynion yn Y Bedol bob nos.

'O wel,' meddwn i, 'maddeuwch imi am grybwyll. Diolch yn fawr ichi'ch dau am eich croeso. Wyddoch chi ddim faint o werth fu o i mi.'

Safodd y ddau yn nrws y tŷ yn fy ngwylio'n croesi'r buarth, a'r haul ar draws y drws yn eu torri yn eu hanner. Agorais lidiart y buarth, a'i chau, a symudodd rhywbeth yn y cysgod. Agorodd y cysgod a daeth Mair allan i'r haul, mewn ffrog laes at ei thraed.

'Ho,' meddwn i, 'wedi gwisgo yn nillad eich nain, rwy'n gweld.'

Yr oedd fy llais yn wastad, ond yr oedd fy ngwaed yn carlamu. Yr oedd hi'n enbyd o hardd. Syllodd hi'n syth i'm llygaid.

'Mi wn i pam y daethoch chi yma,' meddai. 'Ond chewch chi byth mohono'i. Dydw i ddim yn perthyn i'ch hiliogaeth chi. Os ceisiwch chi 'nhynnu i o'r mynydd, oddi wrth y defaid a'r gylfinir a'r gwynt, chewch chi ddim ond llwch ar eich dwylo. Gwell ichi f'anghofio i, anghofio ichi 'ngweld i erioed.'

'Ond Mair –'

'Peidiwch â 'nghyffwrdd i,' meddai, a chilio gam yn ôl. Ond yr oedd rhywbeth yn fy ngwthio tuag ati, fel petai rhywun o'r tu ôl imi yn cydio ynof ac yn estyn fy mreichiau tuag ati.

'Chewch chi mohono'i,' meddai eto, a chyda'r gair, troi, a rhedeg drwy'r grug, drwy'r haul, ar hyd y mynydd, a'i ffrog laes yn llusgo dros y twmpathau ar ei hôl. Minnau erbyn hyn yn ei dilyn. Yr oedd yn rhaid imi egluro iddi, ei bod wedi 'nghamddeall i, hwyrach wedi 'nghamgymryd i am rywun arall.

'Mair !'

Ond yr oedd hi'n dal i redeg, weithiau'n troi drach ei hysgwydd, yna'n rhedeg yn gynt. Yr oeddwn erbyn hyn yn benderfynol o'i dal. Yn sydyn, fe'i collais hi mewn pant. Rhedais i ben yr ymchwydd nesaf yn y tir, ond nid oedd golwg amdani yn unman. Eisteddais i adennill fy ngwynt. Daeth gwaedd o rywle draw i'r chwith. Sythais, a gwrando. Daeth y sŵn wedyn, a sylweddolais nad oedd ond dafad yn brefu rywle yn y twmpathau grug. Yn araf, ddryslyd, cychwynnais ar hyd y llwybyr hir i lawr i Bont Oddaith.

'Blaen-y-Cwm?' meddai Tomkins yn y stafell ginio y noson honno. 'Does yr un lle â'r enw yna yn y cyffiniau yma, hyd y gwn i. Hanner munud.'

Agorodd Tomkins y drws i'r bar. Na, doedd yr un o'r dynion ifanc yn y bar wedi clywed am y lle.

'Ydych chi'n siŵr mai dyna enw'r tyddyn?' meddai Tomkins. 'Rhyw enw arall, hwyrach?'

'Tomkins,' meddwn i. 'Fedra' i'r un gair o Gymraeg. Fyddwn i'n debyg o fedru dyfeisio enw Cymraeg ar dyddyn?'

'Rhoswch chi,' meddai dyn canol oed gyda mwstás mawr melyn, yn eistedd yn y gornel. 'Dydw i ddim yn amau na fu lle o'r enw Blaen-

y-Cwm yn y cyfeiriad yna. Ond os Blaen-y-Cwm oedd hwnnw, mae
o'n furddun ers blynyddoedd.'

'Wel,' meddwn i, 'mi gefais i ginio ffyrst clas yno heddiw, beth
bynnag.'

'Ddwedwn i mo hynny ar y ffordd yr ydech chi'n bwyta rŵan,'
meddai Tomkins.

Y funud honno y sylweddolais i 'mod i wedi bwyta cinio digon i
ddau.

Ni chysgais i ddim y noson honno. Yr oedd Mair ar fy meddwl.
Nid oeddwn erioed wedi credu mewn cariad ar yr olwg gyntaf, ond
yr oeddwn i'n dechrau tybio'i fod yn fwy na choel gwrach, wedi'r
cyfan.

Bore drannoeth, mi fynnais gan Tomkins ddod gyda mi i fyny
i Flaen-y-Cwm. Wedi hir erfyn, fe gytunodd. Gofynnodd imi aros
iddo hel ei daclau pysgota ynghyd. Mae Tomkins yn gryn bysgotwr.

Yr oeddem ein dau yn chwysu cyn cyrraedd pen uchaf Llwybyr y
Graig. Cyn dod i olwg y tyddyn, dyma eistedd ein dau i gael anadl a
mygyn, a gorffwyso'n llygaid ar yr olygfa ysblennydd odanom.

'Wel rŵan, Tomkins,' meddwn i, 'dowch ichi gael gweld Blaen-
y-Cwm.'

Codi, a dilyn y llwybr dros ben y boncen, a'i weld yn saethu'n
felynwyn o'n blaenau drwy'r grug.

'Dacw Flaen-y-Cwm,' meddwn i, yn codi 'mraich i bwyntio, 'lle
– '

Diffoddodd fy llais yn fy ngwddw. Yr oeddwn yn berffaith siŵr
fy mod yn yr un lle ag yr oeddwn y diwrnod cynt, ond nid oedd
arlliw o'r tyddyn yn unman. Dim ond milltiroedd ar filltiroedd o rug
cochddu, yn tonni'n dawel yn y gwynt.

'Ymhle?' meddai Tomkins, yn syllu arna' i'n amheus.

Methais â'i ateb. Yr oeddwn yn edrych o'm blaen, ar sypyn o gerrig
duon yn ymwthio o'r grug lle y gwelswn i'r tyddyn ddoe.

Yn sydyn, rhwygwyd yr awyr gan chwiban miniog, a dechreuodd
y defaid o'm cwmpas sboncio dros y twmpathau grug a'i gwneud hi
am y murddun, a fflachiodd coleri gwynion dau gi meinddu, un o

boptu imi, yn y grug. Trois fy mhen, a rhyw ganllath oddi wrthyf, yn
pwyso ar ffon fugail hir, safai hen ŵr.

Croesodd Tomkins a minnau ato.

'Blaen-y-Cwm?' meddai'r hen ŵr. Cyfeiriodd â'i law tua'r twr
cerrig duon. 'Dacw lle'r *oedd* Blaen-y-Cwm hyd ryw drigain mlynedd
yn ôl. Mi glywais 'y nhad yn dweud stori ddiddorol am y lle.'
Eisteddodd ar dwmpath a thanio'i getyn, a chymryd tragwyddoldeb
i'w danio.

'Roedd 'Nhad yn cofio,' meddai, 'hen gwpwl yn byw yno, ac un
ferch ganddyn'hw.'

'Beth oedd ei henw hi?' meddwn i'n ddifeddwl. 'Mair?'

Tynnodd y dyn ei getyn o'i geg.

'Mair *oedd* ei henw hi,' meddai. 'Sut y gwyddech chi?'

'Na hidiwch sut y gwn i,' meddwn i.

'Geneth swil iawn, mae'n debyg. Wyllt. Ond fe ddaeth rhyw ŵr
bonheddig o Sais yma, ar ei drafel, a'i gweld hi. Mi gollodd ei ben
arni, ac mi'i cipiodd hi i ffwrdd hefo fo gefn nos, i ffwrdd tua Llunden
'na rywle. Ac mi'i priododd hi. Fuon'hw ddim yn briod wythnos.
Mi ddihangodd yr eneth adre yn ei hôl bob cam. Mi ddaeth y gŵr
bonheddig yma ar ei hôl hi. Pan ddeallodd yr eneth ei fod o yn y
tŷ, mi redodd allan, ac ar draws y grug, ffordd yma, heibio i'r lle'r
ydech chi a finne'n eistedd rŵan, a'r gŵr bonheddig ar ei hôl hi, draw
tua'r pant acw welwch chi lle'r ydw i'n pwyntio. Ac yn fan'no mi
ddiflannodd i hen dwll chwarel, na welwyd mohoni byth. Roedd rhai
o'r cymdogion yn hel defaid ar y mynydd 'ma, ac fe glywson y waedd.
Ie, yn y pant acw y diflannodd hi. Pant y Llances y byddwn ni ffor'ma
yn ei alw o. Mae'n debyg mai dyna pam.'

Edrychodd Tomkins arnaf yn sydyn.

'Hawyr bach, ddyn,' meddai, 'rydych chi wedi colli'ch lliw. Beth
sy'n bod?'

'O, dim,' meddwn i. 'Hwyrach nad ydi awyr y mynydd yma ddim
yn gwneud efo mi.'

'Mi ddweda' ichi beth wnawn ni', meddai Tomkins. 'Gorweddwch
chi draw acw, ym Mhant y Llances, chwedl ein cyfaill, yng nghysgod

yr haul, ac mi af innau i dreio fy lwc hefo'r enwair yn y nant.'

'Os nad ydi o wahaniaeth gyda chi, Tomkins,' meddwn i, 'fe fyddai'n well genny fynd yn ôl i'r Bedol.'

Cyn cychwyn, tra fu Tomkins yn syllu'n hiraethus draw tua'r nant, gwyrais innau i lawr a chodi tywarchen rydd o fin y llwybr. Nid cynt yr oeddwn wedi cydio ynddi na chipiodd y gwynt hi o'm llaw, a'm gadael yn syllu ar y llwch mawn yn treiglo trwy fy mysedd. Cofiais beth a ddywedodd Mair. Llwch ar fy nwylo.

Yr wyf wrthi ers tro bellach yn sgrifennu fy nofel newydd. Ond nid nofel am Gymru mohoni.

Cyffordd Dyfi

E. H. Francis Thomas

Tu allan, roedd y gwynt yn annos plu eira yn gylchoedd a stribedi drwy'r awyr fel y paentiad hwnnw o *Battle of Britain*, 1940. O gwmpas adeiladau solet y gyffordd yr oedd tywyllwch a gwastadedd gwag mawnog Dyfi; tir neb rhwng môr a mynyddoedd lawer. Tywydd i fferru dyn.

Sgrytiai tri ohonom at dân crintach stafell aros y stesion. Awr i ddisgwyl trên y de. Dylasai hwnnw gyrraedd am wyth ond awgrymai un porter y gallai fod ugain munud yn hwyr oherwydd y storm. Pum munud, ugain munud, – nid oedd lawer o bwys canys hwn oedd trên olaf y dydd a hyd y gwelwn, go ysgafn fyddai hynny o lwyth a gâi yn y Gyffordd y noson honno.

Tri a fu unwaith yn gydardalwyr, o fewn mater o ddwy neu dair milltir, ond tri a fu ar wahân wedyn am lawer blwyddyn. Bu Huw a minnau yn yr ysgol ac yn yr un dosbarth trwy gydol yr amser, ond roedd Jac yn hŷn ac yn dod o blwy gwahanol. Yn y man, aeth pawb ohonom i'w ffordd ei hun ac aeth yr ysbeidiau pan welem ein gilydd yn fwy bylchog, a chyn y noson o heth ar forfa Dyfi nid oedd Huw na minnau wedi gweld Jac er Eisteddfod Dolgellau, bum mlynedd yn gynharach.

Eisteddfod Dolgellau, 1949. Roeddwn i a Huw yn cofio fod rhywbeth braidd yn od wedi digwydd i Jac yn y steddfod honno, rhywbeth a barodd doriad rhyngom a rhywbeth na chawsom rithyn o oleuni arno wedyn. Wrth gwrs, roedd Jac bob amser yn gryn ferchetwr ac yn barod i ddilyn y trywydd lleia at hogan a oedd yn dderbyniol ganddo. A dyna a fu yn Steddfod Dolgellau; fe wyddem gymaint â hynny. Ond pwy oedd yr hogan a sut un oedd hi ac i ble'r aethon-nhw, – chawsom ni byth wybod am na welson-ni mo Jac na chlywed dim ganddo am bum mlynedd.

Ddim tan Gyffordd Dyfi.

Yr oedd mwy na gwybod enw a chyfeiriad merch yn y busnes.
Fel arfer, prin y byddai anturiaethau caru Jac yn poeni dim arnaf
i na Huw; digwyddent yn rhy aml inni fedru cadw'r gydit arnynt
ac er cymaint a gwynai ynghylch y loes a achosai pob ymwahaniad
iddo, roeddym wedi cynefino gormod ag ef i roi llawer o bwys ar ei
ochneidio. Y gwir yw roedd Jac yn un o'r rheini sy'n hoffi dioddef
a thorri ei galon o gariad lawn mwy na charu'r ferch ar y pryd. Fel
carmon Mari Fach gynt, roedd yntau yn torri ei galon a theimlo i'r
byw ar ôl pob carwriaeth a byddai Huw'n arfer dal ei fod yn prysuro
i'w dwyn i ben er mwyn cael dechrau eto ar y pleser o deimlo i'r byw
a sôn a swnian am hynny wrth bawb.

Ond nid felly y patrwm yn Nolgellau, a chyn mynd ymhellach,
rhaid sôn am yr hyn a ddigwyddodd yno.

§

Ar y pryd, roedd Huw yn gweithio ym Macclesfield, Jac mewn
gwaith trydan yn ne Lloegr a minnau ym Manceinion. Trefnasom i
gwrdd yn y Steddfod, ac erbyn prynhawn dydd Mawrth yr oeddym
ill tri wedi cyrraedd y maes. Llwyddasom i gadw gyda'n gilydd yn
rhyfeddol am dridiau; nid oedd y nosweithiau'n cyfri canys nid yn yr
un llety yr arhosem.

Ac yna, fore dydd Gwener, dyna chwalfa. Roedd Huw a minnau'n
sefyll tu allan i balas y Banc Midland yn siarad gyda rhyw berthnasau
imi pan welem Jac yn brasgamu atom yn ddigon cyffrous. Fe welem
fod ganddo rywbeth pwysig i'w ddweud wrth y ddau ohonom, ac yn
y man, wedi i'r perthnasau roi dydd-da a galwch-heibio inni, dyma
dorri'r argae.

'Lle buoch chi hogia?' meddai'n ddiamynedd, 'rydw i wedi bod yn
chwilio amdanoch-chi ers awr. Be ddyliach chi o hyn – ?'

Tynnodd amlen o'i boced, ac o honno, lythyr a thocyn sedd gadw.

'Ro'dd hwn yn 'y nisgwyl i ar fwrdd y digs pan godas i'r bora 'ma.
Ticad sedd flaen yn y gyngardd heno a llythyr hefo hi. Gwrandwch!'

A dyna Jac yn darllen y llythyr. Nid bod hynny'n waith hir canys rhyw frawddeg neu ddwy oedd o i gyd. Yn Saesneg y sgrifennwyd y cwbl a hyd y cofiaf, rhywbeth fel hyn ydoedd.

'Here's the ticket. I won't be with you until after the second item, so keep my seat for me. There's a whole lot to tell you but we'll enjoy the music first. Tania.'

Roeddym yn fud am ennyd. 'Wel?' ebe Jac.

'Wel be?'

'Wel, be 'dach chi'n ddeud?'

'Fedra' i ddeud dim byd nes mod i'n câl gwbod pwy ydi'r Tania 'ma sy gen-ti,' meddai Huw. 'Enw Rwsiaidd ydio, beth bynnag.'

'Dyna'r felltith,' meddai Jac, 'does gen-i ddim obadia fy hun pwy ydi hi!'

'Ond ma' hi'n dy nabod di ac yn gwybod ble rwyt ti'n aros. Mae'n rhaid fod ti wedi siarad efo hi ...'

'Naddo,' meddai Jac yn bendant. 'Rydw i wedi bod yn pyslan byth er pan ges i'r llythyr 'ma a rydw i'n hollol siŵr na wn i am ddim un ferch o'r enw yna, a pheth arall, ma'r sgrifan yn hollol ddiarth imi hefyd.'

'Mi all fod rhyw hen fflêm yn chwarae tric efo ti? Ma' gen ti eitha list ohonyn nhw.'

Ond wrth graffu ar lawysgrif y llythyr, fedrwn i ddim credu hynny ychwaith. Fel rheol, mi fedrwch adnabod llawysgrifen ffug ond roedd hon yn hollol lefn a naturiol.

'Ia,' ebe Jac, 'ond a chaniatáu hynny, be 'di'r gêm? Pam ma' hi'n mynd i'r drafferth o fwcio dwy sedd flaen a thalu am dicad i mi heb gymaint â gofyn ydw i am fynd i'r gyngardd? A be 'di'r "whole lot to tell you" 'na mae hi'n sôn amdano?'

'Ti ŵyr hynny, boi,' ebe Huw, braidd yn sgoewedd.

'Dim ffiars,' meddai Jac yn boethlyd. 'Does gan yr un ferch fuodd efo'r boi yma ddim "little" heb sôn am "whole lot to tell him". Dydw i ddim yn ffŵl. Na hogia, wyddoch chi be 'dw i'n feddwl? Wedi methu enw'r tŷ a'r stryd mae hi. Rhyw J. Williams arall bia hwn, 'dw i'n siŵr, a hwnnw'n digwydd bod yn aros rywla'n agos yma.'

Erbyn sylwi, 'J. Williams' ac nid yr enw llawn na 'Jac Williams' oedd ar yr amlen, ac nid yw 'J. Williams' yn enw Cymraeg anghyffredin.

'Falle fod ti'n iawn,' meddai Huw. 'So what? Wyt ti am fynd â'r diced yn ôl i sgrifennydd y steddfod?'

'Mynd â hi'n ôl! Wyt ti'n dechra drysu Huw? Tania! Tania Scafinsci Scarfâr! Mae 'na rwbath yn yr enw hogia! A! Tania! Dau lygad disglair fel dwy em etseter-a ...'

'Jac,' meddai Huw, 'falle fod Tania'n bedwar ugain oed?'

'Ie,' meddwn innau, 'dyna pam ma' hi'n deud na fydd hi ddim yno ar y dechre. Ma' gynni hi isio bod yn saff y byddi *di* yno o'i blaen hi, wel'di, o achos fedri di ddim cerdded allan ar ganol consart yn hawdd iawn, fedri di? 'Nenwedig o sêt flaen.'

Sobrodd Jac am funud. 'Ia,' meddai, '*mae* hynna'n od. Pam na fedar hi ddod yno'r un pryd â phawb arall tybad?' Ond y funud nesaf, chwarddodd yn besychlyd trwy fwg ei sigarét, 'Na hogia,' tagodd, 'mi wn i be 'di ystyr hynna. Rydw i'n siŵr mai rial prinsas ydi Tania, un o'r White Russians sy'n mynd i'r eglwys ym Mharis lle ma' nhw'n gneud y records 'na o'r basars yn canu. A'r eidïa heno ydi fod Cynan a'r Orsadd yn mynd i ddod â hi i mewn i'r pafiliwn ar ganiad y Corn G'lad efo'r derwyddon a'r bois ffyn-top-plastig and all. A dyna lle bydda' inna'n sefyll a bowio a'i chymryd hi gerfydd blaena'i bysadd i'r sêt. A hogia'r Orsadd i gyd bron â hollti o genfigen wrth 'i gweld hi'n dechra ar yr "whole lot to tell you" 'na efo fi! Mi fedra' i glywad y beirdd dail-am-'i-penna 'na rŵan yn dechra canu, "Pa beth a wneuthum, O fy Nhania i-i haeddu gwg dy ly-gaid di-i?" A throes Jac i ddilyn un o'r llinellau tenor hynny y byddai'r diweddar Joseph Parry mor hoff o'u trefnu fel rhesi tatws mewn canigau poblogaidd.

Rwyf yn cofio hyn i gyd yn glir, yn gliriach efallai am na chawsom ni wybod beth a ddigwyddodd wedyn a bod yr holl fusnes wedi bod yn ddirgelwch llwyr inni am lawer mis a blwyddyn ar ôl Eisteddfod Dolgellau. Gallem fentro beth i'w ddisgwyl gan Jac. Roedd yn benderfynol o fynd i gyfarfod Tania, pwy bynnag oedd hi a faint bynnag oedd ei hoed.

Wedi bod gyda'n gilydd drwy'r dydd, gadawsom y maes tua hanner awr wedi pump i gael bwyd a pharatoi am y cyfarfodydd nos. Y peth olaf a ddywedodd Jac wrth inni ymwahanu ar faes y dre oedd y caem yr hanes i gyd fore drannoeth ac y caem ill dau ein cyflwyno, mwy na thebyg, i Dania yr un pryd. 'Hynny ydi,' ebe Jac, 'os bydd hi dros 'i thrigain!'

Felly bu. Aeth Huw a minnau i'r dramâu byrion. Unwaith neu ddwy, buom yn sôn tybed sut hwyl a gâi Jac a Thania yn y gyngerdd, a theimlo fod tywysoges Rwsiaidd o Baris gyda 'whole lot to tell you' yn llawer gwell drama na'r deisen lap a'r hen grydd darllengar yn bwyta'r gannwyll ar y llwyfan o'n blaenau.

Nid dyma'r lle i sôn am y Ddrama-yng-Nghymru. Digwyddodd peth arall, dieithrach nag unrhyw ddrama. Welson ni mo Jac y noson honno a doedden ni ddim yn disgwyl ei weld. Ond welson ni mo Jac fore drannoeth na phnawn drannoeth. Nac o gwbl. Welson ni mono fo wedyn na chlywed gair ganddo. Ddim tan y noson yng Nghyffordd Dyfi. Ac wrth gwrs, welson ni mo Tania; dim ond ôl ei llaw ar bapur – os ôl ei llaw hi hefyd – brawddeg neu ddwy a dyna'r cyfan. Am ddim a wyddem ni gallai fod yn dywysoges Rwsiaidd neu forwyn y Lion.

Ond ar y pryd, wydden ni ddim mai hyn oedd i fod, a chyn inni feddwl holi roedd hi'n rhy hwyr. Erbyn nos Sadwrn roedd y Steddfod ar ben a miloedd o docynnau a rhifau cadw a chardiau a llythyrau bwcio seddau wedi eu taflu yn tân neu i'r pedwar gwynt. Pa obaith oedd gennym wedyn i wybod enw a chyfeiriad y sawl a eisteddai yn y ddwy sedd o boptu Bloc A.C.12, lle bu Jac yn disgwyl mor gysurus? Dim. Ac o blith y miloedd a gordeddai allan drwy'r giatiau nos Wener, faint a sylwodd ar lanc pryd tywyll cymedrol dal mewn mac lwyd yn cerdded wrth ochr merch na allem roi'r cliw lleiaf amdani?

Sgrifennu? Do; Huw a minnau, droeon. Gwyddem ble roedd Jac yn byw a gan mai yno'r oedd ei unig gartre ar ôl colli ei rieni, ni allem anfon ato yn unman arall. Mae cwirciau od gan y Llythyrdai weithiau hefyd. Ar ôl blwyddyn o ohebu diateb, wele Huw a minnau'n cael dau neu dri o'n llythyrau yn ôl un wythnos mewn amlen bwff a rhywun wedi sgriblo arni, 'Left. Not Known.' Ymhen blwyddyn!

Wedyn, aeth Huw ar drywydd y gwaith trydan lle cyflogid Jac. Yn y man, cafodd ateb cwrtais ddigon, ond braidd yn gwynfanllyd a chyhuddgar i'r perwyl na wyddent hwy bellach un dim amdano. Gallaf ddyfynnu o'r llythyr hwnnw gan ei fod gennyf yn awr; dyma ei graidd: 'He (sef Jac) did not return to work after his annual leave of three weeks in August 1949, nor did he inform us that he was terminating his engagement with the Board. His post was kept open until mid-September of the same year but as all our enquiries proved fruitless ... ' – ac ati.

Buom yn meddwl am y plismyn. Ond mater arall oedd mynd atynt hwy. Wedi'r cwbl, beth mewn gwirionedd a wyddem am hanes Jac ar ôl iddo adael ysgol a dechrau gweithio oddi cartref? Sawl picil y gallai'r cotiau gleision eu datguddio? Os oedd Jac wedi 'diflannu,' rhaid fod ganddo'i resymau a doedd rheini'n ddim o'n busnes ni. Ac felly, aethon ni ddim ar ôl y plismyn. Doedd dim byd amdani wedyn ond disgwyl a dyfalu.

Disgwyl pum mlynedd. Disgwyl nes y daeth noson o heth a storm ac oerfel pegynnol i briffordd Dyfi – unlle rhwng dau rywle. A wydden ni ddim wedyn mai'r noson honno y deuai'r disgwyl i ben.

§

Hyd yn oed wedi rhuthro o'r platfform i mewn i gynhesrwydd y bar, welson ni mo Jac ar unwaith. Fel y gŵyr y sawl a burdanwyd yn y lle hwn, mae dwy ystafell aros yno; un yw'r bar ei hun a'r llall yw stafell eistedd sydd am y pared â hi. Wedi cythru at dân y bar am dipyn, dyma Huw yn awgrymu mynd drwodd i'r stafell arall lle'r oedd cadeiriau a byrddau ac, yn ôl y ferch tu ôl i'r cownter, gwell tân. Drwodd â ni, felly, gyda phob o fag a thot o wisgi.

Doedd y golau ddim yn llachar ac am eiliad tybiais nad oedd neb arall yn y stafell. Felly Huw, ond pan ddywedodd rywbeth i'r perwyl, dyna sŵn cadair yn sgraffinio'r llawr coed a gwelsom rywun yn eistedd wrth y tân â'i gefn atom.

Jac oedd o. Fe wyddem hynny yr un amrantiad. Ac eto, prin y

gellid disgwyl inni fod yn siŵr ohono mor sydyn canys nid y Jac a welsom ddwaetha yn Nolgellau oedd hwn. Nid am ei fod bum mlynedd yn hŷn ond am ei fod ugain mlynedd yn waelach.

Waeth imi heb geisio â manylu ar ryfeddu a chyfarch ac ymfalchïo y munudau cyntaf, nac ychwaith ar y gorofal a ddisgynnodd arnom o rywle fel rhyw orchymyn di-sôn i beidio â holi am rai pethau a oedd yn gwbl amlwg yn y golwg a oedd ar Jac. Gwisgai'n union fel y gwelsem ef ddwaetha, hyd y cofiwn, ond er fod golwg dyn afiach arno, roedd yn anodd dweud beth oedd ei waeledd. Edrychai'n llym a chraffai'n galed weithiau arnom ni, weithiau i'r tân, weithiau drwy'r ffenestr. Synhwyrem ei fod yn ymarhous i siarad, ac eto, roedd fel petai arno eisiau torri'r garw. Ni allem ddirnad beth a wnâi, lle bu'n cadw nac ar beth yr oedd yn byw. Dywedais ei fod yn edrych yn wael, ond wrth gynefino â'r golau gwantan, gwelwn nad oedd, mewn gwirionedd, wedi heneiddio dim. Parhai ei wallt mor ddu ag oedd yn Nolgellau gynt a pharhai'n osgeiddig. Ei lais oedd wedi newid fwyaf. Mae'n anodd dweud sut ond yr oedd yn wan iawn, yn ddim uwch na sibrwd weithiau er ein bod yn deall popeth. Ac ambell dro roeddym fel petasem yn gwybod beth a ddywedai cyn iddo ei lefaru. Ni holai nemor ddim am ein hanes hyd yn oed pan soniem am hyn a'r llall, nid oedd fel petai'n gwrando arnom. Toc,

'Jac,' meddwn, 'be gymri di? Rhaid inni selibretio! Dwêd y gair,' a chodais ar fy nhraed.

Ysgydwodd ei ben.

'O, tyrd yn dy flaen,' meddai Huw, 'Fedra' i ddim coelio hynna, yn enwedig ar noson fel heno!'

Er ei fod yn dal i wrthod, i ffwrdd â fi i'r bar a gofyn i'r hogan am dri wisgi. Erbyn hyn, roedd tri neu bedwar teithiwr arall yno a phortar neu ddau a rhwng popeth, roedd pethau wedi bywiogi o gwmpas y cownter a'r siarad yn eitha hwyliog. Hynny, mae'n debyg, a barodd i'r hogan ffwndro ac estyn dim ond dau wisgi imi.

'Tri,' meddwn.

'Tri? Ond ... O wel, popeth yn iawn, ond pam na 'newch chi o'n bedwar tra 'dach chi wrthi hi!'

'Mi ddo' i'n ôl eto, ma'n siŵr,' meddwn.

'Wel, mi rydach chi *am* fod yn gynnas yn tydach chi?'

Telais y siot ac ymlwybro'n ôl i'r stafell arall gyda'r tri gwydryn ar hambwrdd tun. Roedd gennym hanner awr arall i ddisgwyl, a rŵan, meddwn wrthyf fy hun, mi laciwn ni dipyn ar dafod Jac.

Ond ni fynnai gyffwrdd â'r wisgi; peth newydd iddo fo a gwelwn Huw yn edrych arno braidd yn ddiflas. Heb oedi rhagor, gofynnais:

'Jac,' meddwn, 'be ddigwyddodd iti yn Nolgellau efo'r ferch honno – Tania? Wyt ti'n cofio?'

Ar brydiau, mae'r dull unionsyth yn talu'n well na goglais am gyfle. Gynted y gofynnais, gallem weld ei fod yn cofio. Rhythodd drwy'r ffenestr a phan droes i edrych arnom wedyn roedd fel petai wedi newid a thipyn o'r hen Jac a adwaenem gynt wedi dod 'nôl. Rhwbiodd ei ddwylo a'u hestyn at y tân.

'Ia, Tania ... ,' meddai, yn y llais tenau yna, yn fwy wrtho'i hun nag wrthon ni. 'Wyddoch chi ddim ... na, welis i monoch chi wedyn, naddo?'

'Y Russian princess,' ebe Huw. 'Oedd hi'n bisin?' Edrychai Jac yn ddryslyd, a ninnau'n dal ein gwynt.

'O Rwsia?' meddai toc. 'Be sy 'nelo hynny â ... ? O ia! Rydw i'n cofio. Chi'ch dau gwelodd hi, 'nte?'

Ar y funud, meddyliais ei fod yn dechrau colli ei gof, a dechreuais amau tybed nad hyn oedd yn cyfri am ei hir ddistawrwydd. Heb os, roedd rhywbeth wedi digwydd iddo yn Nolgellau'r noson honno, rhyw sioc neu ddamwain, efallai, wedi amharu ar ei gof. Wrth gwrs, fedrwn i ddim dweud wrth Huw ar y pryd, ond gwelwn ei fod yntau'n craffu'n ofalus ar Jac.

'Nage Jac,' meddwn, 'welson-ni moni hi o gwbl. Dim ond y llythyr a'r diced – ticed y consart – wyt ti'n cofio?'

Pyslodd wedyn, yna:

'Ia. Ti sy'n iawn,' meddai, 'dim ond fi a welodd Tania. Rô'n i'n eista' ynghanol y swels i gyd ar ddechra'r consart a'r gadar wag ar y chwith imi. Welas i ddim golwg ar neb am yr hannar cynta a phan ddoth yr egw'l mi es i allan. Ond gynted ag y des i'n ôl, ro'dd hi yno ...'

'Tania?'

'Arglw'dd, ia! Rô'n i'n eitha balch mod i wedi cadw'r sêt – mi sylwas wrth stwffio heibio penaglinia'r swels mod i wedi codi'n y byd yn 'i golwg nhw! Tania 'nath y job, o achos, – wel, 'tawn i'n deud 'i bod hi'n bisin mi fyddwn i'n siarad allan o'i chlas hi'n gyfangwbl. Ro'dd hi tu hwnt i hynny. Wyddwn i ddim be i ddeud wrthi a do'dd gen-i ddim syniad pwy o'dd hi.'

'Oedd hi'n dy nabod di 'te?'

'Dyna o'dd yn od. Oedd am wn i, ac eto, 'dwn i ddim. Mi dalias i hi'n edrych yn ddiarth arna i unwath ne' ddwy – fel 'tasa hi wedi gneud mistêc. Peth cynta' wnes i o'dd diolch iddi am y llythyr a'r dicad a deud nad ô'n i ddim wedi ca'l y plesar o'i nabod hi o'r blaen. A mi ro'dd hi'n gwenu ac yn cymryd y cwbwl siort ora ac yn deud mor falch o'dd hi mod i wedi gallu dŵad. Wedyn, mi hintis at y petha oedd ganddi i'w deud wrtha i – fel ro'dd hi wedi sôn yn 'i llythyr. Mi 'drychodd yn reit seriws fel 'tasa hi ddim yn siŵr, ond cyn imi ga'l tshians i ddangos y llythyr iddi, dyma hi'n deud, "O, mae'n iawn, mi gawn ni sôn am hynny ar ôl y consart. Ma' gen-i isia ichi 'neud rhywbath imi os 'dach chi'n fodlon ac yn rhydd."'

'A mi *roeddat* ti'n fodlon ac yn rhydd?'

'Siŵr Dduw; mi ddudas yn syth bin mod i'n barod i 'neud be fedrwn i pan fynna' hi. Rh'w wenu 'nath hi a deud, "O, dim byd anodd." Siaradodd hi fawr ddim wedyn, dim ond gwrando ar y miwsig. Dw-i ddim yn deud nad o'dd hwnnw'n eitha da, ond 'r Arglwydd, sôn am wrando! Mi wyddwn 'i bod hi'n gwbod y darn wrth weld 'i dwylo hi'n symud weithia, a feiddiwn i ddim torri ar 'i thraws hi.

'Wel, mi dda'th y consart i ben a dyma ni allan. "Ble rŵan?" meddwn i. "Ffordd hyn," medda hi, a gafa'l yn 'y mraich i, "ma'r car draw acw."

'Ffwrdd â ni i'r cae parcio. Ro'dd gen-i gar fy hun yn y dre a mi awgrymais y bydda'n well 'tawn i yn 'i dilyn hi yn hwnnw os oeddan ni'n mynd ymhell. "Na," medda hi, "mi ddof i â chi'n ôl i'r dre; dydan ni ddim yn mynd ymhell iawn a fyddwn ni ddim hwyrach na hannar nos. Hynny ydi ..." a mi stopiodd am eiliad fel 'tasa hi wedi cofio am r'wbath. "Na," medda hi wedyn, "thâl hynny ddim chwaith." Ond ddeudodd hi ddim be o'dd hi'n 'i feddwl.

'A ffwrdd â ni. Gyda bod ni allan o'r dre, mi dynnodd y car i ochor y ffordd a stopio. "Rydw i wedi stopio," medda hi, "er mwyn ichi ga'l gwbod y petha."

'Mi ddechreuodd 'sbonio. Chofia' i mo'r cwbwl rŵan, ond y prif beth o'dd hyn. Ro'dd hi'n aros efo ffrindia mewn rhyw blasty lawr y dyffryn yn rhywla; ddeudodd hi mo'i enw fo a 'des inna ddim i holi am fod yr ardal i gyd yn ddiarth imi. Y noson honno, roedd ganddyn nhw rhyw fath o noson lawan a ro'dd Tania wedi addo trefnu eitam iddyn nhw, rh'w fath o ddirgelwch, fel 'tae, a ro'dd hynny, medda hi, yn golygu fod yn rhaid iddi ddod â rhywun hollol ddiarth i'r tŷ a'i gadw fo yno am chwartar awr heb i neb w'bod 'i fod o yno. Wedyn, mi fydda' popath drosodd, mi gawn-i damad a glasiad a hitha wedyn yn dod â fi'n ôl i'r dre pan fynnwn-i.

'Wel, wedi gorffan y *briefing* mi drodd i ailgychwyn y car a mi rois inna rhyw awgrym bach o glosio ati fel 'tai. Ddeudodd hi ddim byd am funud – dim ond edrych drwy'r sgrîn ac yna chwerthin dan 'i gwynt ac yna deud, "Ond mi ddo' i â chi'n ôl, – Jac," medda hi. Dyna'r tro cynta' iddi ngalw i wrth f'enw. "Excelsiôr!" medda fi, "gora po gynta byddwn ni ar y ffordd nôl 'te!" Ddeudodd hi ddim byd ac ymlaen â ni.

'Fedrwn i weld dim llawar o boptu, ro'dd hi'n nos ers meitin a finna'n ddiarth. Roeddan ni'n mynd ar hyd y briffordd i lawr y dyffryn am dipyn; rydw i'n cofio gweld stesion relwe ond wn i ddim pa mor bell yr aethon ni wedyn cyn troi o'r lôn fawr. Reit sydyn, dyma ni'n troi i'r chwith i fyny rhyw lôn gul trwy ganol coed. Ro'dd 'na wynab tar arni ond ro'dd hi'n dipyn o allt ac yn droada i gyd. Wedi cyrra'dd top y rhiw, "'Dan-ni ddim yn bell rŵan," medda Tania a wir, 'mhen rhyw ganllath wedyn dyna ni'n troi trwy giatia gwynion ac ar hyd rh'w ddreif trwy ganol coed a rododendrons. 'Mhen hannar munud, dyna ni'n rowndio lawnt fawr ac yn gweld tŷ yng ngola'r car.

'Ro'dd o'n glamp o le. Ond ches i ddim cyfla i'w weld o'n iawn am fod Tania wedi diffodd y lampa cyn inni stopio bron. "Rŵan," medda hi, "dowch chi ar f'ôl i'n ddistaw bach a gneud yn union fel y bydda i'n deud." Ffwrdd â ni at ddrws ar ochor dde'r tŷ ac fel roeddan ni'n mynd rownd y gornel mi sylweddolas nad o'dd dim ffadan o ola' i'w weld mewn dim un ffenast. "Does neb yn byw yma ...?" "Ssht!" medda hitha'n syth, "ffordd hyn."

'Mi dynnodd allwadd allan o'i bag ac i mewn â ni drwy'r drws ar flaena'n traed ac i lawr coridor braf, llydan. Troi ar y dde wedyn, a dyna ni i stafall ffrynt fawr ac wedi i Tania roi'r gola' mi ryfeddas weld lle mor grand o'dd 'no. Carpad fel porfa, hen ddodran, cadeiria ... "Rŵan," medda hi, "y cwbwl raid i chi 'neud, Jac, ydi ista yn y gadar freichia 'ma o flaen y ffenast a pheidio symud odd'na am chwartar awr. Dyna'r cloc yn fan'na ichi." "A be wedyn?" meddwn i. "O, mi ddof i yma wedyn i'ch nôl chi at y lleill." "A fydd gynnoch chi ddim brys wedyn, Tania?" Mi chwerthodd y tro hwnnw. Rô'n i'n ista yn y gadar erbyn hyn a dyma hi'n dwad ata' i a rhoi 'i llaw ar f'ysgwydd i a deud, "Na fydd, Jac. Mi fydd gen-i ddigon, digon, digon o amsar wedyn! Mwy na phob steddfod yn y byd. A chitha?" Fel 'na. Rô'n i ar godi o'r gadar i afal amdani, ond cyn imi droi, ro'dd hi wrth y drws â'i bys ar 'i gwefus. "Na, – ddim eto Jac. Chwartar awr – dyna'r cwbl!" A mi wenodd arna' i, a mynd.

'Hogia, rô'n i'n barod i aros chwartar canrif, heb sôn am chwartar awr! Wir, am y munuda cynta wedyn ro'dd rhaid imi ddeud dan 'y ngwynt wrtha' fhun, fel 'rhen Aethwy 'stalwm, "steady old boy, the boat is rocking!" Thrawodd o ddim i 'meddwl i peth mor od o'dd yr holl fusnas o ddwad allan fel hyn, ganol nos, i dŷ mawr na wyddwn i ddim byd amdano fo. Roeddwn i'n cymryd fod y cwbwl yn beth hollol naturiol.'

Tawodd Jac, fel petai wedi colli'r pen llinyn. Oddi wrth yr hyn a ddywedodd, fe wyddwn yn burion erbyn hyn ble oedd y plasty y cyfeiriai ato; roedd gen-i berthnasau yn byw yn yr un cylch unwaith a ... Fflachiodd mellten yn fy mhen! Doedd yna neb yn byw yn y Neuadd Garreg ... neb *wedi* byw yno ers deng mlynedd a mwy! Roedd y teulu olaf fu yno wedi mynd i India – y Forbes-Forresters – ie, dyna nhw, a mi fuo sôn fod y lle i gael ei dynnu lawr ...

Ond roedd Jac yn ailafael. 'Ffyliaid ydi dynion,' meddai, yn chwerw. 'Fan'no bûm i'n hel breuddwydion heb feddwl am nac amsar na pheth. O'r diwadd, mi drychis ar y cloc a mi ges fraw. Ro'dd hi'n hannar nos – awr a chwartar er pan ddois i i'r tŷ!'

'Cysgu oeddat ti?'

'Cysgu gythral!' ebe Jac yn wyllt, 'mi wn i'r gwahaniaeth rhwng cwsg ac effro ...'

'Ond glywist ti ddim sŵn o gwbwl? Pobol yn symud ... sŵn siarad?'

'Mi glywas, – ne' rôn i'n meddwl mod i'n clywad, sŵn rhywun yn cerddad yn ysgafn yn y llofft uwch 'y mhen i unwaith. Dyna'r cwbwl.'

'Ond Jac,' meddwn, 'roedd Tania'n dweud fod y lle'n llawn o bobol yn ca'l noson lawan. Ble oedd rheini?' Am eiliad, daeth rhywbeth fel braw i lygaid Jac. 'Na,' meddai mewn llais marw, fflat, 'na, doedd 'na neb yno. Dim – dim enaid.'

'Ond Tania? Be ddwedodd hi wedyn?'

'Dim. Doedd Tania ddim yno chwaith!'

'Ara deg, Jac,' meddwn, 'wyt ti'n meddwl deud na welis di moni hi wedyn – 'i bod hi wedi mynd a d'adel di mewn tŷ gwag heb ddeud dim?'

'Ia debyg.'

'Ia debyg be?' ebe Huw gan godi ar ei draed. 'Fuost ti'n chwilio?'

'Do,' ebe Jac yn yr un llais di-liw. 'Do, mi chwilis i'r tŷ drwyddo; y gegin, selar, llofftydd, atics – y cwbl. Doedd 'no neb. Doedd 'no neb wedi bod yno ac mi roedd cynfasa llwch dros bopath ond yn y rŵm lle'r oeddwn i'n ista.'

'Ffeindiest ti ddim cliw o gwbl? Na Tania?'

'Dim cliw. Ond ... mi ffeindis i Tania ...'

'Argol! Be ? Wedi brifo ... ?'

'Naci. Nid y Tania o'dd yn y consart a'r car. Tania mewn ffrâm oedd hon ... Llun mawr ohoni ... wedi 'i baentio. Ar y wal, yn union fel y gwelswn i hi ddwyawr yn gynt, ac yn gwenu, fel 'tasa hi'n trio deud rh'wbath.' Tawodd Jac a daeth cysgod gwên dros ei wefus, ond nid i'w lygaid. Methodd Huw â dal:

'Deud be, Jac?'

'Deud fod ... ganddi hi ddigon o amsar.' Sibrwd sych oedd yr ateb. 'Dwn i ddim pam, ond fe ddaeth rhyw fudandod drosom. Gwyrai Jac ei ben a'i ysgwyddau ymlaen a fedrwn i ddim llai na sylwi mor llwydaidd yr edrychai. Roedd croen ei ddwylo'n grych fel papur crêp a gallwn weld mor feinion oedd ei goesau trwy frethyn ei drywsus. Roedd tân y stafell yn llwydo hefyd; tân trên olaf oedd o. Clywn hyrddiau'r gwynt tu allan a sŵn pisyn o alcan rhydd yn clochdar rywle i lawr y platffform. Rhwng yr hyrddiau, daliai'r plu eira i siffrwd ar y ffenest lasddu.

Roedd cant a mil o bethau i'w gofyn ond fe wyddem ill dau ein bod wedi cyrraedd rhyw gilfach yn y sgwrs lle na ellid gofyn dim pellach. Fel petaem wedi darganfod yn sydyn ein bod am y pared â Jac a'n bod ni'n siarad efo dyn arall, dyn diarth inni.

Gallasai'r tawelwch fynd yn drymaidd. Ond ni pharhaodd fwy na munud. Cyn i'r un ohonom geisio ailafael ym mhen y llinyn dyna borter yn cilagor y drws a chyfarth, 'Oi, ma' trên y north yn dŵad. Well ichi symud.'

Torrwyd ar y tyndra. Cododd Jac a dyna pryd y cofiais i nad oeddwn ddim wedi meddwl gofyn iddo i ble'r âi. 'Ble wyt ti'n mynd?' meddwn. Roedd wedi ysgafnu ei wedd erbyn hyn. ''Run ffordd â chi hogia,' meddai, 'am dipyn. 'Dach chi'n mynd am y Port?'

'Ydan,' meddwn, 'ble rwyt ti'n 'yn gadel ni?'

Erbyn hyn roeddym ill tri yn ymlwybro drwy stafell y bar a phawb yn edrych arnom fel petaen ni'n fyddigions o'u hwyl neu, 'falle, fel petaen ni wedi cael diferyn neu ddau yn ormod er na allai hynny fod, wrth gwrs. Huw oedd ar y blaen, minnau wedyn a Jac tu ôl imi. Clywais ef yn ateb, 'Rydw i'n mynd allan yn y jyngsion,' ond collais weddill ei frawddeg yn y ffwdan.

Agorodd Huw y drws allan a daeth bedydd o rewynt ac eira i mewn i'n hwynebau. Troais at Jac: 'Be sy gen' ti fanno?' meddwn.

'Dal i chwilio, wyst ...Ylwch hogia,' meddai'n sydyn, 'cadwch le imi ar y trên, rydw i am bicio'n ôl i'r bar i gael asbrin ...'

Troes yn ôl am y bar. Er fod Huw a minnau ar y platffform tu allan i'r drws erbyn hyn, gallem ei weld yn croesi'r ystafell ac yn sefyll i ddisgwyl wrth y cownter.

'Signal i lawr,' ebe Huw. Ac yn wir, yn y pellter, gwelem gochni a stribed o olau yn symud atom ar hanner cylch. Gyda hynny, roedd yr injian a'r cerbydau yn hisian a sefyll gyferbyn â ni. Yr un pryd, daeth pump neu chwech o deithwyr eraill allan o'r bar a brysio am y cerbydau.

Sut yn hollol y bu hi wedyn, 'dwn i ddim yn iawn hyd heddiw. Ond yn gyntaf, sylwodd Huw na ddaethai Jac allan gyda'r gweddill. Rhuthrodd yn ôl am y bar a gweiddi am Jac. Bu yno nes oedd y trên yn barod i gychwyn ac onibai imi weld y gard a dweud wrtho – jyst mewn pryd – fod dau arall i ddod, buasai wedi mynd hebom. 'Lle ma' nhw?' meddai. 'Mi af i'w nôl nhw.'

I mewn â mi i'r trên a sefyll yn y coridor wrth y drws. Gyda hynny, dyna'r gard a Huw allan o'r bar; y gard yn gafael ym mraich Huw a hwnnw'n taeru'n ffyrnig. Cyn imi gael craff ar eu sgwrs, roedd Huw wrth f'ochr yn y coridor, y gard wedi slamio'r drws, chwifio'i fflag a diflannu. Yn araf, ciliodd Cyffordd Dyfi i fwrllwch yr eira.

Cawsom gerbyd gwag. Roedd golwg syfrdan ar Huw. 'Be ddigwyddodd?' meddwn, mor ddigyffro ag y gallwn.

'Welis i ddim golwg ar Jac,' meddai, 'a phan ofynnis i ble roedd o, dyma'r hogan wrth y bar yn dweud na welodd hi neb yn dod i mewn i ofyn am asbrin, na neb ond ni'n dau yn dod o'r stafell arall cyn hynny. A wedyn, dyna ddau neu dri arall yn dweud yr un peth a rhyw gilwenu fel 'tawn i ddim yn llawn llathen. A medda'r hogan: "Rydach chi wedi gadal un wisgi ar ôl heb 'i yfed, ond well ichi beidio'i gymryd o rŵan ne' mi fyddwch yn siarad â'ch gilydd fel 'tasa chi'n bedwar o bobol. Ma' gweld dau yn dri yn ddigon," medda hi, – "a finne cyn sobred â sant!"'

Ymwelwyr

E. H. Francis Thomas

Nid ers hir amser y daeth cwmni mor niferus i'r wledd a'r sosial bentymor. Llenwid y lolfa eang gan ddau ddwsin i ddeg ar hugain o bobl a theimlai pawb o'r dechrau fod y noson yn siŵr o fod yn un i'w chofio. O ran ffansi, trefnwyd i beidio â defnyddio'r golau trydan a dibynnu, yn hytrach, ar ganhwyllau fel yn yr hen amser. Goleuid y lolfa gan ddwsin ohonynt, neu fwy, a dotiai pawb at dawelwch a chynhesrwydd a mwyneidd-dra'r golau copr-felyn meddal a'r cysgodion chwareus a wibiai hwnt ac yma wrth bob cyffro a symud.

'Jest fel yn amser yr hen sgweiar ei hun,' ebe ffermwr gwargoch wrth wraig yn ei ymyl.

'Hyfryd,' ebe hithau, 'ac fel y byddai'r eglwys ar Gwrdd Diolch erstalwm – 'dach chi'n cofio? Yr haidd a'r ceirch a'r gwenith, wedi'i gwau rownd polion y c'nwllbrenni pres ...'

'Ia,' ebe yntau, 'a doedd hi ddim bob amser yn saff efo'r holl wellt o gwmpas y lle! Rydw i'n cofio ysgub o geirch yn dechra mynd ar dân ar ganol yr ail lith unwaith ond mi roth Twm Bach Meri hi allan heb i'r ficar golli adnod ...'

'Ma' lot er hynny, Wiliam Jôs ...'

'Fwy na liciwn i gyfri, Martha ...'

Cerddodd y ddau big ym mhig i ben arall y lolfa trwy ganol y bobl. Erbyn hyn, roedd y sgwrs yn hwyliog ac er mai cymdogion oedd y rhan fwyaf, gellid meddwl nad oeddynt wedi gweld ei gilydd ers blynyddoedd. Yn wir, ar wahân i dri neu bedwar o athrawon ysgol neu glercod – mae'n ddigon anodd eu gwahaniaethu yn aml – ffermwyr oedd y gweddill a thenantiaid stad Cwrt Meisgyn. Meibion a merched wedi dod yno yng nghysgod eu rhieni oedd y 'coleri gwynion'.

Doedd dim cinio pentymor wedi digwydd ers llawer blwyddyn. Yn nyddiau pell yr hen sgweiar byddai'r holl denantiaid yn cael eu gwahodd i'r Cwrt i ginio rhyw dair wythnos cyn y 'Dolig. Er nad yw'r 'Dolig yn bentymor i ffermwyr, mynnai'r hen sgweiar gael y cyfarfod a'r cinio hwn y pryd hwnnw yn hytrach nag ar Fawrth 24ain pryd y telid y rhenti. Dyna, yn ardal y Cwrt, fu'r arferiad er cyn co' a chytunai pawb na ellid trefnu cinio rhent mewn dull amgenach.

Am ei fod yn digwydd yn agos i'r Nadolig, cynhelid rhyw fath o noson lawen ar ôl clirio'r byrddau. Sosial y gelwid y peth canys yr oedd gormod o aroglau tŷ tafarn ar y geiriau 'noson lawen' i denantiaid bucheddol y cyfnod hwnnw. Deallai'r hen sgweiar ddigon o Gymraeg i fedru dilyn a mwynhau carol ac englyn digri ac ambell adroddiad fel 'Arwerthiant y Caethwas' neu 'Mr. Moody, y Fam a'r Plentyn'. Ac wrth gwrs, byddai unawd a deuawd a chôr. Ambell waith, ceid rhyw chwarae neu gyflawni camp, nid annhebyg i rai o'r pethau y mae Glasynys yn sôn amdanynt. Tan y Rhyfel Mawr, roedd yr ardal yn un anghysbell a hen arferion yn parhau yno.

Y Rhyfel a marw'r hen sgweiar yn fuan ar ôl i'r ymladd beidio a newidiodd bethau. Tair merch ac un mab oedd ei etifeddion, ond aeth y mab i'r fyddin yn gynnar ym 1916. Ef, wrth gwrs, oedd yr aer a chyn ymuno â'r milwyr yr oedd eisoes yn bur dderbyniol ymhlith pobl yr ardal a'r tenantiaid. Yn un peth, mynnodd wneud peth anghyffredin i lanc o'i safle ef bryd hynny, mynnodd ddysgu a meistroli iaith ei gydardalwyr yn llwyr. Yn wir, aeth ymhellach na hynny. Roedd ganddo ysfa at farddoni ac fe all y sawl sy'n berchen set o'r hen *Geninen* weld yn y cylchgrawn hwnnw ambell ddarn bach o delyneg o dan y ffugenw *Ceredig*. Llanc felly oedd Oswyn, yr aer.

Rhwng Ionawr 1916 a Rhagfyr 1917, fe'i gwelid gartre ar *leave* o dro i dro. Capten Oswyn oedd erbyn hynny. Ond o ddiwedd 1917 ymlaen, ni welwyd mohono mwyach. Ni chlywyd ei fod wedi ei ladd, – gydag Allenby yr oedd ar y pryd, a'r cwbl a gafwyd oedd ei fod ar goll. Gwell na hynny fuasai gwybod yn bendant ei fod wedi ei ladd ac heb os, yr ansicrwydd dirdynnol fu angau'r hen sgweiar ei dad. Yr oedd ef, hyd awr ei farw, yn dal i ddisgwyl ei fab yn ôl ac yn ffyddiog ei fod yn fyw.

Ar ôl ei ddydd ef, ac yn niffyg etifedd, aeth y stad i lawr yn y byd.

Fe'i 'gweinyddid' drwy'r post gan sgutorion; aeth y plas ei hun yn wag er bod darpariaeth am beth amser i gadw'r gwasanaethyddion yno. Roedd y chwiorydd, ddwy ohonynt, wedi priodi ac yn byw ym mherfedd Lloegr a'r llall wedi troi at y Pabyddion ac ymuno â lleiandy, ni wyddai neb ymhle. Diflannodd y cinio a'r sosial, yr adrodd a'r canu yr un pryd. Siec mewn amlen fu unig gysylltiad y tenantiaid â'r stad wedyn.

Felly yr aeth deg, pymtheg, ugain mlynedd heibio. Daeth rhyfel arall. Y tro hwnnw daeth Americanwyr duon i'r plas a'i stablau. 'Rhen Robert Faenol Ucha ddwedodd un dda am y rheini. Rhyw ddiwrnod, roedd y 'Mericans' yn heigio ar draws caeau a chloddiau'r ardal ar faniwfars. Erbyn hynny roedd Robert dipyn dros ei bedwar ugain a dyna lle'r oedd o'n pwyso ar lidiart y ffordd yn gwylio'r sioe. Toc, dyma un o swyddogion y fyddin ato am air o sgwrs a gofyn iddo, 'Wa-a-l grandad, whaja think of the Yankees?' A Robart yn ateb, 'wir, ma' nhw'n hogia digon ffeind, yn enwedig wrth y plant, ond tha gen neb mo'r diawlad gwynion 'na sy'n offisars arnyn nhw!'

Fe ddaeth pen ar y rhyfel hwnnw hefyd. Caewyd y plas. Erbyn hyn, wyddai neb yn iawn *pwy* oedd y meistr tir canys dywedid fod dwy o'r tair chwaer wedi mynd i ffordd yr holl ddaear. Talai pawb eu rhenti yr un fath, drwy'r post i ryw le yn Llundain. Dal 'ar goll' oedd yr aer; rywle rhwng yr Aifft a Mesopotamia; dal i ymladd y Rhyfel Mawr neu ffoi rhagddo.

Ymhen rhyw bump neu chwe blynedd wedyn, daeth si i'r ardal fod y stad 'am werthu'. Roedd sïon tebyg mewn llawer lle ac ardal y pryd hwnnw a bu ambell denant yn ddigon llygadog i weld y newid yn dod.

§

Ar bwys ei ddwyffon, herciodd Robert y Faenol Ucha ar draws y lolfa at Elis Penmaen.

'Welis i monoch chi ers cantodd, Elis,' meddai. 'Rydach chi wedi bod yn dawel iawn ers tro 'byga i. Deudwch i mi, ca'l ych gwadd ddaru chitha?'

'Wel ie siŵr,' ebe Elis yn ffrwtlyd sydyn yn ôl ei arfer, 'yr aer, yntê?'

'Ia, dyna be ges inna. Wyddoch chi Elis, fedrwn i ddim coelio'r peth ar ôl yr holl flynyddoedd. I feddwl 'i fod o'n fyw yn y gwledydd fforin 'na ar hyd yr adeg ...'

'Mi rydd hyn daw ar y sôn 'ma am werthu,' ebe Elis yn herllyd. 'Mi all dyn gysgu mewn heddwch rŵan gobeithio'.

'Gall Elis, gall. 'Dôn inna ddim yn esmwyth, wyddoch. 'Dw'i ddim yn deud nad alla Tomos y mab 'cw brynu'r Faenol yn reit c'lonnog wyddoch, ond, wel – ma' petha'n well fel hyn, 'nenwedig i rai fel ni.'

'Oes rhywun wedi 'i weld o eto, Robat?'

'Nag oes, am wn i. Heno, – hei William, tyd yma ...' William y crydd oedd hwnnw, newydd orffen sgwrs efo Mrs. Hughes y Foty.

'Be sy?' ebe William.

'Welis di'r aer?' ebe Robert.

'Naddo. Mi ddyla fod yma rŵan hefyd. Ma hi jyst yn amsar dechra'r cinio. Tybad ydio'n gw'bod fod yr hen Gaisar wedi 'i gwamio hi?'

Ciledrychodd Robert ac Elis ar ei gilydd am eiliad. Wrth gwrs, roedd pawb yn gwybod. Fu'r hen grydd byth 'run fath ar ôl colli Dei, ei unig fab, ar y Somme: roedd 'i gof o, – wel na, na, rhaid inni beidio â deud, ond ym 1918 yr oedd William yn byw o hyd.

'O, mi fydd yma gyda hyn iti,' ebe Robert, 'paid â phoeni, mi gawn ni ddiferyn i gyd cyn inni fynd ar dân!'

Fflachiodd gwên i lygaid y crydd am foment, fel petai newydd feddwl y tro cynta am rywbeth yr oedd wedi ei hir anghofio. 'Fachgen!' meddai, 'watsia di be w't ti'n ddeud ...' Tawodd yr un mor sydyn ac osio cychwyn ar rywun arall. 'Wela' i mono fo, beth bynnag,' meddai wrtho'i hun yn anfoddog.

Cyn i Elis a Robert ail afael yn eu sgwrs, dyma wraig ganol oed, geffylaidd a phenderfynol ei gên, yn ymwthio atynt. 'Boeth y bo,' ebe Robert, 'be sy gen hon isio tybad?'

'Mrs. Hopkins y Ficrej,' ebe Elis, 'isio chi 'neud spîtsh ar y cinio decini'.

Roedd Elis yn iawn. Dyna oedd cenadwri'r wraig barchus. 'Mae

Mr. Hopkins dim yma heno,' dechreuodd.

'Pam?' ebe Elis fel ergyd o wn.

Am ryw reswm, aeth hyn â thipyn o'r gwynt allan o hwyliau gwraig y person, fel petai hi ddim yn siŵr iawn beth i'w ateb. 'Wel,' meddai, 'wel, chi'n gwbod ... ceith o dim dŵad ... dim bod allan rŵan ...'

Gwyddai, fe wyddai Robert fod Elis yn un digon annoeth weithiau. Rhyw fyrbwyll onest, felly. 'Oes gynnoch chi isio fi i rywbath, Mrs. Hopkins?' meddai. Gyda chryn rymuster, daeth hithau allan o'r caeth-gyfle a dechrau ar berswâd grymus ar Robert i draddodi'r anerchiad a'r diolch arferol am y cinio i'r aer, yn lle'r ficer.

Roedd yr holl stafell yn fwrlwm o siarad a symud erbyn hyn, a'r rhan fwyaf yn grwpiau bach tynn yn ymroi i lefaru a chwerthin a chwifio braich a llaw am y gorau. Dacw Josi'r Cwm ar gefn ei brif geffyl sef y dylai'r 'Jyrmans' dalu pob ceiniog goch oedd ganddynt am y difrod a wnaethant yn Ffrainc a Belgium a phob man arall lle buont ac na buont ar ôl hynny. Ar gadair, fan arall, roedd William Williams y Siop – tenant bach mae'n wir, ond diwinydd mawr, – yn treiddio i ddirgelion yr 'hen Frynsiencyn' efo Ned Huw, athro ei ddosbarth Ysgol Sul. Wrth y lle tân, roedd Huw, mab Elis, a aeth yn athro ysgol i Firmingham, yn bygwth tân a chwyldro comiwnyddol i ddod â phob dirwasgiad i ben. Ond nid siarad yn sobr fel yna a wnâi pawb. Wrth un o'r ffenestri mawr a wynebai'r lawnt yr oedd saith neu wyth o ddynion yn gwrando'n astud-lechwraidd ar Wmffre'r Felin, ac Wmffre ei hun yn traethu'n gyflym mewn rhyw islais cyfrinachaidd. Yna, deuai pwl o chwerthin a phawb yn lled edrych dros ysgwydd fel petai arnynt ofn i neb sylwi ar eu hwyl. Wrth gwrs, dweud straeon bras o natur rywiol a wnâi Wmffre. Roedd ganddo stoc fawr ohonynt a phetai cystal llenor ag oedd o gyfarwydd buasai wedi bod yn llwyddiant ysgubol ym marn beirniaid drennydd a thradwy. Yn ei ffordd ei hun, roedd Wmffre o flaen ei oes.

Wrth ffenest arall eisteddai pump neu chwech o ferched, gwragedd ffermydd, parchus ddi-fflach, yn sgwrsio am hanes eu teuluoedd a'u gwŷr. O'r grŵp bach hwn y cododd y cyffro.

Ester Hughes oedd yr agosaf i lenni hirion trwchus y ffenestr a chyn codi o'i chadair, bu'n clustfeinio fel petai'n clywed rhyw sŵn o'r tu allan i'r tŷ. Fel yr oedd Sara Wilias yn gorffen hanes am y codiad diweddaraf ym mhrisiau'r siopwr, dyna Ester Hughes yn codi ac yn gafael yn y cyrten.

'Ma' 'na sŵn fel tae rhywun wedi cyrraedd, tu allan,' meddai.

''Gorwch y cyrtan Esta Hughes,' ebe un o'r gwragedd eraill. 'Glywas i ddim byd, ond wir, mi allwn ni fentro agor y ffenast hefyd. Ma' hi'n ddigon clos yma.'

Tynnodd Mrs. Hughes y cyrten rhyw droedfedd o'r canol ac edrych drwy'r paenau hirion ar y lawnt a'r dreif y tu allan. Gan mai ar y llawr cyntaf yr oedd y lolfa, ni allai weld y dreif a oedd yn union o flaen y porth mawr heb fynd i mewn i gilfach y ffenestr tu ôl i'r llenni. Dyna a wnaeth hi.

Roedd yn noson loergan, gwbl glir – digon clir i ddangos mor ddiymgeledd oedd y llwyni pren bocs hyd ymylon y lawnt ac mor weiriog anwastad oedd y lawnt ei hun. Tu ôl i'w phen pella' roedd bryncyn lle'r arferai'r coed rhododendron ac azalea flodeuo. Erbyn hyn, roedd y rheini'n wylltwch tywyll heb reol na threfn. Nid oedd y dreif ei hun fawr gwell, yma ac acw disgleiriai pyllau dŵr y rhowtiau yng ngolau'r lleuad.

Ond yr oedd clust Ester Hughes yn iawn. Trodd oddi wrth y ffenestr : 'Ma' 'na gerbyd a rhyw bobol wrth y drws ffrynt,' meddai.

Cododd dwy wraig arall ati i gilfach y ffenestr. Wrth eu gweld felly, troes Wmffre a rhai o'i griw yntau at y ffenestr arall. Tawelodd y siarad fel y troai rhai eraill i edrych yn ymholgar i'r un cyfeiriad. Am foment, yr oedd pawb yn fud ac yna, gofynnodd yr hen Robert y Faenol:

'Ydi'r aer wedi cyrraedd, 'ta?'

Nid atebodd neb ddim am ennyd. Craffai'r rhai oedd agosaf at wydrau'r ffenestri i weld pwy oedd yn sefyll wrth y cerbyd.

'Na,' meddai Ester Hughes, 'nid yr aer sydd 'na. Rhyw ddau ddyn diarth ydi rhain ...'

Allan, o flaen y drws, gwelent ddau ddyn yn siarad yng ngolau'r lleuad. Roedd un fel petai'n ceisio esbonio rhywbeth am y lle wrth y llall canys o bryd i bryd, cyfeiriai ei law a'i fraich at y peth hyn a'r peth acw. Safai'r llall yn mud wrando â'i ddwylo'n ddwfn ym mhocedi ei gôt uchaf drom. Ni ellid clywed gair o'u sgwrs.

Hynny a barodd i Wmffre agor un cwarel o'r ffenestr gyferbyn ag ef. Daeth awel oer i'r lolfa a diffodd amryw o'r canhwyllau. Hyd yn oed wedyn, ni allai neb glywed gair, er bod pawb erbyn hyn yn ddistaw ac wedi symud at y ddwy ffenestr i edrych a chlustfeinio. Rhyfedd hefyd na buasai Wat, yr hen fwtler, yn agos y drws i ofyn busnes y ddau ymyrrwr.

O'r diwedd, troes un ohonynt at y drws mawr. Tynnodd dors hir o'i boced.

'Gwarchod pawb,' ebe un o'r merched, 'dau leidar ydyn nhw'n siŵr ichi. Diffoddwch y gola' lle bod nhw'n gweld ...'

'Ie,' ebe gwraig y ficer, 'chi dynion sefyll o poptu'r drws a pan dôn nhw i mewn, chi dal nhw heb dim trouble ...'

Roedd Wmffre a'i griw yn barod i gytuno ar unwaith mai hynny oedd y cynllun gorau.

'Mi ddyla' rhai wylio'r grisiau,' ebe'r athro o Firmingham, 'a rhoi arwydd inni pan fyddan nhw wedi dod i mewn'.

Nid oedd yr hynafgwyr mor barod i gydsynio na derbyn y syniad mai lladron oedd y ddau ymwelydd. 'Gadwch lonydd iddyn nhw,' ebe Williams y Siop, 'be wyddon ni nad ydi'r aer wedi'i gwâdd nhwtha hefyd?'

'Ia,' ebe Robert y Faenol, 'ma'r bobol yn hollol ddiniwad; wnân nhw ddim drwg i neb yma.'

Aeth yn ddadl ac yn anwadalu. Wedi'r cwbl, nid cartref neb ohonynt oedd y plas ac nid lle ymwelwyr ar wâdd yw bwrw allan a sarhau ymwelwyr diarth o leoedd eraill. Ynghanol yr ymdderu, ni sylwai neb fod pob cannwyll erbyn hynny wedi ei diffodd naill ai gan yr awel o'r ffenestr agored neu gan rai o'r merched. Dim ond y lloergan a oleuai'r lle, ond ni hidiai neb. Aethai tri neu bedwar o'r dynion iau allan o'r lolfa a sefyll i wylio ar y landin a'r grisiau.

Ar hynny, agorwyd y drws mawr a gwichiodd yn boenus ar ei golion. Daeth y ddau ddieithryn i mewn. Fflachiai un ohonynt ei dors hwnt ac yma. Cerddasant ar letraws y cyntedd llydan ac i mewn i'r stafell ar y dde, allan o honno wedyn ac i'r stafell a elwid gynt yn llyfrgell. Nid arhosent yn hir mewn unrhyw stafell ond cyn gadael y llawr isaf aethant drwy bob un yn frysiog wrth olau'r dors. Gwylid hwy'n fanwl gan y rhai a guddient yng nghorneli'r grisiau a'r coridorau a'r landin fawr uwchben y cyntedd.

§

Gŵr prysur ar bigau drain oedd Mr. Bamfrey bob amser ac os setlo bargen, wel, ei setlo hefo cyn lleied o lol ag oedd modd. Doedd arian ddim yn broblem iddo. Ganol Awst, daethai i ardal y Cwrt am wyliau o bysgota. Dyna pryd y gwelodd y plas mud ynghanol y coed. Yn ystod y ddau neu dri mis dilynol, aeth gwerth rhai cwmnïau Prydeinig i lawr a phenderfynodd Mr. Bamfrey werthu ei siarau ynddynt cyn i bethau fynd i'r gwaelod. Heblaw hynny, fe wyddai am well buddsoddiad. Stad Cwrt Meisgyn oedd hwnnw. Hwyliodd ati i'w phrynu gyda'i eiddgarwch sicr arferol.

Ond cyn taro'r fargen, daeth i lawr eto i westy'r Plough er mwyn bwrw golwg arall ar y lle a gweld y plas yn fwy gofalus. Sais oedd perchennog y Plough ers tua dwy flynedd. Cyrhaeddodd y prynwr yn hwyrach nag y bwriadai ar union noson y cinio rhent; ni chlywsai'r tafarnwr ddim am hwnnw.

Gynted ag y cyrhaeddodd, mynnodd Mr. Bamfrey i'r tafarnwr ddod gydag ef, fel yr oedd, i olwg y plas. Wrth gwrs, yr oedd wedi nosi ond cymaint oedd awch Mr. Bamfrey fel na allai aros heb gael cip frysiog ar y lle y noson honno, a chael hamdden drannoeth i'w weld yn fanwl. Gan ei fod yn talu am bethau ar raddfa Llundain, beth arall a wnâi tafarnwr digon di-fusnes ynghanol gwlad ond mynd?

'Gloomy dump I call it sir,' ebe'r tafarnwr.

'Maybe, now,' ebe Mr. Bamfrey, 'but it needs opening up, cut down those trees and laurels ...'

Er hynny, 'gloomy' oedd y gair a bwysai ar ei feddwl wrth ddilyn ei westywr i fyny'r grisiau deri tywyll a godai o'r cyntedd drafftiog i'r llawr cyntaf. Yr *oedd* y lle'n oer, erbyn meddwl ond wedyn, bu'n wag ers oesoedd. Trodd y tafarnwr ar y chwith ar y landin eang ac agor drws yn syth o'i flaen. 'Hon ydi'r brif lolfa rwy'n meddwl ... helô, dyna beth od.'

'Beth?'

'Y ffenest acw'n agored ...'

Fel y cerddai'r ddau ddyn i'r lolfa dywyll tu ôl i drawst main golau'r dors, gwasgai'r gwahoddedigion at y muriau, heb feiddio symud smic. Yng ngolau'r lleuad, gwelent fod y gwylwyr ar y grisiau a'r landin eisoes wedi dod yn ôl a sefyll o boptu'r drws.

Croesodd y tafarnwr at y ffenest a simio'r bach a'r ffrâm tra safai Mr. Bamfrey yn y tywyllwch yn llonydd ar ganol y stafell. Crymai ei war i mewn i goler ei gôt fel petai'n teimlo drafftiau ar ei fargen wedi'r cwbl. Unwaith, trodd i edrych yn union i'r fan lle safai pedair o'r merched a welodd yr ymwelwyr gyntaf, ond rhaid fod ei feddwl ymhell; ni welodd hwy o gwbl yng ngolau'r lleuad.

'Can't explain it sir,' ebe'r tafarnwr.

'Burglars?' Ysgrytiodd Mr. Bamfrey allan o'i bensyndod. 'I told you I thought I saw a light in some of these upstairs windows as we came along the drive.'

'That was just the moon sir,' ebe'r tafarnwr, 'we don't 'ave burglars this way.'

Heb ddatgelu ei ddryswch, caeodd y tafarnwr y ffenest. Trodd ei dors am y drws.

Y foment honno, digwyddodd amryw bethau ar unwaith. Trodd Mr. Bamfrey yntau i gychwyn am y drws yng ngolau'r dors. Yr un eiliad, penderfynodd Robert y Faenol mai dyma'r adeg i gyfarch yr ymwelwyr. Camodd ymlaen i lwybr y golau ac yn ei Saesneg ansicr dechreuodd, 'Egsgiws mi syr ...'

Ni orffennodd y frawddeg, canys trodd Mr. Bamfrey at y tafarnwr.

'Yes, what is it?' meddai

'Nothing sir,' ebe hwnnw. 'I said nothing.'

'But you did – you said "excuse me".'

Gwadodd y tafarnwr yn bendant iddo ddweud un dim ond daliai

Mr. Bamfrey yn ystyfnig ei fod wedi clywed llais o rywle. Hyd yn oed wedi i'r ddau gyrraedd yn ôl i'r car soniai am y peth ond erbyn hynny roedd yn barod i gredu gair y tafarnwr. 'Must have made it up,' meddai, 'anyway, now I've thought of it, it wasn't your voice. It sounded like an old man. Odd thought, not like anyone I know.'

Am yr ail waith y noson honno, agorwyd a chaewyd y drws mawr. Caeodd y tafarnwr ef yn gadarn a'i gloi. Atseiniai clec fel taran drwy'r cynteddoedd a'r coridorau gweigion fel y bwriai naill hanner y drws yn erbyn y llall wrth i'r glicied gau. Ac yn y lolfa, yr oedd siffrwd hir fel ochenaid gytûn o ryddhad. A sisial:

'Ma' nhw wedi mynd!'

'Ydyn.'

'Welso nhw mono ni o gwbwl!'

'Sut gallen nhw Martha ...?'

'Ia'n 'te. 'Dôn i ddim yn cofio, Wiliam Jôs.'

'Ddôn nhw ddim yma i'n poeni ni eto, ddim am rai blynyddoedd.'

'Na. Ddim am rai blynyddoedd ...'

'Rhai blynyddoedd ...'

'Blynyddoedd ...'

Y Ferch wrth y Bont

Roy Lewis

Treiddiodd sŵn persain cloch y drws i ddyfnderoedd fy mreuddwydion a'm tynnu o'm cwsg. Wrth i mi agor fy llygaid, clywais y sŵn yn crynu o hyd yn awyr oer yr ystafell wely. Yr oedd disgleirdeb gwyn y lleuad yn hidlo trwy'r hollt rhwng y llenni ac yn goleuo'r ystafell i gyd. Wrth i'm breuddwydion gilio a gadael lle i feddyliau cymysg fy neffroad, yr oeddwn yn ymwybodol bod rhywbeth o'i le. Nid oedd yn amser i neb fod yn canu cloch y drws. Trois fy llygaid i gyfeiriad y cloc larwm a safai ar y ford fach wrth erchwyn y gwely. Hawdd oedd darllen ei wyneb yng ngolau'r lleuad. Yr oedd yn bum munud i dri.

Gorweddais ar fy nghefn heb symud. Yr oeddwn yn gysurus ac yn gynnes o dan y blancedi, a'r tu allan, fel y gwyddwn yn dda, yr oedd yn rhewi'n galed. Nid oedd dim sŵn ar ôl i ddau nodyn metalaidd y gloch ymdawelu. Yr oeddwn ar fy mhen fy hun yn y tŷ. Y bore hwnnw – y bore cynt, ddylwn i ddweud – yr oeddwn wedi mynd ag Angharad i'r stesion a'i rhoi hi ar drên i Lundain. Mi fyddai hi'n aros gyda'i rhieni am wythnos. Gwyddwn nad y hi oedd wrth y drws: yr oedd wedi fy ngalw i ar y teleffon i ddweud ei bod wedi cyrraedd pen ei thaith yn ddiogel.

Ceisiais fy narbwyllo fy hun fy mod wedi breuddwydio'r sŵn, ond yn ofer. Yr oedd y gloch wedi canu. Os nad oedd y gath, efallai, wedi cyffwrdd â'r ddau silindr hirfain a grogai yn y cyntedd ac a roddai ei llais i'r gloch. Byddai Sindi weithiau yn crwydro trwy'r tŷ yn y nos. Petai hi wedi neidio i ben pelmet y ffenestr wrth ochr y drws – ac yr oedd wedi gwneud hynny fwy nag unwaith o'r blaen – nid oedd yn amhosibl i'r silindrau daro yn erbyn ei gilydd. Ond wrth i mi feddwl am y peth, cofiais nad oedd Sindi ddim yn y tŷ heno. Am y tro cyntaf erioed, yr oedd hi wedi gwrthod dod i mewn pan alwais arni. Nid methu, ond gwrthod. Yr oeddwn wedi ei gweld hi'n dod tuag ataf, yn gysgod gwyn yn sleifio trwy'r tywyllwch, a golau'r drws yn pelydru yn ei llygaid. Ac yn sydyn, a hithau ddim ond rhyw dair neu bedair llathen i ffwrdd, yr oedd hi wedi sefyll yn stond, wedi hisian yn ffyrnig, ac wedi troi a diflannu i'r nos. Ofer a fu pob galw ar ôl hynny. Ni ddaeth yn ôl.

Wel, allwn i ddim credu mai Sindi a ganodd y gloch. Ac nid oedd neb arall yn debyg o ddod i'r tŷ yng nghanol y nos. Petai rhywun wrth y drws mi fyddai wedi canu eilwaith. Rhaid bod o leiaf bum munud wedi mynd heibio ers pan ddeffrois, ac yr oedd popeth mor ddistaw â'r bedd. Ceisiais fynd yn ôl i gysgu, ond nid peth hawdd mo hynny. Ar ôl rhyw ddeng munud dechreuais feddwl am godi a gwneud cwpanaid o de. Byddaf yn gwneud hynny weithiau pan fyddaf yn methu cysgu. Ond yr oedd y gwely'n glyd a'r noson yn oer. Penderfynais beidio. Neu, o leiaf, gohiriais y penderfyniad.

A dyna sŵn y gloch unwaith eto yn llenwi'r ty. Un trawiad yn unig: y ddau nodyn, y naill ar ôl y llall, ac wedyn atsain hir a thawel yn marw'n araf i ddistawrwydd llwyr.

Codais ar fy eistedd, gan deimlo'n anesmwyth. Yr oeddwn yn effro, ac nid oedd dim camsyniad. Ac eto, os oedd yn anodd credu y deuai ymwelydd i'r tŷ yr adeg hon o'r nos, anos byth oedd coelio ei fod yn sefyll ers chwarter awr ar garreg y drws heb wneud dim pellach i ddenu fy sylw, a hynny ar noson rewllyd ym mis Ionawr. Mwy na chwarter awr. Edrychais ar y cloc. Yr oedd yn ugain munud wedi tri.

Yr heddlu, tybed? Gwyddwn eu bod weithiau yn galw heibio i dŷ i roi'r newydd pan oedd damwain wedi bod. Ond yn y nos? Does gen i ddim perthnasau agos ar wahân i Angharad, a gwyddwn ei bod hi'n ddiogel: yr oedd hi ar ei ffordd i'r gwely pan alwodd fi.

Yn anniddig ddigon, gwthiais fy nhraed i'm sliperi a gwisgo fy ngwnwisg. Estynnais fy llaw i gynnau'r lamp wrth erchwyn y gwely: ond ymataliais. Dywedais wrthyf fy hun fod golau'r lleuad yn ddigon. Ond nid wyf yn siŵr mai dyna'r gwir reswm dros i mi newid fy meddwl. Teimlais yn anfodlon dangos i neb fy mod yn y tŷ, cyn gweld pwy oedd wrth y drws. Euthum i'r landin. Edrychais i'r cyntedd islaw. Yr oedd y llain o wydr lliw yn y drws yn llachar yng nghanol y cysgodion, ond ni allwn weld a oedd neb y tu ôl iddo. Euthum i'r

ystafell wely ar flaen y tŷ. Yn y cefn y byddai Angharad a minnau'n
arfer cysgu, er mwyn tawelwch, a hefyd oherwydd yr olygfa hyfryd
a gawn tua'r môr. Yr oedd gwely yn yr ystafell flaen, ond ni châi
hwnnw ei ddefnyddio ond yn achlysurol pan fyddai rhywun yn aros
gyda ni.

Mae'r tŷ yn hen ffasiwn, yn dŷ solet o garreg wedi ei godi cyn y
Rhyfel Byd Cyntaf, ac iddo ffenestri sash uchel. Yr oedd y llenni'n
agored, a thaflais olwg ar y stryd wag. Er bod y palmant yn llachar a'r
rhew yn disgleirio dan olau'r lleuad, yr oedd yr ardd fechan o flaen y
tŷ mewn tywyllwch, a felly hefyd wyneb y tŷ. I weld y drws, byddai
rhaid codi'r ffenestr a rhoi fy mhen allan. Codais hi'n ddistaw er
mwyn osgoi tynnu sylw. Teimlais oerni'r awyr yn brathu fy nghnawd.
Edrychais i lawr tuag at y drws, a gwelais nad oedd neb yno.

Edrychais ar y stryd. Yr ydym yn byw ar ymyl y dref, ac yma y mae'r
tai yn wasgaredig. Gyferbyn â ni nid oes ond tir diffaith yn codi'n araf
tuag at y mynydd. Y mae ein tŷ ni yn un o ddau, a rhyngom ni a'r
adeilad nesaf, sef tafarn y 'Llew Coch', mae lle gwag. Yno y mae'r
hyn a alwn ni'r 'bont', er nad oes dim llawer o bont i'w gweld: dim
ond wal isel o garreg ochr draw'r ffordd. Yma y mae'r nant yn disgyn
o'r mynydd tua'r môr ac yn rhedeg yn ddwfn o dan yr heol, heibio i
ardd drws nesaf ac yn troi o gwmpas gwaelod ein gardd gefn ni. Gan
amlaf mi allwn ni glywed tincial y dŵr, ond heno nid oedd dim sŵn:
yn ôl pob tebyg yr oedd y nant wedi rhewi. Edrychais yn ofalus ar
hyd y stryd, ond nid oedd neb i'w weld. Yr oedd y noson yn hynod
o olau, a phopeth yn sefyll allan ag eglurder anghyffredin, fel mewn
llun: gallwn weld hyd yn oed adeiladau'r pwll glo bychan a oedd yn
uchel ar ochr y mynydd. Pwy bynnag oedd wedi canu'r gloch, yr
oedd wedi diflannu'n llwyr.

Ond nid felly. Yr oedd hi'n sefyll y tu draw i'r stryd, wrth ymyl
y bont. Ni allwn ddeall sut yr oeddwn wedi methu â'i gweld. Yr
oeddwn wedi edrych funud yn ôl ac mi awn i ar fy llw nad oedd
hi ddim yno. Yr oedd hi'n edrych i gyfeiriad y tŷ, dros y stryd wag.
Merch ifanc ar ei phen ei hun, yn sefyll yno yn y nos fel petai hi ar
goll. Ni allwn fod yn siŵr beth oedd lliw ei gwisg, ond yr oedd rhyw

fath o addurn aur yn hongian o gwmpas ei gwddf. Nid oedd ganddi hi ddim côt o gwbl. Rhaid bod yr oerfel yn treiddio i'w hesgyrn. Ni symudai ddim: yr oedd fel petai hi wedi rhewi.

Gelwais arni, ond ni chymerodd ddim sylw.

Caeais y ffenestr, ac euthum i lawr y grisiau. Cynheuais y golau yn y cyntedd ac agor y drws blaen. Euthum allan i'r ardd fechan o flaen y tŷ. Yr oedd y giât haearn ar gau, fel yr oeddwn wedi ei gadael wrth ddod i mewn y noson gynt. Am y stryd â mi, gwelais wal isel y bont. Ond nid oedd neb yno.

Euthum i'r stryd gan rynnu o dan fy ngwnwisg, ac oerni'r palmant yn treiddio trwy sodlau tenau fy sliperi. Mi es i'r man y gwelais hi. Gan na wyddwn beth arall i'w ddweud, gelwais 'Hylô! Ydych chi yno?' ond ni ddaeth ateb na dim symudiad. Cerddais i fyny ac i lawr, ac edrych hyd yn oed i ddyfnder y nant. Trois eto i'r stryd wag. Yr oedd y lleuad yn uchel mewn wybren ddigwmwl, mor llachar nes cuddio'r sêr. Safai'r tŷ yn silwét du, a golau'n tasgu o'r drws agored ac o'r ffenestri. Euthum yn ôl mewn penbleth llwyr. Oedais am funud wrth y drws: ond yn y diwedd, ar ôl taflu golwg arall i'r stryd, nid oedd dim amdani ond mynd i mewn a diffodd y golau. Ar ôl mynd i fyny'r grisiau dychwelais at y ffenestr flaen, heb weld dim, ac wedyn euthum i'r ystafell gefn.

Yr oedd y lleuad yng nghefn y tŷ. Euthum i'r ffenestr i dynnu'r llenni at ei gilydd, ac wrth wneud, gwelais Sindi'n eistedd ar ffens yr ardd, yn smotyn gwyn yn y nos ariannaidd. Codais y ffenestr a galw arni. Fel petai hi wedi bod yn disgwyl am fy llais, fel petai hi'n ddiolchgar am ei glywed, neidiodd o'r ffens a rhedeg i gyfeiriad y tŷ. Ac yna digwyddodd yr union beth ag o'r blaen. Safodd. A rhuthrodd yn ei hôl a diflannu.

Dyma'r tro olaf i mi ei gweld hi'n fyw.

Gorweddais yn effro am sbel, a phan ddaeth cwsg, nid oedd yn dawel. Ni chofiaf fy mreuddwydion, ond rhaid bod y ferch ynddyn nhw rywsut. Deffrois pan ganodd y cloc larwm am wyth o'r gloch. Ar ôl mynd i'r ystafell ymolchi a gorffen ymwisgo ar frys, agorais y llenni. Yr oedd yn fore tywyll a digysur: yn wahanol iawn i'r nos, yr oedd cymylau wedi ymledu dros yr wybren, ac yn y llwydolau, prin y gallwn weld y môr yn y pellter. Yr oedd y coed o gwmpas yn sefyll yn ddisymud fel ysgerbydau du. Edrychais ar wynder trist yr ardd. Yng nghanol darn o dir gwag lle'r oeddwn wedi tyfu llysiau y llynedd, gwelais fod rhywbeth yn gorwedd, ond ni allwn weld beth oedd. Yn ôl fy arfer, bwyteais fy mrecwast yn y gegin – dim ond darn o fara crasu a chwpanaid o goffi du – ac ar ôl rhoi'r llestri yn y gegin gefn, euthum i'r drws cefn i alw Sindi cyn cychwyn i'r gwaith. Ond nid oedd dim angen ei galw hi, na dim pwrpas. Yno, ar ganol yr ardd, mi welais hi'n gorwedd. Gwyddwn ar unwaith ei bod hi'n farw. Yr oedd ei gweld hi felly yn ergyd ysigol. Yr oedd hi wedi dod atom yn gath fach saith mlynedd yn ôl, ac oddi ar hynny bu fel un o'r teulu. Euthum ati a chodi'r corff bach a oedd wedi ei rewi'n galed ac yn glynu wrth y ddaear. Gwelais fod gwaed ar ei hwyneb, ond nid oedd dim olion eraill o niwed arni.

Yn y gegin gefn, lapiais y corff mewn tywel. Ni allwn feddwl am unman i'w rhoi ond yn y fasged lle'r oedd hi wedi arfer cysgu wrth y tân yn yr ystafell fyw. Yno y rhoddais hi. Bu rhaid i mi ruthro i ddal y trên. Cefais ddiwrnod prysur yn y swyddfa, a dim llawer o amser i feddwl. Er hynny, deuai fy meddwl dro ar ôl tro yn ôl at Sindi. Paham yr oedd hi wedi mynnu aros allan yn y nos? Beth a ddigwyddodd iddi? Gwyddwn fod llwynogod o gwmpas: byddent yn dod at y tai yn y gaeaf i chwilio am fwyd, ac weithiau'n troi'r tuniau lludw ac yn dwyn dofednod oddi ar y cymdogion a oedd yn eu cadw nhw. Ond nid oedd dim olion dannedd ar ei blew. A phrin bod yr oerfel wedi ei lladd hi. Mae gan gathod reddf i ddod o hyd i loches gynnes. Ac ar wahân i hynny, yr oedd gwaed.

Gadewais y swyddfa yn gynnar, gan ddod â gwaith gyda mi i'w orffen yn y tŷ; a chan hynny cyrhaeddais gartre cyn iddi nosi. Wrth fynd i'r gegin, cefais fod y tân nwy yn llosgi'n gynnes, bron fel petai rhywun yno i'm croesawu. Rhaid fy mod wedi anghofio ei ddiffodd wrth fynd o'r tŷ ar frys y bore hwnnw. Fy ngwaith cyntaf oedd claddu Sindi yn yr ardd gefn. Yr oedd hynny'n anodd. Yr oedd y ddaear mor galed fel nad oedd y rhaw yn dda i ddim. Bu rhaid i mi gymryd caib.

Pan oedd y bedd yn barod, euthum i'r ystafell flaen i nôl y corff. Sefais yno, wrth y fasged, mewn syndod. Yr oedd rhywun wedi dadlapio'i corff, a gorweddai'r gath yn awr a'r tywel o dani. Ac ar y corff yr oedd blodyn. Rhosyn coch artiffisial a berthynai i Angharad, a wisgai hi weithiau gyda'i gwisg hir ddu.

Ond pwy allai fod wedi ei roi yno? Gwelais fod blew gwyn Sindi wedi eu cribo'n ofalus, a'u bod mor lân a sidanaidd â phan oedd hi'n fyw. Yr oedd y gwaed wedi ei olchi o'i hwyneb. Dwylo tyner a chariadus a oedd wedi ei rhoi hi yno ar y tywel, ac wedi dewis a gosod y rhosyn coch i fynd gyda gwynder y blew. Merch yn unig a allai wneud hynny.

Daeth digwyddiadau'r nos yn fyw yn ôl i'm meddwl. Dyna'r tro cyntaf i mi gysylltu marw Sindi â'r ferch a welswn o flaen y tŷ. Yn sicr, nid y hi a laddodd y gath. Yr oedd fel petai hi am ddangos hynny i mi: fel petai hi'n teimlo, rywsut, yn gyfrifol. Ond pam? Ac ymhle roedd hi? A oedd hi wedi dod i'r tŷ tra oeddwn i allan yn chwilio amdani? Ond os felly, paham yr oedd hi wedi ymguddio? Cofiais y tân a losgai yn y gegin. Yr oeddwn yn weddol sicr fy mod wedi ei ddiffodd cyn cychwyn y bore hwnnw. Os felly, yr oedd hi yn y tŷ.

Euthum o ystafell i ystafell, ond nid oedd neb. Efallai ei bod hi wedi treulio'r diwrnod yma, ac ymadael cyn i mi ddod yn ôl. A oedd arni fy ofn i? A oedd hi, trwy ofalu am Sindi, yn diolch i mi am ei chymryd hi i mewn? Wrth ddod o bob ystafell, caeais y drws ar fy ôl. Pan oedd Sindi'n fyw, byddem bob amser yn gadael y drysau ar agor, iddi gael crwydro trwy'r tŷ tra oeddem ni allan. Ond bellach nid oedd dim angen.

Wrth i mi godi'r gath a rhedeg fy mysedd trwy ei blew, sylweddolais fod ei gwar wedi ei dorri. Ac nid trwy ddamwain. Gwyddwn yn dda fod rhywun wedi ei thagu hi, a gwasgu mor ddidrugaredd nes torri'r esgyrn.

Rhoddais hi yn y bedd, a'r blodyn gyda hi. Petai rhaid i mi esbonio'r weithred fechan hon o barch, mi ddywedwn ei bod yn brotest yn erbyn creulondeb diystyr ei lladd. Ni ddeallwn sut y gallai neb fod wedi gwneud y fath beth i greadur diniwed. Llenwais y bedd a gwasgu'r pridd caled i'w le. Ymhell cyn i mi orffen fy ngwaith yr oedd golau'r dydd wedi mynd. Nid oedd y lleuad wedi codi eto, er bod yr wybren yn glir a'r sêr yn dechrau ymddangos. Yr oedd cysgodion yn ymledu trwy'r ardd. Wrth i mi gasglu fy offer at ei gilydd, cefais y teimlad anghysurus nad oeddwn ar fy mhen fy hun, ond bod rhywun yn fy ngwylio o bell. Nid o gyfeiriad y tŷ, ond o'r ardd. Yr oedd bron fel petai llofrudd Sindi wedi dychwelyd ac yn sefyll yno rywle yn y cysgodion. Ond ni allwn adael i syniadau ffansïol o'r fath gael gafael arnaf. Rhoddais fy offer cloddio yn y sied y tu ôl i'r tŷ a dychwelyd i'r gegin. Yno yr oedd cynhesrwydd a goleuni.

Penderfynais beidio â galw Angharad ar y teleffon a dweud wrthi am Sindi. Nid oedd dim pwrpas difetha ei gwyliau. Gwneuthum fwyd i mi fy hun, ac wedyn euthum â'm gwaith i'r ystafell fyw. Erbyn i mi orffen yr oedd yn un-ar-ddeg o'r gloch, a chan fod diwrnod prysur o'm blaen euthum i'r gwely. Diffoddais y goleuadau ar lawr a dringo'r grisiau. Ac wrth gyrraedd y landin, gwelais fod drws yr ystafell wely ar flaen y tŷ ar agor.

Yr oedd fy nghalon yn curo wrth i mi fynd tuag ato. Un peth oedd credu bod y ferch wedi bod yn y tŷ ac wedi ymadael tra oeddwn i allan. Peth arall hollol oedd bod rhywun wedi agor y drws ers pan ddeuthum i mewn. Trois y golau ymlaen wrth fynd i'r ystafell. Yr oedd yn wag, ac nid oedd dim byd o'i le. Ond mi es mor bell ag agor y cwpwrdd ac edrych i mewn. Nid oedd dim yno ond peth o ddillad Angharad. Wrth ddod o'r ystafell caeais y drws ar fy ôl, ac euthum at fy ystafell wely fy hun. Am y tro cyntaf teimlais yn wirioneddol unig.

Yr oeddwn yn flinedig, a chysgais. Er hynny, am ryw reswm neu'i gilydd, deffrois tua thri o'r gloch y bore. Efallai mai golau'r lleuad a'm deffroes. Nid oeddwn ond wedi hanner-cau'r llenni, ac yr oedd yr ystafell yn olau fel y dydd. Codais a mynd at y ffenestr i'w cau nhw. Y tu allan yr oedd popeth yn llonydd ac yn ddisglair. Ni allwn weld y môr. Yr oedd niwl tenau wedi codi yn y pellter a'i guddio. Gan amlaf, gellid gweld y golau ar Graig Erfyl yn fflachio ei rybudd i'r llongau a âi heibio i borthladd Abertawe. Oherwydd y niwl, ac eglurder eithriadol popeth a oedd yn agos, yr oedd rhywbeth afreal yn yr olygfa. A hefyd, rhywbeth nad oeddwn yn ei hoffi. Gwelais fod rhywun yn sefyll y tu hwnt i'r ffens wrth waelod yr ardd. Nid oedd ond cysgod du, ac am ryw reswm ni allwn ei weld mor eglur â'r pethau a oedd o'i gwmpas. Ond yr oedd iddo ffurf dyn tal a thenau. Yr oedd yn hollol ddisymud. Ac eto, nid oedd yn bosibl mai dyn oedd. Y tu hwnt i'r ffens, lle gwelais e'n sefyll, yr oedd y ffos ddofn lle rhedai'r nant. Nid oedd dim lle yno i neb roi ei droed.

Sefais yn hir yn y ffenestr. Ac yn raddol deuthum yn ymwybodol bod sŵn yn y tŷ. Sŵn tawel iawn, fel rhywun yn wylo. Euthum i'r landin, ond yr oedd y sŵn wedi darfod. Bron na ddywedwn i mi gael yr argraff bod rhywun yn dal ei anadl, rhag i mi ei glywed. Yr oedd y drysau o'm cwmpas ar gau. Nid euthum i chwilio. Euthum yn ôl at ffenestr fy ystafell fy hun. Ond nid oedd neb wrth y ffens.

Gorweddais yn hir heb gysgu, ond ni chlywais sŵn pellach. Rhaid fy mod wedi cysgu o'r diwedd oherwydd y bore hwnnw ni chlywais sŵn y cloc larwm a chollais y trên, er i mi adael y tŷ ar frys gwyllt a heb frecwast. Yr oedd y diwrnod hwnnw yn un prysur yn y swyddfa. Er mwyn gwneud iawn am yr awr a gollais yn y bore, gweithiais yn hwyr: ac yr oedd yn wyth o'r gloch arnaf yn dychwelyd i'r tŷ y noson honno. Nid oeddwn wedi beiddio dweud dim wrth neb yn y swyddfa am fy mhrofiadau anesmwyth. Gwyddwn na fyddai neb yn barod i gredu nad oeddynt i gyd yn gynnyrch fy nychymyg. Ni allai esboniad o'r fath fy modloni i, ac eto ni wyddwn beth i'w feddwl. Ac wrth i mi nesu at y tŷ y noson honno, yr oedd yn dda gen i weld bod golau yn ffenestr drws nesa. Ac wrth i mi gyrraedd y giât, agorodd drws Rhys Bowen a daeth ei wraig Siân gyda'r poteli gwag i'w gadael i ddyn y llaeth. O leiaf, mi roddai hynny gyfle i mi siarad â rhywun, ac yr oeddwn yn teimlo angen cwmni. Cyferchais hi fel arfer. Ond ni chefais ateb. Mi roddodd glep ar y drws heb ddweud yr un gair. Yr oedd oerni ei hymateb yn syndod i mi. Nid oedd dim posibilrwydd nad oedd wedi fy nghlywed.

Pan es i mewn i gyntedd y tŷ, a hyd yn oed cyn i mi droi'r golau ymlaen, gwelais ar unwaith fod drws pob ystafell ar agor. Mi lenwais i'r tŷ â golau ac mi es, yn betrus, o ystafell i ystafell. Lan llofft hefyd, yr oedd y drysau ar agor. Oedais yn hir cyn mynd i'r ystafell flaen. Fel o'r blaen, yr oedd yn wag; neu o leiaf, nid oedd neb i'w weld. Ond y tro hwn gwyddwn i sicrwydd fod rhywun yno. Yr oedd arogl yn yr awyr. Arogl persawr menywaidd, ac yr oedd presenoldeb rhywun i'w deimlo. Wrth i mi fynd o'r ystafell clywais symudiad y tu ôl i mi, ond pan drois, nid oedd dim i'w weld. Caeais y drws ar fy ôl.

Ni allwn ddioddef hyn yn hwy. Es i lawr i'r cyntedd a chodi'r teleffon. Ni wn i beth yr oeddwn yn mynd i'w ddweud wrth Angharad, ond yr oedd rhaid i mi glywed ei llais. Yr oedd y tŷ gwag nad oedd yn wag wedi mynd yn ormod i mi. Trois y rhif gyda llaw a oedd, mae'n rhaid i mi gyfaddef, yn crynu, a chlywais sŵn hir ac araf y teleffon yn canu acw yn Llundain bell. Aeth y sŵn ymlaen ac ymlaen, ond nid atebodd neb. Rhaid eu bod nhw wedi mynd allan. Cofiais i Angharad ddweud y bydden nhw'n mynd i'r theatr un noson. Gosodais y teleffon yn ôl yn ei le. Ac euthum o'r tŷ a churo ar ddrws y tŷ nesa. Wrth gwrs, ni allwn ddweud y gwir wrth Rhys. Wedi'r cyfan nid oedd dim byd sylweddol wedi digwydd. Ond y munud hwnnw mi deimlais i fod y tŷ fel bom, yn barod i ffrwydro. Rhaid i mi gael cwmni dynol. Gallwn ofyn am gael benthyg papur yr hwyr. Yr oeddwn eisoes wedi ei ddarllen ar y trên adre, ond nid oedd neb i wybod hynny.

Trwy lwc, Rhys a ddaeth i'r drws, ac nid Siân. Ond nid oedd dim amheuaeth amdani: yr oedd ei agwedd ef, os nad yn oeraidd, o leiaf yn anghysurus. Wrth gwrs mi gawn i'r papur, meddai fe: roedd e'n siŵr bod Siân wedi gorffen ag e. Ond ni wahoddodd fi i mewn. Gadawodd fi i sefyll ar garreg y drws er gwaethaf oerni'r nos. a phan ddaeth yn ôl gyda'r papur: 'Jest ar ein ffordd i'r gwely,' meddai fe. 'Wela i di yfory ...'

Ac aeth i gau'r drws. Allwn i ddim gadael i hynny ddigwydd. Gwyddwn mai dweud celwydd yr oedd, ac mi wyddai ef fy mod i'n gwybod. Gwelais oleuad symudol y set deledu yn chwyddo ac yn disgyn yn yr ystafell gefn.

'Aros eiliad,' meddwn i, gan afael yn y drws. 'Beth sy'n bod, Rhys? Beth sy'n bod?'

'Yn bod?' meddai fe, yn ochelgar.

'Pan ddes i i mewn heno, roedd Siân yn edrych arna i fel petawn i'n faw. Be dw' i wedi wneud?'

Am eiliad, meddyliwn fod Rhys yn mynd i gau'r drws heb ddweud gair ymhellach. Petrusodd. Edrychodd dros ei ysgwydd i gyfeiriad yr ystafell gefn. Daeth allan i'r oerni, gan hanner-cau'r drws ar ei ôl. Yr oedd yn llewys ei grys.

'Wel,' meddai fe, 'mi wyddost ti sut mae'r merched. Mae Angharad a hithau'n ffrindiau mawr.'

'Ydi hynny i fod i olygu rhywbeth?'

'Wrth gwrs ei fod. Dyw e ddim o'm busnes i be wyt ti'n wneud pan mae Angharad i ffwrdd. Dw' i ddim yn poeni. Ond mae'r lle yma yn bentre bychan, fel y gwyddost ti. Dyw e ddim fel yn y dre.'

'Dw' i ddim yn deall yr un gair rwyt ti'n ddweud.'

'Wrth gwrs dy fod di'n deall. Y ferch yna sy gen ti yn y tŷ. 'Dyw e ddim o'm busnes i fel y dywedais i, ond mae Siân yn teimlo braidd yn gas. Mi ddaw hi dros y peth, synnwn i ddim. Ond ar hyn o bryd ... Wel,' meddai fe, gan droi yn ôl i'r tŷ, 'mae'n oer ddychrynllyd fan hyn. Wela i di yfory.'

Ac ychwanegodd:

'Cofia, dw' i ddim yn dweud na wnawn i mo'r un peth petai Siân i ffwrdd. Ond does gen i mo'r un lwc. Mae hon sy gen ti yn dipyn o bisyn, mae Siân yn dweud.'

A chaeodd y drws.

Teflais y papur i'r ardd. Cerddais ar hyd y palmant, a'r llwydrew yn crinsian dan fy nhraed. Y peth ofnadwy oedd nad oedd geiriau Rhys ddim wedi peri dim syndod i mi. Dim ond cadarnhau ofnau a oedd eisoes yn llechu yn fy nghalon.

Daeth bws heibio ar ei ffordd i'r dre, yn llawn golau ac yn hollol wag, a safodd wrth y bont. Safodd am beth amser heb i neb ddisgyn nac i neb fynd arno. Daeth arnaf ysfa neidio arno a dianc, ac yr oeddwn ar fin cychwyn tuag ato pan ailgychwynnodd a symud yn araf i ffwrdd. Paham yr oedd wedi sefyll, tybed? Nid oedd y peth o bwys: ac eto, yn sydyn, teimlais ei fod yn bwysig iawn. Yr oedd y

gyrrwr wedi gweld rhywun yn sefyll wrth y bont. Mi allwn innau ei
weld e, yn y cysgodion. Nid y ferch, yr oedd hynny'n sicr. Gŵr unig
mewn dillad tywyll.

Ni feiddiwn fynd tuag ato. Trois at y tŷ. Yr oeddwn wedi gadael y
goleuadau i gyd ymlaen, ac yn y tywyllwch yr oedd bron yn groesawgar.
Gwthiais yr allwedd i'r drws ac es i mewn, gan gau'r drws yn swnllyd
ar fy ôl a sefyll yn y cyntedd gan wrando. Nid oedd dim sŵn.

Ceisiais ddweud wrthyf fy hun nad oedd dim byd anghyfeillgar
yma. Ond yr oedd Siân wedi gweld y ferch. Yr oeddwn i wedi teimlo
ei phresenoldeb. Beth oedd geiriau Rhys? 'Tipyn o bisyn ...' Cofiais
sut yr oeddwn wedi ei gweld hi yn sefyll yn oerni'r nos heb ddim côt
amdani. Ni allai neb o gig a gwaed fod wedi sefyll fel hynny. Rhaid
ei bod hi'n dalp o rew.

Euthum i'r gegin. Dydw i – doeddwn i – fel pawb arall, ddim yn
credu mewn ysbrydion, ond rhywle, yn nyfnder fy enaid, yr oedd ofn
dyn cyntefig o'r pethau na ellir eu hesbonio. Ac ofn y meirw.

Ai rhyw ddefod gudd na allai neb ond y meirw ei deall a fu gosod
y blodyn ar gorff Sindi?

Fel neithiwr, yr oedd y tân ymlaen yn y gegin, a'r lle yn gynnes.
Edrychais o'm cwmpas. Nid oedd dim wedi newid, ond yr oedd
gwacter y tŷ fel rhywbeth solet, fel rhywbeth a oedd wedi meddiannu'r
lle i gyd. Yr oedd y pethau cyfarwydd – y drych uwch y lle tân,
y tegell copr yn y grât, hyd yn oed y waliau eu hunain â'u papur
deiliog glas – fel petaent wedi tynnu'n ôl i'w byd cyfrin eu hunain,
wedi mynd yn ddieithr i'r bywyd tawel y bûm i'n ei rannu â nhw ac
Angharad ers cynifer o flynyddoedd. Yr oeddwn wedi gadael drws y
gegin yn gil-agored. Y tu hwnt iddo yr oedd y cyntedd, y grisiau, a'r
ystafelloedd eraill, i gyd yn wag. A'r cyfan fel byd estron, bygythiol,
yn llawn cysgodion twyllodrus. Nid y fi oedd biau'r tŷ bellach. Nid
oeddwn i'n feistr ond ar yr ychydig o droedfeddi o awyr a oedd o'm
cwmpas.

Nid euthum ati i baratoi bwyd. Doedd arna i ddim awydd. Yr oedd
potel o chwisgi yn y cwpwrdd. Codais a thywalltais lasiad. Wedyn
mi wnes i beth rhyfedd, heb wybod yn iawn pam. Mi dywalltais i ail

lasiad a'i osod yn ofalus am y ford â mi, ac ail-eistedd yn fy lle arferol. Wedyn, codais fy ngwydr ac yfed. Yr oedd fy llygaid ar y gwydryn arall. Ni wn i beth yr oeddwn yn ei ddisgwyl, ond ni ddigwyddodd dim. Safai'r gwydryn yno a'r hylif melyn yn ddigyffro ynddo.

Wn i ddim ers faint o amser y bûm i'n eistedd pan ddaeth sŵn sydyn o gyfeiriad y ffenestr. Yr oedd y llenni wedi chwyddo ymlaen fel petai llaw wedi eu gwthio nhw. Am rai eiliadau buont yn siglo yn ôl ac ymlaen, ac yna mynd yn ôl i'w lle arferol fel petai dim byd wedi digwydd. Nid oedd y ffenestr yn agored, ac nid oedd dim gwynt. A'm calon yn curo, euthum at y ffenestr a thynnu'r llenni yn ôl. Yr oedd y lleuad heb godi eto, a'r tu allan yr oedd fel y fagddu. Nid oedd yr ardd gefn i'w gweld o gwbl. Dim ond ychydig o droedfeddi lle disgynnai'r golau o'r ffenestr. Ond ... Oedd, yr oedd rhywbeth ar sil allanol y ffenestr. Ni allwn weld yn eglur. Yr oedd iâ ar y gwydr, lle'r oedd awyr cynnes y gegin wedi rhewi wrth gwrdd ag oerfel y nos. Bu rhaid crafu'r iâ i ffwrdd. Ac, wedyn, gwelais. Trois o'r ffenestr gan deimlo'n sâl.

Corff Sindi oedd ar sil y ffenestr. Ond nid fel yr oeddwn wedi ei gweld hi wrth ei chladdu. Yr oedd ei blew gwyn, a fu mor sidanaidd a hyfryd, yn frwnt ac yn llawn baw. Yr oedd y corff wedi ei falurio, fel petai gan ergydion y rhaw a ddefnyddiwyd i'w datgladdu. Yr oedd y pen wedi ei dorri i mewn, ac un o'i llygaid yn hongian ar ei thrwyn.

Euthum i'r gegin gefn a thaflu i fyny. Wedyn deuthum yn ôl, yn sigledig. Edrychais arnaf fy hun yn y drych, a gweld fy mod mor wyn â'r galchen. Tynnais fy hances poced i lanhau blaen fy nghrys, a cheisiais roi trefn ar fy ngwallt. Unrhywbeth, dim ond i mi wneud rhywbeth. Ni feiddiais fynd yn ôl at y ffenestr. Disgynnais i gadair wrth y bwrdd a rhoi fy mhen rhwng fy nwylo. Ond ni allai fy nwylo gau allan yr olygfa arswydus a oedd yn fy meddwl, na'r ymwybyddiaeth o greulondeb, o falais, o gasineb ac o – o afreswm. Am y tro cyntaf yr oedd dieithrwch ofnadwy y tŷ wedi magu ystyr hollol bersonol – a gelyniaethus.

O'r diwedd, codais fy llygaid. Yr oedd rhywbeth yn y gegin wedi newid. Am rai eiliadau, ni wyddwn beth; ond yn fuan sylweddolais.

Nid oedd y gwydryn arall bellach ar y ford. Yr oedd yn gorwedd ar lawr, a'r chwisgi wedi staenio'r carped.

Ni allwn aros yn y gegin. Euthum i'r cyntedd gan feddwl dianc o'r tŷ, ond, â'm llaw ar ddolen y drws, tynnais yn ôl. Cofiais y cysgod wrth y bont. Mi es i'r ystafell fyw i edrych trwy'r ffenestr, ond o'r fan yna ni ellid gweld y bont. Er mwyn gweld honno, byddai rhaid mynd i'r ystafell wely ar flaen y tŷ. Efallai mai dyna oedd yn fy meddwl pan ddringais y grisiau'n araf i'r landin, ond yn fy nghalon gwyddwn na allwn agor y drws hwnnw. Euthum i'm hystafell fy hun ac eistedd yno'n hir. Yn raddol daeth fy meddyliau at ei gilydd. Gwyddwn y byddai rhaid i mi aros yma trwy'r nos dan warchae. Y tu allan yr oedd perygl.

Gorweddais ar y gwely heb dynnu fy nillad. Yr oedd y goleuadau ar gynn trwy'r tŷ, ac wrth i mi orwedd, a'r munudau'n mynd yn araf heibio, yr oedd fel petawn i'n gallu gweld i mewn i bob un o'r ystafelloedd, i gyd yn wag, ond yn aros yn ddisgwylgar am i'r drws agor ac i rywun neu rywbeth gerdded i mewn. Yr oedd y tŷ yn effro o'm cwmpas. Yn y diwedd aeth y teimlad yn annioddefol. Tuag un o'r gloch y bore, pan oedd popeth yn hollol ddistaw a dim byd wedi digwydd ers oriau, penderfynais ddiffodd y goleuadau. Dywedais wrthyf fi fy hun nad oedd gen i ddim byd i'w ofni yn y tŷ. Codais a gorfodais fy hun i fynd i lawr y grisiau, i'r ystafell fyw yn gyntaf ac wedyn i'r gegin. Yr oedd y gwydryn o hyd yn gorwedd ar lawr. Wrth gwrs, yr oedd y lle yn wag; ond wrth i mi fynd i mewn cefais deimlad anghysurus bod rhywun wedi cilio'n ôl yn sydyn ac yn ddistaw i encilion y gegin gefn. Ymwrolais orau y gallwn ac euthum yn syth o'm blaen. Yr oedd y drws cefn dan glo a gwelais fod popeth mewn trefn. Diffoddais y golau yno a dod yn ôl i'r gegin a mynd at y ffenestr, i sicrhau bod honno ar gau. Nid edrychais i lawr ar gorff Sindi, ac ni chefais ond cip ar yr ardd a gweld bod golau'r lleuad yn dechrau ymledu dros y wlad. Caeais y llenni a throis yn ôl i'r ystafell. Yna y gwelais rywbeth nad oeddwn wedi sylwi arno o'r blaen. Ar y ford yr oedd cyllell. Cyllell hir a miniog â dolen o gorn, a oedd yn arfer cael ei chadw mewn drôr yn y gegin. Nid y fi oedd wedi ei rhoi yno.

Sefais gan edrych ar y llafn. Yr oeddwn wedi defnyddio'r gyllell honno lawer gwaith i dorri cig. Ond cyn y munud hwnnw, nid oeddwn erioed wedi meddwl amdani fel rhywbeth y gellid ei ddefnyddio i ladd. Ond yno, ar y ford o'm blaen yr oedd yn fygythiol. Ac wrth i mi syllu arni, gwelais – ac rwy'n hollol siŵr o hyn – mi welais y gyllell yn troi ar y ford, fel petai llaw anweladwy yn ei gwthio. Ac yn awr yr oedd yn llonydd eto. Y ddolen nid y llafn, oedd wedi ei throi tuag ataf.

Ac eto, ni theimlais fod neb yno gyda mi. Yr oedd rhywun wedi bod, ac wedi mynd.

Ni allaf esbonio na disgrifio fy nheimladau. Dau beth yn unig oedd wedi digwydd yn y tŷ a oedd y tu hwnt i bob dealltwriaeth bosibl, a'r ddau yn bethau bron yn ddibwys: y blodyn ar gorff y gath ac yn awr y gyllell ar y ford. Nid dychymyg mo'r pethau hynny. Yr oeddwn wedi eu gweld. A'r tu ôl i'r ddau beth hyn nid oedd dim gelyniaeth, ond yn hollol i'r gwrthwyneb. Yr oedd y gyllell wedi troi er mwyn dangos ei bod yno i mi fy amddiffyn fy hun. Nid oedd i gael ei defnyddio yn fy erbyn. Ac eto, prin bod hyn yn lleihau fy ofn. Oherwydd, os oedd rhywbeth yn ceisio fy helpu, nid oedd yn bosibl bod y peth hwnnw yn ddynol. Ond efallai, mewn ffordd, ei fod yn gysur gorfod wynebu'r ffaith honno. Codais y gyllell; ac wrth i'm bysedd gau am y ddolen gorn, yr oedd cledr fy llaw yn chwysu. Euthum o gwmpas llawr isaf y tŷ unwaith eto gan sicrhau bod pob drws a ffenestr yn sownd, a chan gau bollt y drysau blaen a chefn, er eu bod eisoes dan glo. Wedyn diffoddais y golau a mynd lan llofft. Yno, unwaith eto, nid euthum i'r ystafell flaen. Ar y landin, yn wynebu'r drws caeëdig, clywais fy hun yn sibrwd:

'Paid â dod allan. Plis. Paid â dod allan. Rwy'n gwybod nad wyt ti'n bwriadu dim niwed. Ond dw' i ddim am dy weld di.'

Ni ddaeth dim ateb. Wedyn ddiffoddais y golau a mynd i'm hystafell wely. Gosodais y gyllell ar y ford wrth ymyl y cloc larwm. Ond yr oedd ei gweld hi yno yn codi arswyd arna i. Cymerais hi a'i rhoi o dan y glustog. Ac wrth wneud hynny, meddyliais: i ba ddiben y mae peth fel hyn? A oedd y peth y tu allan i'r tŷ yn gorfforol? Os nad oedd, beth oedd gwerth y gyllell a'r cloeau a'r bolltau? Ac eto yr oedd y ferch wedi rhoi'r gyllell i mi. Ond doedd ei blodyn hi ddim wedi amddiffyn Sindi druan.

Gadewais fy lamp ymlaen ac ymestynnais eto ar y gwely. Nid oeddwn yn meddwl cysgu. Aeth yr oriau ymlaen yn araf. Y mae tŷ gwag yn y nos yn llawn synau, ac o dro i dro codais ar fy eistedd gan glustfeinio. Ond rhaid fy mod wedi cysgu o'r diwedd, a chysgu'n drwm. Oherwydd, pan ddeffrois, yr oedd fel petawn i'n codi o ddyfnder mawr. Yn sydyn, roeddwn i'n gwbl effro. Agorais fy llygaid, ac edrychais yn syth i lygaid y ferch.

Yr oedd hi'n eistedd ar erchwyn y gwely, ar yr ochr lle'r oedd Angharad yn arfer cysgu. Yr oedd wedi ei hanner-troi tuag ataf. Gwyddwn ar unwaith pwy ydoedd, er nad oeddwn wedi ei gweld ond unwaith o'r blaen, a hynny o bell ac yng ngolau'r lleuad. Yr oedd ei llygaid yn las golau, yn ddwfn, ac yn llawn dioddefaint. Yr oedd yr wyneb yn hardd ond yn welw, fel petai wedi ei wneud o tseina bregus, a'i gwallt hir golau yn disgyn yn doreithiog ar ei hysgwyddau. Yr oedd hi'n hŷn nag yr oeddwn wedi tybio: tua deg ar hugain, mae'n bosibl. Un peth yn unig a oedd yn amharu ar ei phrydferthwch, a hynny oedd craith hir wen ar draws ei gwddf. Yr oedd gwisg las amdani, a'r un addurn aur ar ei bron a welais pan oedd hi'n sefyll wrth y bont. Yr oedd hi mor agos ataf fel y gallwn fod wedi cyffwrdd â hi â'm llaw. Hynny yw, petawn i wedi gallu symud. Ond yr oedd fy mreichiau fel petaent wedi eu clymu wrth fy nghorff, a'm corff wrth y gwely. Ac eto, ni theimlais ddim ofn. Yr oedd hi'n perthyn i'r tŷ, ac yn eistedd yno fel petai hi wedi dod gartre. Yn sicr, nid oedd hi ddim yn rhith: yr oedd hi yno yn y cnawd. Ac eto, er ei bod mor agos, yr oedd hi rywsut yn bell. Yr oedd fel petai hi'n ymdrechu i ddod yn nes, yn ymbil arnaf i godi fy llaw a chymryd ei llaw hi.

Yr oedd hi'n gwenu, a'r wên yn drist ond yn dyner. Ni allwn ond ymateb i'r wên honno. Yr oedd hi mor unig, ac arni'r fath angen am gwmni dynol. Ni wn i pa mor hir y buom yn edrych i lygaid ein gilydd. Y tu mewn i mi yr oeddwn eisoes yn dweud 'Dere – dere – dere!' Ond nid oedd gennyf ddim llais i siarad: yr oedd fy ngheg yn sych ac ni allwn symud fy nhafod. Er hynny, rhaid ei bod wedi fy neall i. Hyd yn hyn nid oedd wedi symud o gwbl; ond yn awr, yn araf iawn, pwysodd ymlaen a daeth ei hwyneb tuag ataf.

A dyna pryd y clywodd hi rywbeth. Rhywbeth o'r tu allan. Mi glywais innau hefyd. Yr oedd fel chwibanu, yn dod o bell, bell. Trodd ei hwyneb tua'r ffenestr, a gwelais ei llygaid yn marw. Nid oes dim ffordd arall o ddweud y peth. Pan droes hi yn ôl ataf, lle bu gynt dynerwch a chroeso, nid oedd bellach ddim ond tragwyddoldeb y bedd. Yr oedd y wên yno o hyd, ond yr oedd fel masg yn cuddio gwacter. Gweld difetha'r wyneb hyfryd hwnnw, a rhoi yn ei le rywbeth nad oedd yn perthyn i fyd dynion, oedd y peth creulonaf a brofais erioed, a bydd ei atgof yn aros gyda mi hyd ddydd fy marw. Yr oedd fel petai hi'n gwneud ymdrech aruthrol, ac am eiliad mi ddaeth bywyd yn ôl i'w llygaid. Ond rhyngom yn awr yr oedd bwlch arswydus na allai neb fynd trwyddo. Mi gododd ei braich yn araf a cheisio estyn tuag ataf, ac yr oedd fel petai hi'n galw arnaf o fyd arall. Clywais ei llais. A hyd yn oed heb symud, ac er fy ngwaethaf, ciliais yn ôl.

A doedd hi ddim yno. Nid diflannu wnaeth hi. Mae 'diflannu' yn awgrymu bod rhywbeth yn digwydd, ac ni ddigwyddodd dim. Yr oedd y lle y bu hi yn wag. Yr oedd yr wyneb hardd, yr wyneb trist, y llygaid a oedd wedi ymdrechu mor galed i fyw, yn fy nghof o hyd, ac yr wyf yn ei gweld hi wrth ysgrifennu'r geiriau hyn. Ni fyddaf byth yn ei hanghofio. Ond nid oedd hi ddim yno. Yr oeddwn ar fy mhen fy hun mewn tŷ gwag.

Gwag?

Clywais sŵn i lawr yn y tŷ. Sŵn y drws cefn yn agor. Ond gwyddwn ei fod dan glo a'r follt wedi ei chau. Daeth arnaf deimlad aruthrol o berygl. Nid i mi fy hun, ond iddi hi. I'r ferch a fu'n eistedd wrth fy ymyl ac yn ymbil arnaf â'i llygaid o bellter mawr, o fyd arall. Cydiais yn y gyllell a oedd o dan y glustog: neidiais o'r gwely: rhuthrais i'r landin ac i lawr y grisiau, heb aros i droi'r golau ymlaen. Yr oedd y drws i'r gegin ar agor, a digon o olau lleuad i mi weld dau gysgod wrth y ford. Yr oeddwn yn adnabod un ohonynt ar unwaith. Gŵr tal a thenau mewn gwisg ddu a safai â'i gefn tuag ataf ac a welswn gynt fel cysgod tywyll ym mhen eithaf yr ardd ac wrth y bont. A'r llall – do, gwelais mai'r ferch oedd. Ond doedd hi ddim yn real, fel y bu hi yn yr ystafell wely· doedd hi ddim llawer mwy na rhith niwlog. Mi droes ei phen i edrych arnaf, ac yr oedd fel pe na bai ddim yn fy nabod i. Yr oedd hi'n edrych yr un mor amddifad, yr un mor unig a digymorth, â phan welais hi gyntaf wrth y bont. Cododd y gŵr tywyll ei fraich a gosod llaw hir, wen ac esgyrnog ar ei hysgwydd eiddil. Gwyddwn mai'r llaw honno a laddodd Sindi. Ac mi dywysodd hi tua'r drws cefn a safai ar agor. Ond cyn iddynt gyrraedd y drws, yr oedd y gegin yn wag.

Mi ruthrais i'r ardd gefn, a oedd yn llawn golau'r lleuad. Am eiliad gwelais nhw, ochr yn ochr, yng nghanol yr ardd. Bron yr un eiliad gwelais nhw yng ngwaelod eithaf yr ardd, ochr yn ochr o hyd, yn ddau gysgod du. Ac wedyn nid oedd dim. Dim ond yr ardd wag a'r oerni a'r disgleirdeb ac, yn y pellter, y môr ariannaidd a golau Craig Erfyl yn wincian ei rybudd i'r llongau.

Sefais yno, gan rynnu. A chlywais sŵn. Sŵn isel i ddechrau, fel wylofain. Ac yn codi'n sydyn i sgrech uchel yn hollti'r nos, yn llawn arswyd a dolur. A'r un mor sydyn, darfu. Yr oedd y gri mor uchel nes i mi ddisgwyl clywed ffenestri'n agor a thrigolion y tai gwasgaredig yn rhoi eu pennau allan ac yn rhuthro i'r stryd. Ond ni symudodd neb. Pan holais y bore wedyn, nid oedd neb wedi clywed dim. A bellach nid oedd ond distawrwydd.

Mi drois i'n ôl. Codais gorff truenus Sindi o sil y ffenestr ac mi es i ag ef i gynhesrwydd y tŷ gwag, a chau'r drws ar oerfel dirdynnol y nos a golau trist y lleuad.

Wedi'r Ocsiwn

John E. Williams

Yn fuan ar ôl y Rhyfel, yr oeddwn i'n gweithio i gwmni o arwerthwyr â'i diriogaeth yn cynnwys Llŷn a'r cyfan o Sir Fôn. Byddwn yn gwneud rhestrau stoc, gweithio biliau, ysgrifennu cyfriflenni ar gyfer gwerthwyr a bod yn barod i dderbyn arian ar unrhyw adeg. Tuag at ddiwedd y flwyddyn, byddwn yn mynychu'r sêls gwasgaru eiddo.

Un Noswyl Nadolig, roeddwn wedi mynd i ocsiwn o'r fath ym Môn. Roedd Dic Moelfra, porthmon a chariwr, wedi fy nghodi oddi ar y bws ym Mhorthaethwy yn ei hen racsen o fan, ac yna mynd â mi i blasty bach yn y wlad, mewn lle yr wyf yn gyndyn o'i enwi, petai ond rhag achosi problemau i'r trigolion presennol.

Yr oedd llawer o waith i'w wneud. Yr oedd yr ocsiwnïar eisoes wedi cyrraedd, ac yr oedd mor awyddus i ddechrau fel na allwn i ond cael cip sydyn ar y rhestr. Fodd bynnag, tra roeddwn yn turio ym mhantri'r bwtler, dyma fi'n canfod rhywbeth rhyfedd iawn. Wedi ei guddio mewn cwpwrdd bach yr oedd llond blwch cyfan o boteli chwisgi, a'r rheini heb eu hagor.

Yr oedd y tywydd yn oer iawn a hithau wedi nosi'n gynnar. Y siandelîrs oedd yr eitemau olaf i'w gwerthu, er mwyn i ni gael rhywfaint o olau i weld y rhai oedd yn bidio. Lleddfid y diflastod wrth i mi feddwl am y chwisgi. Ac wedi i'r gwerthu orffen, fel oedd yn arfer ganddo gadawodd yr ocsiwnïar fi ar fy mhen fy hun i ddelio â'r cwsmeriaid.

Am naw o'r gloch yr oeddwn i'n dal i gymryd arian a gwneud y biliau yn y parlwr bach, a oedd erbyn hynny bron yn hollol wag. Doedd dim golwg o neb yng ngofal y lle, ond yr oeddwn yn ddiolchgar bod rhywun wedi meddwl cynnau tân, ac yn aml byddwn yn ei fwydo â bonion o bren. Yr oedd Dic, yn ddigon doeth, wedi gadael am y tŷ tafarn agosaf ar ôl addo dychwelyd i fynd â mi yn ôl i'r Borth.

Wedi i'r cwsmer olaf adael o'r diwedd, caeais y bag yn glec ar ddeng mil o bunnau ac i bantri'r bwtler â mi. Yr oedd y chwisgi yno o hyd heb ei gyffwrdd a phenderfynais innau y byddai'n syniad da mynd i'r afael â photel er mwyn adfer fy ysbrydoedd a'm hyder. Cefais hyd i wydr ger y sinc, ei hanner lenwi, ac yna mynd yn ôl i'r parlwr bach.

Yr oedd hi'n ddistaw iawn tu mewn i'r tŷ. Dechreuais feddwl am ei hanes a'r dramâu personol yr oedd wedi bod yn dyst iddynt, ac ar yr awr honno roeddwn yn hanner disgwyl i Siôn Corn ei hun ddod i lawr y simdde. Nid ystyriais y posibilrwydd o unrhyw greadur arall wrth law – dim ond y fi a'r hen dŷ – ond ar yr un pryd, roeddwn yn ymwybodol fod Dic yn cymryd ei amser.

I ladd rhywfaint o amser, es allan ar y teras; roedd hwnnw'n rhedeg ar hyd y tŷ, gyda balwstrad uchel. Yn ei ganol yr oedd rhes o risiau cerrig llydain yn arwain at yr ardd suddedig a'r gorwel tu draw. O boptu'r grisiau, yr oedd dau eryr enfawr o garreg.

Noson dawel o farrug oedd hi, a lloer dri chwarter llawn yn araf godi uwchben y deri. Es ar hyd y teras, ac yna, o droi ar fy sawdl gwelais fod rhywun yn sefyll yng nghysgod un o'r eryrod. Yr oedd rhaid i mi wenu. Yr oedd yn rhyw ffenomen ryfedd, ond eithaf gwir, mewn ocsiwn yng nghefn gwlad, y byddai ambell ferch o'r ardal yn ymdroi tan y diwedd un er mwyn cael sylw'r clercod. Wn i ddim beth oedd yn eu denu nhw atom – yr oeddem yn gweithio chwe diwrnod yr wythnos am bum swllt ar hugain a'n pres bws. Efallai am ein bod yn delio â symiau enfawr o arian pobl eraill yn ddyddiol, a hynny'n rhoi arnom ryw arlliw o gyfoeth a disgwyliad.

Fodd bynnag, pan ddois yn nes at y ferch yma, nid lodes fach y wlad mohoni, o leiaf nid o'r cyfnod hwnnw. Gwisgai ŵn hwyrol glas, ac yr oedd ganddi wallt hirfelyn a hwnnw'n rhyw dywynnu, ac yn disgyn fel llen syth gan orchuddio hanner ei hwyneb yn gyfan gwbl. Ni ddywedodd wrthyf ei henw na chynnig ei llaw, ond yr oedd yn un hawdd siarad â hi. Mae'n anodd dweud am faint y buom ni'n siarad, ond ni symudodd hi o gwbl o gysgod yr eryr.

Yr oedd yr oerni'n gafael. Gwahoddais hi i mewn at fy mymryn tân. Atebodd braidd yn od. Mi gofiaf bob amser. 'Allan yma rydw i'n perthyn.' Yna cofiais fod gen i'r union beth i'w chynhesu.

'Liciet ti swig o chwisgi?' gofynnais.

'Wrth fy modd,' meddai hithau.

Es yn ôl i'r tŷ a nôl diod go gref iddi, ond erbyn imi ddychwelyd i'r teras, doedd dim golwg ohoni yn unman. Cerddais ar ei hyd unwaith eto, gan hanner disgwyl ei gweld yn troedio'n ysgafn i fyny'r grisiau o'r ardd suddedig. Ond yn lle hynny fi aeth i lawr. Yr oedd rhyw darth oer yn dod i mewn o'r gorwel. 'Wyt ti yna?' gelwais. Hwtiodd tylluan o'r deri.

Es i mewn i'r parlwr bach, wedi drysu braidd. Yfais ei chwisgi hi, a mwy. Pan gyrhaeddodd Dic o'r diwedd roedd hi'n mynd yn hwyr, a'r ddau ohonom mewn tipyn o hwyl erbyn hynny. Ond nid oedd gan blismyn cefn gwlad Cymru swigod lysh yr adeg honno.

Ar y ffordd yn ôl gofynnodd Dic ei gwestiynau arferol. 'Wedi gorffan ers meitin?' Ac yna, gan ei fod yn gwybod sut yr oedd pethau, 'Gest ti gwmpeini?'

'Do', meddwn innau, 'ond mi ddiflannodd.'

'Hen dro. Sut un oedd hi?'

Disgrifiais y ferch benfelen yn fanwl. Wedi imi orffen, aeth Dic yn ddistaw iawn. Wrth inni gyrraedd y Borth, dyma weld fy mod i wedi colli fy mws. Mynnodd Dic, gŵr bonheddig fel arfer, ei fod yn fy nghludo i'r tir mawr. Distaw iawn ydoedd. Yr oedd hyn yn beth anarferol iddo, dyn heb arno ofn dim yn y byd, – wedi bod ymysg y cyntaf i ddod â chyrff criw'r llong danfor *Thetis* i'r lan pan ddaeth honno i'w diwedd trasig ym Mae Lerpwl ym 1939.

Pan oedd fy llaw ar glicied y drws, yn barod i fynd i lawr, yr oedd rhaid imi ofyn: 'Does gen ti ddim syniad pwy oedd yr hogan 'ta?'

Yr oedd Dic yn chwythu mwg baco yn syth tuag at y ffenestr flaen ac yn syllu drwy'r troellau. 'Dwyt ti mo'r cynta' i'w gweld hi, wsti,' meddai.

'Pwy?'

'Jane Llwyd.'

'Lle ma' hi'n byw felly?'

Trodd ei wyneb tuag ataf. 'Dydi hi ddim yn byw yn nunlla rŵan, was.'

'Wyt ti'n golygu ... ?'

'Ma' hi wedi bod marw ers o leia' ddeng mlynadd.' Yna meddai ymhen munud: 'Diwrnod ar ôl 'Dolig oedd hi. Roedd 'na ryw barti mawr. Ar ôl cinio, mi aethon nhw allan i saethu. Roedd pawb yn deud bod ganddi hi lygad da, ond y diwrnod hwnnw ma' rhaid ei bod hi'n dal y gwn yn groes. Mi faglodd a chwythu hannar ei gwynab i ffwrdd.'

'Hannar ... ei ... gwynab ... ?'

'Damwain, meddan nhw,' aeth Dic yn ei flaen, 'ond roedd pawb yn gwbod y gwir. Roedd hi'n feddw gaib. Roedd hi'n arfar mynd â fflasg o chwisgi efo hi. Roedd hi'n sgut amdano fo. Uffar o beth i hogan ddeunaw oed.'

Wyddwn i ddim beth i'w ddweud, ond fe siaradodd Dic drosof.

'Roeddwn i'n meddwl basa'n well iti gael gwbod. Dim ond holi a stilio basat ti, p'run bynnag.'

Yr Euog a Ffy ...

Geraint V. Jones

'Mi awn ni dros y trefniade un waith eto.' Gwthiodd gŵr bach pwysig
y Swyddfa Gymreig ei sbectol yn uwch ar ei drwyn a sythu'r het ddu
ar ei ben moel. Nodiodd y Prif Arolygydd ei ben yn ddwys – byddai
cyfrifoldeb aruthrol ar yr heddlu ac arno ef yn arbennig – ond ochenaid
fach o syrffed a ddaeth o gyfeiriad swyddogion y rheilffordd. Cododd
y dyn bach olygon llym arnynt. 'Mae'n bwysig bod y trefniade'n
berffeth. Rhaid cofio'i bod hi'n anrhydedd o'r mwya fod y Tywysog
yn teithio ar y trên o gwbwl!'

'Ydi, ydi, wrth gwrs,' cytunodd un ohonynt yn frysiog euog. 'Y ...
y ... pa well ffordd o ddathlu canmlwyddiant y lein? 'Dan ni'n lwcus
iawn.'

'Yn hollol! Ac yn awr, y trefniade unwaith eto ...' Trodd y dyn bach
ei sylw'n ôl i'w bapur, yn fodlon ei fod wedi pwysleisio'i awdurdod.
'Bydd y Tywysog yn cyrraedd Llan-faes yn brydlon am hanner awr
wedi dou. Bydd e wedi bod yn agor yr ysbyty newydd ym Mryn-
lliw yn ystod y bore a chael cino yno gyda'r Maer a'r Ysgrifennydd
Gwladol ac eraill ... cyrraedd Llan-faes Junction felly am hanner awr
wedi dou, ef a'r Ysgrifennydd Gwladol ... croeso swyddogol yn fan'ny
... dala'r trên am gwarter i dri ... tri chwarter awr o daith yma i Flaen
Dyffryn. Dim stop o gwbwl ar y ffordd, wrth gwrs, dim ond arafu
ym mhob gorsaf ar y ffordd i bobol gael cyfle i'w weld e. Fe fydd yn
rhaid i'ch dynon chi fod ar flaene'u tra'd!' Syllodd i fyw llygad y Prif
Arolygydd ond nid oedd hwnnw'n un i gael ei gynhyrfu ar chwarae
bach.

'Mi fyddan nhw, syr. Gellwch fod yn sicr o hynny. Yn ogystal â'r
dynon *special branch* fydd yn trafaelio ar y trên, bydd gyda ni dros gant
a hanner o blismyn fan hyn a fan draw ar hyd y ffordd ... a hanner cant
arall yma ym Mlaen Dyffryn. Mae'n trefniade ni'n drylwyr.'

'Gobeitho wir ... Wel nawr, yma ym Mlaen Dyffryn y bydd y

dathlu mwyaf, wrth gwrs. Pan ddaw'r trên allan o'r twnnel ac i olwg y stesion fe fydd y band yn dechre whare ...'

'Ia, ac mi fydd ein dynion ni i gyd wedi'u gwisgo yn iwnifform y ganrif ddwytha, i ddathlu'r canmlwyddiant.'

Ond byr y parhaodd balchder swyddog y rheilffordd.

'Hm! Does gen i fawr o ddiddordeb mewn pethe felly. Diogelwch y Tywysog sy'n bwysig i mi. Pwy fydd yn dreifo'r trên?'

'Dwn i ddim be 'di 'i enw fo ond mi fydd yn un o'n dynion mwya profiadol, mi ellwch fod yn siŵr. Fo a'r taniwr.'

'Taniwr?'

'Wel, ia. Trên stêm fydd o, wrth gwrs, fel y cynta hwnnw gan mlynadd yn ôl, ac felly mi fydd yn rhaid cael taniwr.'

Trodd y dyn bach i syllu i fyny'r platfform. Pwyntiodd at adeilad hanner canllath i ffwrdd a safai'n ymyl y cledrau.

'A phwy fydd yn y signalbocs lan fan'na?'

'Un arall profiadol. Yma ers blynyddoedd lawar. Dyn o'r enw Bowman – Gordon Bowman. Mi fydd o'n ymddeol o fewn y flwyddyn. Gyda llaw, mae o wedi gofyn geith ei wraig o fod yn y signalbocs efo fo, i gael gweld y Prins yn dŵad oddi ar y trên ac yn ... yn cwarfod y VIPs ar y platfform.'

'Hm ... iawn! Dim gwrthwynebiad i hynny.' Trodd y dyn bach yn sydyn at y rhingyll. 'Ond bydd raid i un o'ch dynon chi fod yno hefyd. Bydd y signalbocs yn lle da i gadw golwg ar bob dim fydd yn digwydd ar y platfform.' A thra gwnâi'r Prif Arolygydd nodyn o'r gorchymyn yn ei lyfr bach du aeth pwysigddyn y Swyddfa Gymreig dros weddill y manylion.

* * *

Lledorweddai Gordon Bowman yn ei gadair, papur newydd ar ei lin a'r croesair ynddo wedi'i gwblhau. Nid oedd dim i darfu ar ei fyfyrdodau ond sŵn cyfarwydd wagenni'n cloncian yn ei gilydd yn y Cei Llechi, ddau ganllath i ffwrdd. Teimlai'n fodlon glyd, wedi'i ynysu oddi wrth weddill y byd gan y niwl llaith tu allan, hwnnw'n llen lwyd rhyngddo a'r orsaf, yn cuddio ceg y Twnnel Mawr hanner milltir i ffwrdd, yn cuddio'r tomennydd tywyll oedd fel rheol yn gwgu ar y dref. Fwy nag unwaith cododd ei olygon a chlustfeinio cyn suddo'n ôl i'r llonyddwch boddhaus. Yna, o'r diwedd, gwthiodd ei law i boced ei wasgod a physgota am ei wats arian. Hanner awr wedi tri. Deuai sŵn digamsyniol y trên yn eglur drwy'r niwl y tro hwn wrth iddo ruthro'n rhydd o'r twnnel yn y pellter.

Cododd Bowman yn hamddenol at y ffenest, yn barod i godi llaw ar Gwilym Owen y gyrrwr a Glyn Bach y taniwr ifanc a fyddai gydag ef. Un difyr oedd Gwilym. Fe ddeuai draw am baned, yn ôl ei arfer, cyn mynd â'r trên pedwar yn ôl am Lan-faes.

Yn nes ac yn nes y deuai'r pwffian cyson a sŵn yr olwynion yn chwibanu'n y cledrau oer tu allan. Tragwyddoldeb o aros. *Ble'r wyt ti, Gwilym? Rwyt ti'n hir iawn! Mae'n amsar i'r 'three thirty' ymddangos o'r niwl. Mi welist y signal ...*

Yna, fel drychiolaeth anferth, ymrithiodd y trên o'r llwydni llaith. Ond nid ar ei ffordd i'r orsaf! Llamodd calon Bowman mewn arswyd pur wrth wylio'r *three thirty* yn llithro drwy'r niwl tua'r Cei Llechi. Ar y ffwtplêt safai Gwilym Owen a Glyn Bach Taniwr, y ddau'n rhythu'n gyhuddgar tuag ato, eu llygaid yn ddeifiol oer. Fferrwyd yr eiliad ac aeth amser yn ddim. Gwich hir fyddarol y brêc fel sgrech o brotest o'r niwl ac yna'r gwrthdrawiad mawr.

★ ★ ★

Pan agorodd ei lygaid roedd yn eistedd yn ei wely a'r *Naaa!* anobeithiol hir yn marw ar ei wefusau crynedig. Diferai'r chwys oddi ar ei wyneb gwelw ac yn nhywyllwch ei lofft fe'i llethwyd gan unigrwydd mawr.

'Nid yr un hen hunlla eto, Gordon?' Llais cysglyd Nel, ei wraig.

'Ia,' meddai'n floesg.

'Mi a' i i neud panad iti, felly. Chysgi di ddim llawar eto heno, mae'n debyg.'

Rhwbiodd ei lygaid yng ngolau tanbaid y trydan a suddodd yn ôl ar ei gefn yn y gwely, ei feddwl yn ail-fyw'r hunllef cyfarwydd a'i galon yn curo'n euog.

'Rhaid iti drio anghofio'r ddamwain 'na Gordon.' Nel o'r gegin. 'Doedd dim bai arnat ti ... dim bai o gwbwl. Petai'r dreifar wedi ufuddhau i'r signal ...'

Ia, ufuddhau i'r signal! Pymtheg wedi'u lladd a Gwilym Owen a Glyn Bach yn eu mysg. Y *three thirty* yn llanast poeth o ddur ar waelod llechwedd y Cei Llechi.

'Dim bai o gwbwl. Dyna ddwedwyd yn y cwest. Bai'r dreifar! Fo anwybyddodd y signal wrth geg y twnnal.'

'Y niwl ...'

'Nage! Nid y niwl chwaith, Gordon. Mi wyddost yn iawn be ddwedwyd. Y dreifar a'r taniwr bach ifanc hwnnw wedi meddwi.'

'Nid wedi meddwi, Nel ...'

'Wedi bod yn yfad, Gordon! Wedi eu gweld yn y *North Western Hotel* yn Llan-faes cyn cychwyn.'

'Peint, Nel! Peint gawson nhw, yn ôl y rhai oedd yno.'

'Peint neu beidio Gordon, roedden nhw wedi bod yn yfad. Dyna oedd yn gyfrifol am y ddamwain ... a dyna basiwyd yn y cwest, mai ar y dreifar. Be oedd 'i enw fo?'

'Gwilym Owen.'

'Ia ... mai arno fo, Gwilym Owen, roedd y bai. Ac mae'n hen bryd i ti, ar ôl deng mlynadd ar hugain, roi'r gorau i deimlo'n euog a stopio cael yr hunlla ofnadwy 'ma.'

I'w glustiau daeth eto ddolefain teithwyr a hisian stêm, gweiddi gorffwyll a rhedeg gwyllt. Hunllef yn wir!

'Roeddat ti wedi gneud dy waith. Roedd y signal i lawr ac fe ddylai Gwilym Owen fod wedi stopio'r trên ... ond wnaeth o ddim. Arno fo a neb arall roedd y bai Gordon. Deng mlynadd ar hugain! Ac mae'n bryd iti anghofio. Rŵan cymer y banad 'ma!'

★ ★ ★

'Piti garw! Ar ôl yr holl drefnu.' Wrth syllu allan i'r llwydni gwlyb, methai Nel gadw'r diflastod o'i llais a'i hwyneb.

Cytunodd y plismon yntau. 'Ia wir. Mi geith llawar iawn eu siomi heddiw. Welan nhw mo'r Tywysog yn y niwl 'ma ... a dwn i ddim be dwi'n neud yma efo chi'ch dau yn y signalbocs. Cadw llygad ar y platfform i fod, ond y jôc ydi na alla' i ddim gweld y stesion hyd yn oed, heb sôn am y platfform.'

'Pnawn fel hyn oedd hi bryd hynny hefyd.' Roedd llais Bowman yn freuddwydiol a phell a'i wyneb yn ddifynegiant. Eisteddai yn ei gadair a'r lifrai hen ffasiwn oedd amdano yn rhoi'r argraff ei fod yn perthyn i fyd ac i oes arall. 'A disgwyl y *three thirty* ydw i heddiw eto.'

Craffodd y plismon yn chwilfrydig ond golwg bryderus ddaeth i lygaid Nel. Roedd hi'n deall. Closiodd at ei gŵr ac roedd ei cherydd yn llawn cydymdeimlad. 'Hisht, Gordon! Bydd ddistaw! Paid â dechra sôn am y ddamwain 'na eto, neu mi fyddi di'n cael hunlla heno 'ma hefyd.'

'Mae hi ar ei ffordd iti, Nel.' Gellid meddwl nad oedd wedi ei chlywed. 'Dydi hi ddim ymhell o'r Twnnal Mawr. Injan stêm ... a Gwilym Owen ar y ffwtplêt ... Glyn Bach yn tanio ...'

'Dyro'r gora i dy lol, Gordon! Mae Gwilym Owen yn 'i fedd, a Glyn Bach.' Trodd at y plismon i egluro. 'Mi fu damwain fawr yma ddeng mlynadd ar hugain yn ôl – pymthag wedi'u lladd. Ar y dreifar oedd y bai ... wedi meddwi a mynd drwy'r signal. Mi aeth y trên ffor'cw dros y Cei Llechi yn lle ffor'ma i'r stesion.' Pwyntiodd. Roedd y niwl wedi codi fymryn erbyn hyn. 'Roedd Gordon wedi rhoi'r signal i lawr i'r trên stopio, 'dach chi'n dallt.'

Gwnaeth y plismon sŵn clecian dwys â'i dafod.

'A byth ers hynny mae Gordon yn cael ei boeni yn y nos. Hunlla o'r ddamwain. Deffro'n chwys doman ac yn crynu drosto ... neu'n sgrechian dros y tŷ.'

Ar arwydd cyfrinachol ganddi ciliodd y plismon a hithau mor bell ag y gallent oddi wrth ei gŵr. 'Dwi'n poeni'n 'i gylch o wchi. Dydi o mo'no fo'i hun ers tro. Mae o fel petai o'n ei feio'i hun am y ddamwain.' Doedd dim rhaid iddi sibrwd, oherwydd roedd Gordon ei gŵr ar goll yn ei fyd bach ei hun.

'Digon naturiol hwyrach.' Ceisiodd y plismon ei chysuro. 'Poeni rhywfaint am heddiw hefyd falla,' cynigiodd.

'Mi fydd o'n riteirio mewn chydig fisoedd, 'dach chi'n gweld, ond mae gen i ofn iddo fo fynd yn rhyfadd yn ei ben cyn hynny.'

'Gwilym Owen ydi dreifar gora'r lein!' Gellid meddwl ei fod o'n gneud ati i gadarnhau ofnau'i wraig. 'Mi fydd y Prins yn saff efo Gwilym yn dreifio.' Gwthiodd ei law i boced ei wasgod, smalio tynnu wats allan a syllu i lawr ar gledr gwag. 'Dau funud arall ac mi glywn ni'r *three thirty*'n dŵad allan o'r Twnnal Mawr. Y Prins yn cyrraedd Blaen Dyffryn. Dwrnod pwysig iawn i'r lein. Mi fydd o'n saff efo Gwilym Owen.'

'Gordon!' Cymerodd Nel gam tuag ato.

'Dyma hi!' Torrodd chwys ar ei dalcen wrth i sŵn y *three thirty* hanesyddol dorri ar eu clyw. Gellid clywed ei thrymder yn canu yn y cledrau a'i phwffian cyson yn awgrymu na fyddai'n hir cyn ymddangos o'r niwl.

'Mae o wedi gweld y signal, gobeithio! ... Mi ddylai fod wedi stopio!'

'Gordon!'

'Stopio?' Camodd y plismon ymlaen yn frysiog. 'Dydi'r trên ddim i fod i stopio, Mr Bowman. Dydi'r trên ddim i fod i stopio nes bydd y Tywysog yn saff ar y platfform.'

'Os na stopith o mi fydd dros y Cei Llechi, ac mi geith pawb eu lladd.'

Erbyn hyn roedd y plismon wedi cyffroi o ddifrif a doedd siarad breuddwydiol Bowman yn gwneud dim i dawelu'i ofnau. O'r niwl deuai pwffian y *three thirty* yn nes ac yn fygythiol nes.

'Mr. Bowman, mae'n rhaid imi fod yn berffaith siŵr. Y signal! Ydi o i fyny? Ydi'r points yn iawn? Atebwch, ddyn!' Roedd set radio fechan yn ei law, yn barod i rybuddio'r inspector o'r perygl.

Crynai llaw Nel a gwlychai'r dagrau ei hwyneb wrth iddi gydio ym mraich y plismon i'w atal. Doedd ei gŵr ddim yn ymwybodol o'r un ohonynt.

'Stopia, Gwilym! Mae'r signal yn deud wrthat ti am stopio! Mi eith y *three thirty* dros y Cei Llechi ac mi geith pawb eu lladd ... mi geith y Prins ei ladd!'

Yn awr, roedd chwys yn torri ar dalcen yr heddwas hefyd yn ei ansicrwydd a'i gyfyng-gyngor. Ceisiodd fwmblan rhybudd i'w inspector ar y radio ond ar wahân i hynny roedd yntau, fel Nel, wedi'i barlysu, yn garcharor i ddrama nad oedd iddo ran ynddi. Deuai llais gorffwyll yr inspector yn glecian pell o'r radio ond boddid ef gan sŵn byddarol y trên yn dynesu. A pherthyn i fyd arall pell roedd y seindorf hefyd a geisiai estyn ei chroeso i'r Tywysog. Roedd y *three thirty* ar fin ymddangos o'r niwl.

'Stopia, Gwilym! Dwi 'di rhoi'r signal i lawr ... heddiw. Wnes i ddim o'r blaen, 'rhen gyfaill. Arna i'r oedd y bai bryd hynny, dwi'n gwbod ...'

Gwrandawai Nel yn gegrwth. Roedd yn amlwg iddi hi ac i'r plismon bellach fod Gordon Bowman wedi mynd o'i bwyll ond serch hynny, fedren nhw ddim anwybyddu arwyddocâd ei eiriau na'r taerineb oedd yn ei lygaid gwallgof.

'Nid arna i mae'r bai heddiw. Mae'r signal i lawr.'

Ysgydwodd Nel ei phen i sicrhau'r plismon fod y trên yn berffaith ddiogel.

'Mi anghofiais i newid y points tro dwytha, Gwilym, a dwi'n cyfadda mai wedyn, ar ôl y ddamwain, y rhois i'r signal i lawr ... i achub 'y nghroen ... fel bod pawb yn meddwl mai ti ... Ond heddiw, Gwilym, does 'na ddim bai arna i.'

Daeth y plismon ato'i hun a dechrau sgriblo'n frysiog yn ei lyfr bach du. Ar yr eiliad honno ymrithiodd y trên yn gymylau gwyn o'r niwl, yn ddiogel ar ei thaith i'r orsaf, hanner canllath i ffwrdd. Gollyngodd y cwnstabl ochenaid ddofn o ryddhad o gael cip ar y Tywysog yn dod yn ddiogel i ben ei daith. Ond, ar ôl yr holl edrych ymlaen, welodd Nel mohono. Roedd ei llygaid hi wedi'u hoelio'n drist ar wyneb euog ei gŵr.

Ni welodd Bowman mo'r Tywysog chwaith, na chlywed bonllefau'r dorf o gyfeiriad yr orsaf. Roedd ei lygaid ef ar yr injan. Yno, ar y ffwtplêt, safai Gwilym Owen a Glyn Bach Taniwr yn syllu i fyny ar y signalbocs, a'r ddau yn gwenu'n fodlon.

Dal yn Ffrindia'

Gweneth Lilly

1. Piers

Dydd Llun, 7 Tachwedd

Rydw'i wedi penderfynu gadael yr ysbyty.

Rydw'i'n hoffi'r gwaith. Rydw'i'n dod ymlaen yn iawn efo'r staff; mae pawb yn cydweithio'n dda. Roeddwn i'n teimlo fy mod i'n cyflawni rhywbeth o werth yma; rydw'i'n dal i deimlo hynny. Welodd neb erioed fai arna'i'n broffesiynol. Ac mae'r ardal yn annwyl imi. Mi fydd hyn yn ergyd i'm rhieni, ond does dim help.

Y drwg ydi bod Mairwen yma o hyd. Dydi pobl ddim yn anghofio. Alla'i ddim credu fy mod i wedi gwneud cam â hi, ond eto i gyd ... I feddwl bod Brenda – hi, o bawb! – wedi edliw nad oeddwn i ddim yn dallt Mairwen! Wel, mi faswn i'n meddwl bod hynny'n amlwg i bawb bellach, hyd yn oed i mi.

Dwi am wneud cais am y swydd yn Zimbabwe; ailgychwyn o'r dechrau. Ddaw hi ddim ar fy ôl i i fan'no.

2. Mairwen

Dydd Gwener, 7 Tachwedd

Roedd hi'n tynnu at ddiwedd pnawn, ac roedd yr olaf o'r cleifion wedi'i throi hi, ynghyd â'i merch ffwdanus. Cedwais y cofnod yn daclus yn y ffeil; hen greadures, roedd hi wedi gwella'n rhyfeddol, ac efo cymorth yn ei chartref gallai fyw yn annibynnol am beth amser eto.

Roeddwn i'n bur flinedig ar ôl diwrnod o ymgynghori; wedi hen alaru ar sŵn fy llais call, cysurlon, calonogol fy hun. Roedd hi'n bryd i minnau fynd adre, ond yn gyntaf roedd yn rhaid imi weld Piers. Fe ddylai fod yn ei stafell rŵan.

Caeais y drws a'i gloi, a cherdded yn gyflym at y lifft i'r ward. Er fod yr ysbyty'n agored i ymwelwyr yr adeg yma o'r dydd, roedd hi'n bur dawel, a doedd fawr o neb o gwmpas pan gyrhaeddais i'r cyntedd i'r ward, lle'r oedd stafell Piers. Fel arfer, sefais i ddarllen yr enw, 'Dr. Piers Owen', cyn curo ar y drws. Roedd siâp y geiriau 'na'n ddigon i roi tro ar fy nghalon i o hyd.

Clywais ei ateb i'r gnoc, a mynd i mewn. Eisteddai Piers yn ei gôt wen wrth ei ddesg yn wynebu'r drws.

'Mairwen.' Yn yr eiliad cyntaf, gwyddwn ar 'i edrychiad gochelgar nad oedd dim croeso imi. Gallwn ei weld yn chwilio am amddiffyniad, ac yn ei wisgo'i hun yn frysiog â'i gwrteisi proffesiynol. ('Dr. Owen,' meddai'r cleifion, 'tydi o'n ddyn clên? Doctor clyfar ofnadwy, meddan nhw, ac eto mae o mor gartrefol!' A minnau'n cytuno a thrysori pob gair o'r gymeradwyaeth yn fy nghalon.) 'Ti sy 'na.'

Gwingodd rhan ohono'i a dyheu am gael ffoi o'r stafell fechan ac allan o'r adeilad, yn ddigon pell o'r ysbyty, ond roedd hi'n rhy ddiweddar i hynny. 'Piers, dwi'n gwybod na ddylwn i ddim dŵad i dy weld di fel hyn yn ystod oriau gwaith. Ond dyna'r unig gyfle dwi'n 'i gael.'

Dyna fi wedi'i ddweud o. Yng ngolau'r lamp ar y ddesg gwelwn gyhyrau'i wyneb yn tynhau. 'Rydw i ar ddyletswydd, Mairwen, fel y gwyddost ti, ac yn brysur iawn. Rywbryd eto ... ?'

'Rwyt ti wedi newid, Piers. Dwyt ti mo'r un un.' Ymdrechais i gadw fy llais o dan reolaeth. Roedden ni'n siarad yn ddistaw rhag ofn i neb ein clywed ni wrth fynd heibio i'r drws, sibrwd ar draws y ddesg dwt, amhersonol fel dieithriaid.

'Mairwen, plîs.' Edrychodd ar ei wats. 'Ddim rŵan.'

'Paid â hel esgus. Mae arna'i isio'r gwir gen ti.'

'Be wyt ti'n ddisgwyl imi ddweud? Oldi, Mairwen: rydan ni wedi cael hwyl efo'n gilydd. Wna'i byth anghofio hynny. Dwi'n ... dwi'n ddiolchgar iti.'

Syllais arno. Bûm yn ddistaw'n hir cyn dod o hyd i'm llais. 'Rwyt ti wedi fy nhroi i heibio.'

'Ymadrodd hen-ffasiwn braidd yn yr oes hon.'

'Ie, mae'n debyg. Fel sawl gair arall yn fy iaith i. Cariad, ffyddlondeb, diffuantrwydd.'

Roeddwn i wedi bwriadu torri i'r byw, ac mi lwyddais. Petrusodd, ac ateb mewn tôn fwy pwyllog: 'Mae pobol yn newid. Rhaid iti dderbyn hynna.'

'Dydw'i ddim yn newid.'

'Mae o'n un o reolau bywyd: os ydi organeb am oroesi, rhaid iddo'i addasu ei hun i amgylchiada'.'

Roeddwn i'n rhy gynddeiriog erbyn hyn i fesur fy ngeiriau. 'Does arna'i ddim isio darlith wyddonol, Dr. Owen, diolch yn fawr! Doeddet titha' ddim yn meddwl am newid chwaith, nes doth Brenda yma.'

'Gad Brenda allan o hyn.'

'Mae o'n wir felly. Mae pobol wedi dal sylw ers wythnosa'...'

'Pobol!' Roedd o wedi hanner-codi, ond disgynnodd yn ei gadair a rhoi'i law dros ei wyneb fel dyn wedi gorflino. 'Cenfigen, gwenwyn ...'

'Gwenwyn, ie.' Ac yn wir roeddwn i'n ei deimlo'n chwerw ar fy nhafod ac yn llifo fel tân ar hyd fy ngwythiennau a'm llosgi'n fyw. 'Mae rhai pobol yn barod iawn i gario straeon fel yna. Ond maen nhw'n wir. Dwyt ti ddim yn gwadu.'

'Mairwen,' meddai'n ymbilgar bron. 'Mae hi'n bnawn dydd Gwener, ar ddiwedd wythnos galed. Rydan ni'n dau wedi blino. Mae'n beryg inni ddeud petha' fydd yn peri inni ddifaru'n nes ymlaen.'

'Ella fy mod i'n difaru ambell beth fu rhyngom ni.' Celwydd, achos doeddwn i'n difaru dim, hyd yn oed y munud hwnnw. 'Ond does dim peryg imi ddifaru gair yr ydw'i wedi'i ddeud pnawn 'ma.'

'Rwyt ti'n mynnu dramateiddio popeth. Mae pethau fel hyn yn digwydd o hyd, ac mae oedolion gwâr yn medru'u derbyn nhw a'u trin nhw fel nad oes dim chwerwder yn aros ar ôl. Maen nhw'n dal yn ffrindia' ...'

'Dal yn ffrindia'!' Chwarddais o'r diwedd yn anghrediniol. Dyma'r dyn yr oeddwn i wedi'i addoli am yn agos i flwyddyn, y dyn 'clyfar', 'disglair'. Doedd o'n dallt dim, nac yn meddwl am ddim ond am gael ei ffordd yn dawel braf. Roeddwn i wedi peidio â bod iddo bellach, ond fel rhyw rith o'i orffennol yn aflonyddu arno, fel cysgod yn mynd dros ei gwsg. Ac o wybod hynny, gafaelodd y fath ing ynof fel na allwn i ddweud yr un gair.

Cododd Piers ei ben yn sydyn ac edrych tua'r drws. Doeddwn i ddim hyd yn oed wedi clywed y gnoc. Ymollyngodd trwyddo; dyma'i gyfle i ddianc:

'Dowch i mewn! Reit, Sister; dwi'n dŵad.'

'O'r gorau, Doctor,' meddwn. 'Dwi'n dallt yn iawn.' Trois ar fy sawdl a mynd trwy'r drws agored heb edrych yn ôl.

Anelais am fy swyddfa fel y mae anifail clwyfedig yn dengid am ei ffau. Erbyn imi gyrraedd y llawr isaf roedd yr ing yn dechrau lleddfu, neu'n hytrach yn troi'n gur llethol, fel y trymder yn y corff pan fydd anesthetig yn rhewi'r synhwyrau a mygu sgrechian y nerfau. O fewn ychydig lathenni i'm drws, deuthum wyneb yn wyneb ag un o'r gweinyddesau hŷn oedd yn fy nabod i'n iawn.

'Mairwen! Be' sy'n bod? Mae golwg ofnadwy arnat ti.'

'Dim byd o bwys. Dwi'n iawn.'

'Oes gen ti gur yn dy ben?' Byddwn yn ei gael ar adegau.

'Nac oes.' Ond ar y gair, saethodd gwayw ciaidd drwy asgwrn fy mhen, a rhois fy llaw ar fy nhalcen.

'Ie, dyna sy arnat ti eto. Oes gen ti rywbeth i'w gymryd ato fo?'

'Oes, yn fy stafell.' Prin y gallwn i ffocysu fy ngolwg ar ei hwyneb.

'Rwyt ti wedi gorffen dy waith am y dydd?' Edrychodd dros ei hysgwydd. 'Does 'na neb yn disgwyl dy weld di. Dos i gymryd tabled ac ista'n dawel am 'chydig o funuda' cyn mynd adre. Fedri di ddim gyrru car yn y cyflwr yna.'

'Ie, dyna be' wna'i. Diolch yn fawr, Meg.'

Pan agorais i'r drws, doedd hi ddim yn dywyll o hyd, ond aeth fy llaw yn reddfol at swits y golau, a thrawodd disgleirdeb y trydan arna'i fel cleddyf, gan wneud imi wyro a chau fy llygaid. Ymbalfalais at y gadair wrth y ddesg, ac eistedd. Gwyddwn y dylwn i sgrifennu rhywbeth neu'i gilydd, ryw nodyn go bwysig, ond fedrwn i ddim cofio be'; fedrwn i ddim sgrifennu. 'Rydan ni wedi cael hwyl ...

Dwi'n ddiolchgar iti.' Roedd y nerfau'n deffro a'r poenau'n brathu; fy ngwddf yn brifo a chwyddo am fod y sgrech yn casglu yno'n ddistaw.

Daeth cnoc ar y drws. Agorodd yn ddi-oed a datgelu Meg â gwydr yn ei llaw. 'Llyma'd o ddŵr, i lyncu'r tabledi.'

'O ie. Diolch iti, Meg.'

Gosodwyd y gwydr ar y bwrdd. 'Wyt ti'n siŵr dy fod ti'n iawn?'

'Ydw. Paid â phoeni.'

Roedd hithau'n brysur, a'r cleifion yn disgwyl am ei gofal. Pan gaeodd y drws yn ddistaw'r tu cefn iddi, symudais i ddim. Fedrwn i ddim cofio geiriau'r sgwrs, roedd y boen yn rhy ddrwg. Codais o'r diwedd a chloi'r drws a diffodd y golau, rhag i neb fy styrbio i eto. Wedyn dyma fi'n ôl at fy nesg, ac agor y drôr lle'r oedd y tabledi lladd poen.

Rhaid fy mod i wedi cysgu'n sownd iawn. Ond dim ond am amser byr, deng munud ella, achos pan ddois i ataf fy hun, doedd y golau ddim wedi mynd o'r awyr, er fod y cyfnos yn agosáu.

Roeddwn i y tu allan i'r ysbyty. Peidiwch â gofyn imi beth a ddigwyddodd. Fedra'i ddim egluro sut y dois i i fod yn eistedd ar fŷs oedd yn rhuthro i lawr yr allt i gyfeiriad y wlad.

Does gen i ddim co' gadael fy swyddfa a cherdded trwy gyntedd yr ysbyty a dal bŷs y tu allan i'r prif ddrws, ond mae'n rhaid mai dyna a wnes i. Heb gofio dim am fy nghar bach wedi'i barcio ymhlith ugeiniau o rai eraill ym maes parcio'r ysbyty, heb ddal sylw ar enw'r lle oedd ar flaen y bŷs, na thalu am docyn hyd y gwn i, roeddwn i wedi dringo arno ac eistedd yn un o'r seddau blaen.

Sylweddolais yn hurt nad oeddwn i'n mynd i'r cyfeiriad iawn. Yn lle bod y bŷs yn fy nghludo i at oleuadau'r dre, roedd o'n fy nwyn i'n wyllt y tu draw i'w chyffiniau, yn bellach, bellach o'm cartref. Mae pob bŷs sy'n mynd trwy byrth yr ysbyty newydd yn dilyn yr un ffordd mewn hanner-cylch at ddrws yr ysbyty ac yn ôl at y pyrth; felly, mae pob un, beth bynnag yw ei gylchnod, yn wynebu'r un cyfeiriad wrth stopio'r tu allan i'r drws; ac yn fy llewyg neu'm trwmgwsg neu beth bynnag oedd o, roeddwn i wedi drysu a chymryd y bŷs oedd ar ei ffordd o'r dre.

Roeddwn i'n dal i'm teimlo fy hun yng ngafael hunllef. Synhwyrais fod y bỳs yn bur lawn o bobl yn eistedd yn fud. Trois at y ddynes wrth fy ochr; gwisgai sgarff am ei phen ac allwn i weld fawr ar ei hwyneb. 'Rydw'i ar y bỳs rong,' meddwn wrthi. 'Rhaid imi fynd i lawr.'

O dan y sgarff gwelais wyn ei llygad yn rowlio'n gyffrous am eiliad, megis mewn dychryn, ond atebodd hi ddim. Fflachiai'r ffens a'r gwrych tywyll heibio wrth i'r bỳs fynd yn gyflym i lawr yr allt. Codais ar fy nhraed a chamu at ochr y gyrrwr.

'Rydw'i ar y bỳs rong!' gwaeddais uwchben sŵn y peiriant. 'Rhowch fi i lawr yn y stop nesa', os gwelwch chi'n dda!'

Dyn â gwallt brith oedd o, ond throdd o mo'i ben a welais i mo'i wyneb o. Yn amlwg doedd wiw iddo dynnu'i olwg oddi ar y ffordd, na stopio ar yr allt, ond roeddwn i'n cynhyrfu'n fwy nag erioed wrth fy ngweld fy hun yn cael fy nghario'n bell o'm cynefin.

'Stopiwch yng ngwaelod yr allt, plîs!' ymbiliais. Ysgydwodd y gyrrwr ei ben yn gwta, a dal yn ei flaen.

Cyrhaeddodd waelod yr allt, a llithro i'r briffordd sy'n arwain o'r ffordd isa'. Newidiodd gêr, a chyflymu, a minnau bron â drysu wrth feddwl ei fod o'n bwriadu mynd ar ei ben i'r nos heb ollwng neb o'i deithwyr na chodi'r un o ochr y ffordd. Yn sydyn, arafodd y bỳs, a sefyll gyferbyn â wal y Faenol. Neidiais oddi arno, ac fe aeth y gyrrwr yn ei flaen ar ei union. Doeddwn i ddim mewn cyflwr i edrych yn ôl ar fy nghyd-deithwyr swrth.

Sefais yn y glaswellt ar ymyl y ffordd, ar goll yn lân. Nid nad oeddwn i'n nabod y llecyn; roedd o'n llai na dwy filltir o'r ysbyty, er nad oeddwn i erioed wedi'i weld o'r blaen ond o gar neu fỳs. Ond teimlwn mor ddiarth ac unig â phetawn i wedi crwydro o ryw fyd arall. Wyddwn i ddim pam chwaith. Dechreuais sylweddoli fy mod i wedi cael pwl byr o amnesia cyn imi ddod ataf fy hun ar y bỳs, a rhyw ysgytiad neu argyfwng o'i flaen oedd yn dal yn aneglur yn fy nghof. Dyna a gyfrifai am fy nryswch. Petawn i ddim ond yn medru cofio, byddai hynny'n lleddfu rhywfaint ar yr ing oedd yn dwysáu ac yn lledaenu trwof, fel mae poen gorfforol yn dychwelyd wrth i effaith anesthetig leddfu. Sefais ar ochr y ffordd a thrïo chwalu'r niwl oedd yn pylu fy meddwl.

Doedd dim tŷ na cherddwr yn y golwg, dim ond wal y stad gyferbyn, a'r coed y tu draw iddi, a ffens a choed ar yr ochr agosaf ata'i: dwy res o goed tywyll yn diflannu i'r pellter ar y chwith imi, a rhyngddyn nhw y drafnidiaeth yn rhuo'n ddi-baid. Roedd ei thwrw'n mynd trwy fy mhen fel na fedrwn i ddim meddwl. Deuai'r rhan fwyaf o'r ceir o gyfeiriad y trogylch, lle'r oedd traffig y ddwy lôn o'r dref, yr uchaf a'r isaf, yn uno'n llifeiriant gwyllt ar hyd y briffordd: pawb yn cythru o'u gwaith er mwyn cyrraedd adre cyn iddi dywyllu. Edrychais ar fy wats. Dim ond ugain munud wedi pedwar! Prin y gallwn i gredu bod cymaint wedi digwydd mewn cyn lleied o amser.

Ond beth *oedd* wedi digwydd? Ymdrechais gofio wrth i'r ceir ruthro'n swnllyd heibio heb i neb falio dim amdana'i. Roedd rhywbeth wedi fy mrifo i'n ofnadwy. Piers; ie, sgwrs efo Piers, a gwybod o'r diwedd fy mod i wedi'i golli, i Brenda.

Roedd fy meddwl i'n clirio. Allwn i ddim dal i sefyll wrth ochr y ffordd a hithau'n dechrau tywyllu. Y peth gorau fyddai dychwelyd at yr ysbyty i nôl fy nghar bach; fyddwn i fawr o dro cyn cyrraedd adre wedyn. Hwyrach fod bỳs i'w gael i'r ysbyty ... Ond wyddwn i mo'i amser, a doedd dim arwydd o stop ar yr ochr draw i'r ffordd. Dechreuais gerdded.

Wrth agosáu at y cyffordd, sefais drachefn a gweld pa mor anodd fyddai croesi'r ffordd trwy'r ddwy res o drafnidiaeth gyflym. Chwiliais am fwlch, ond roedd chwildroi'r ceir o waelod yr allt a'r rhuthr chwyrn o'r lôn isaf yn ddi-dor. Roedd arna'i ofn mentro.

Fel roeddwn i'n craffu'n anobeithiol i'r dde, neidiodd fy nghalon yn sydyn. Be' welwn i'n agosáu ar hyd y ffordd isaf ond Peugeot llwydlas yn dwyn rhif cynefin ... car Trefor! Roedd o wedi'i gael o'n newydd sbon ryw ddau fis yn ôl, ac roedd o'n meddwl y byd ohono. Gan fod Trefor yn un o staff yr ysbyty ac yn gyfaill da, byddai'n siŵr o gymryd trugaredd arna'i. Roedd o'n mynd i'r cyfeiriad arall, wrth gwrs, ond doedd y pellter rhwng y cyffordd a'r ysbyty yn ddim i gar. Fuasai Trefor byth yn mynd heibio a'm gadael wrth ochr y lôn.

Dynesodd y car, wedi colli'i sglein newydd yn barod. Trefor, wrth gwrs, oedd yn gyrru, ond roedd 'na rywun wrth ei ochr ... merch, â'i phen ar ei ysgwydd. Oho! meddyliais; dyma rywbeth newydd. Wrth i'r car ddod yn nes ataf, gwelodd Trefor fi. Yn anghrediniol, newidiodd ei wedd. Lledodd ei lygaid fel petai mewn arswyd. Yn yr eiliad honno, darganfûm pwy oedd ei gydymaith. Doedd gan neb arall y gwallt hir melyn 'na, wedi'i daenu rŵan yn gudynnau gloyw rywsut-rywsut dros ysgwydd Trefor. Brenda oedd hi.

Gwyrodd y car yn enbyd, a swniodd sawl corn yn rhybuddgar o'r cerbydau agosaf ato. Tynnodd Trefor i mewn at ymyl y ffordd, ac arafu. Roedd Brenda wedi codi'i phen wrth fynd heibio imi, mae'n debyg wrth iddi deimlo'r car yn swerfio. Roedd o bellach ychydig lathenni i'r chwith imi, a gwelais hi'n troi ac edrych yn ôl. Roedd y ddau'n troi ... Petrusais; oedden nhw'n disgwyl imi fynd at y car?

Chefais i mo'r cyfle. Ysgydwodd Brenda ei phen; clywais y gêr yn newid, cyflymodd y car a saethu ar hyd y ffordd ac o'm golwg.

Dwi'n credu fy mod i wedi rhedeg ychydig gamau ar hyd yr ymyl glas; roeddwn i mor falch o weld Trefor, mor siŵr y cawn i bàs ganddo, ac roedd popeth wedi digwydd mor gyflym, fel na sylweddolais ar unwaith fod un o'm ffrindiau gorau wedi'm hadnabod i, wedi arafu ac yna wedi ailfeddwl a'm gadael wrth ochr y ffordd.

Plygais fy mhen ac wylo gan chwerwder y siom. Roedd yr ergyd newydd 'ma wedi fy hurtio'n waeth nag erioed. Be' oedd yn bod ar Trefor? Pam oedd yntau hefyd wedi fy ngwrthod i? Bachgen gwastad, call, caredig oedd Trefor erioed; un o'r rhai y bydd pobol yn honni amdanyn nhw na fasen nhw ddim yn brifo pry'.

Doedd dim ond un eglurhad, hyd y gwelwn i. Ar Brenda, unwaith eto, yr oedd y bai. Doedd ar Trefor ddim eisio imi wybod ei fod o a Brenda'n gariadon; doedd o ddim wedi disgwyl fy ngweld i yn y fan honno ac roedd o bron wedi colli rheolaeth ar y car yn ei syndod. A doedd hithau ddim yn fodlon iddo fy nghodi: gallwn weld ei nacâd pendant, cudynnau hir ei gwallt yn ysgwyd, er nad oedd hi'n fawr fwy na chysgod yn y golau gwael. Roedd y ddau wedi fy ngweld i, yn amlwg mewn cyflwr truenus, ac wedi mynd heibio imi.

Trois yn ôl i gyfeiriad y cyffordd, gan igian crio o dan fy ngwynt. Pwy fuasai'n meddwl? ... Brenda a *Trefor*? Duw a wyddai, doeddwn i ddim wedi disgwyl hynny! Oedd o'n bosibl fy mod i wedi camddeall yn gyfan gwbl? Roedd 'na rywbeth o'i le; yn ofnadwy o'i le.

O'r diwedd llwyddais rywsut i weu rhwng y cerbydau gwyllt ar agoriad y ffordd isaf. Dechreuais ddringo'r allt.

Mae'r rhan isaf ohoni'n bur serth, heb ddim i'w weld o bobtu iddi ond glaswellt byr yn codi at ffens, fel bod y sawl sy'n ei dringo yn teimlo fel petai'n cychwyn o waelod siafft. Roeddwn i wedi meddwl amdani fel gallt fer, gan fod car yn gwibio drosti mewn ychydig funudau; ond i gerddwr mae hi'n faith. Bûm yn llafurio i fyny'r rhiw am hydion heb deimlo fy mod i'n ennill fawr o dir. Roeddwn i'n gorfod oedi bob munud am fod car yn saethu amdana' i'n fygythiol, gan feddiannu hanner y ffordd â dwndwr byddarol: ei chwyrnu'n troi'n rhuo ffyrnig, ac wedyn yn pellhau fel y chwyddai trwst un arall y tu cefn iddo. Roeddwn i'n cwyno dan fy ngwynt wrth fynd, fel plentyn neu anifail wedi cael cweir, ond prin y gallwn glywed sŵn fy llais fy hun. Does dim yn fwy diarth ac annynol na rhes o geir yn rasio pob un tua'i gyrchfan ei hun, ac wrth lusgo'r ffordd groes iddyn nhw teimlwn mor unig â theithiwr mewn anialwch. Wn i ddim am faint y bûm i'n brwydro'n anobeithiol yn erbyn y graddiant; roedd o fel cip ar dragwyddoldeb o ymdrech ofer, a minnau'n wrthodedig ar gyrrau'r ddynoliaeth – ffansi eithafol, mi wyddwn; ac eto roedd hi'n daith ingol.

Roedd un peth o'm tu: roedd hi'n dywydd sych braf, neu byddai'r golau wedi mynd cyn hyn. Ond imi ddal yn fy mlaen, gallwn gyrraedd yr ysbyty cyn iddi dywyllu'n llwyr. Roedd y cur yn fy mhen wedi clirio. Clywais dwrw bỳs yn llafurio'n drwm i fyny'r allt ar yr ochr draw; petawn i ddim ond wedi gwybod ymhle'r oedd o'n stopio, gallwn fod wedi cael fy ngharïo; roeddwn i mor flinedig, gorff ac ysbryd, heb wybod pam. Ond ar y gair, deuthum i olwg pen yr allt, a'r tro ar y dde sy'n arwain at y pentre a'r ysbyty. Daliodd y bỳs yn ei flaen, a diflannu dros frig y rhiw; doedd o ddim yn mynd yr un ffordd â fi wedi'r cwbl. I ddweud y gwir, doedd arna'i fawr o awydd mentro eto at fŷs; roedd atgof y daith hunllefus gyda'r gyrrwr sarrug, pen brith a'i deithwyr mud yn codi ias arna'i. Unwaith y down i o hyd i'm car bach ym maes parcio'r ysbyty ac eistedd yn ddiogel y tu cefn i'r olwyn, deuai bywyd yn normal unwaith eto.

Roedd tipyn o ffordd at y tro o hyd, ond roedd ei weld o'n sbardun imi, a'r arwydd cynefin sy'n cyfeirio'r teithiwr at yr ysbyty. Gollyngdod, hefyd, oedd gweld yr awyr yn ymledu dros gopa'r allt.

Wedi imi gyrraedd y gongl, a throi tua'r pentre, roedd y ffordd yn wastatach, y drafnidiaeth yn ysgafnach, ac ambell adeilad yn lleddfu'r unigrwydd. A dyna lle'r oedd y mynyddoedd o dan eira cynta'r gaeaf, yn oedi ar fin nos mewn lliwiau tawel o binc lleddf a brown a chopr. Sefais ac edrych dros yr eangderau maith. Roeddwn i bron wedi anghofio amdanyn nhw. Daeth rhyw lonyddwch am funud i'm calon.

Trois ac ymlwybro tua'r pentre. Roedd fy nghof yn clirio fel roedd y golau'n pallu. Piers; Brenda; Trefor; roedd perthynas y tri â'i gilydd yn dal yn dywyll imi. Trefor i ddechrau; roeddwn i wedi'i gael o'n fachgen gonest, agored bob amser. Rhaid ei fod o ddifri ynghylch Brenda, achos doedd o mo'r un i chwarae â merch; un tawel, dwys oedd o. Rhyfedd na chlywais i erioed si amdano fo a Brenda. 'Piers a Brenda' oedd hi bob tro ar y tafodau sbeitlyd tua'r ysbyty. Dim sôn am Trefor; wrth gwrs, doedd o ddim yn swynwr. Ond wrth edrych yn ôl, gallwn gofio un neu ddau o arwyddion bach ei fod o'n edmygu Brenda; roedd ei llygaid mawr gleision a'i phryd golau naturiol yn troi llawer pen. Oedd o'n bosibl fy mod i wedi cyfeiliorni wrth gyhuddo Piers o'm gadael er mwyn Brenda? Erbyn hyn roeddwn i'n medru cofio pob gair o'n sgwrs; roeddwn wedi dweud wrtho, 'Dwyt ti ddim yn gwadu'. A doedd o ddim, ond doedd o ddim wedi cyfadde' chwaith. Roedd o wedi diflasu arna'i; prin roedd o wedi cuddio hynny. Ond doedd gen i ddim prawf, mewn difri, mai Brenda oedd wedi dod rhyngom ni. Llosgai fy ngruddiau wrth feddwl y gallwn fod wedi dangos ffolineb noeth a gwneud fy hun yn destun gwawd. Eto i gyd, cymerwn fy llw ei fod o mewn cariad â hi. Cofiais ei dôn pan dorrodd o ar fy nhraws: 'Gad Brenda allan o hyn!' fel petai hi'n rhy bur i gael ei halogi gan unrhyw gyfeiriad ar dafod un fel fi. Unwaith eto, cododd chwerwdwer i'm ceg ac fe bylodd fy ngolwg; roeddwn i'n ddall ac yn fyddar i bob dim ond y pwll diwaelod o boen ynof.

Deuthum ataf fy hun a theimlo oerni siarp yr aer, er fod gen i ddillad cynnes. Roedd hi'n nosi'n gyflym. Edrychais ar fy wats; ugain munud wedi pedwar. Dim rhyfedd imi synnu gynnau fod cymaint wedi digwydd mewn cyn lleied o amser. Ond roedd ffeindio nad oedd fy wats i wedi symud ers imi adael y bỳs yn peri anesmwythyd; roedd hi'n cadw amser da fel rheol. Creai methiant y wats, ynghyd â'r pwl o amnesia a dirgelwch y daith yn y bỳs, y teimlad fy mod i wedi cymryd cam allan o fyd amser rywsut.

Rhaid oedd prysuro yn fy mlaen neu fe ddeuai'r nos ar fy ngwarthaf. Roeddwn i'n dod at dai cyntaf y pentre, ac i olwg y neuadd a'r ysgol. Codai'r ffordd o'm blaen yn raddol fel pont, ac wrth imi ddynesu at y fan clywn dwrw traffig yn codi. Edrychais dros y ffens, a gweld bod y ffordd hon yn croesi priffordd brysur, lle'r oedd pedair rhes o draffig yn cythru yma a thraw, ymhell o dan fy nhraed i. Roedd y peth yn annisgwyl ac yn annaturiol, a daeth arswyd arnaf. Nid nad oeddwn i wedi gweld rhywbeth tebyg mewn mannau eraill droeon, ond doeddwn i ddim wedi meddwl ei fod o i'w weld yma, ar y ffordd i'r ysbyty. Roedd 'na sôn am ffordd newydd gostus, yn cymryd yn hir iawn i'w gorffen; roedd hi wedi'i hagor felly? Wyddwn i ddim amdani. Ond anaml y byddwn i'n tramwyo'r ffordd yma – byth, ond mewn car. Sylweddolais nad oeddwn i ddim wedi gweld un enaid byw oddi ar imi adael y bỳs. Doedd neb yn mentro allan y dyddiau hyn heb amddiffyniad car; pawb yn ei gocŵn ei hun.

Ie, Trefor a Brenda. Wrth imi gefnu ar olygfa'r pedair lein o gerbydau'n eu hyrddio'u hunain dros y wlad, tynnwyd fy meddwl yn ôl atyn nhw. Be' oeddwn i wedi'i wneud i'r ddau i haeddu'r fath greulondeb? Yn arwynebol, roedd Brenda'n addfwyn fel angel, ac roedd Trefor wedi dangos caredigrwydd imi lawer tro. Yr unig ateb y gallwn i feddwl amdano oedd bod Brenda'n ddauwynebog, yn ddigon cyfrwys i dwyllo'r ddau ddyn ac yn defnyddio'i harddwch a'i swyn i ddylanwadu arnyn nhw ... gan chwarae'r naill yn erbyn y llall, efallai? Rhaid ei bod hi wedi cymryd yn fy erbyn i o achos Piers. Ond fûm i erioed yn gas wrth Brenda, a doedd hithau erioed wedi dangos gelyniaeth tuag ataf i; i ddweud y gwir, roedd 'na rywbeth yn annwyl yn ei ffordd hi a che'is i erioed esgus i ffraeo efo hi. Yn ddiweddar, er pan yw'r si wedi codi, dwi wedi cadw o'i ffordd, a dydi hynny ddim yn anodd gan ein bod ni'n gwneud gwaith hollol wahanol i'n gilydd. Trefor, ar y llaw arall; pwy fasa'n meddwl amdano fo fel ci bach ar linyn yn cael ei dynnu gan ferch? Yn arbennig, pwy fasa'n disgwyl iddo ochri efo hi i sbeitio merch arall?

Roeddwn i wedi cyrraedd yr eglwys, wedi mynd heibio i'r swyddfa bost, y siop bach a'r garej. Disgwyliwn weld yr ysbyty; roedd hi mor uchel, ac yn sefyll mewn cymaint o dir, fel y dylai fod yn dirnod o bob cyfeiriad. Gafaelodd panig ynof. Oedd hyn hefyd yn rhan o hunllef? Oedd yr ysbyty fawr a'i llwyth o fywyd prysur wedi diflannu?

Tro yn y ffordd, a dyna lle'r oedd hi'n sydyn, yn pelydru fel goleudy o'i hugeiniau o ffenestri, ei swmp anferth yn ddisglair yn erbyn tywyllwch y wlad fynyddig. Gallwn fod wedi crïo gan ryddhad fy mod i bron â chyrraedd pen fy nhaith. Hiraethais am gysur cynefin fy nghar bach.

Bron yn ddiarwybod i mi fy hun, chwiliodd fy llygaid am ffenest fechan yn nhalcen yr ysbyty, ffenest stafell Piers. Roedd hi'n olau; roedd o yno. 'Gad Brenda allan o hyn.' Doedd dim iws iddo roi'i fryd ar Brenda bellach. Pe gwyddai fod Brenda'n ei dwyllo ... Ac fe ddylai gael gwybod sut un oedd hi. Sleifiais drwy'r pyrth, ac yn lle troi i'r chwith lle'r oedd y car bach wedi'i barcio, anelais yn syth at brif fynedfa'r ysbyty.

Caeodd yr awyrgylch amdanaf yn gynnes a thrwm gan arogleuon diheintydd a chŵyr sgleinio a'r pentyrrau blodau ar werth yn y neuadd, mor glyd ac amddiffynnol â chroth fy mam. O, mor hyfryd oedd dychwelyd, a dod i mewn o'r gwyll unig!

Doedd yma ddim prinder pobl: yn holi wrth y ddesg, yn dewis blodau wrth y stondin, yn eistedd o gwmpas yn yfed te neu goffi, neu'n cerdded yn frysiog trwy'r lle ar ryw berwyl pwysig. Euthum heibio i un neu ddau o'm cydnabod heb iddyn nhw ddal sylw arna'i ... a da hynny, gan nad oedd arna' i ddim eisio oedi i sgwrsio â neb.

Roedd 'na swyddog diarth wrth y switsfwrdd, newydd ei benodi mae'n rhaid.

Gwibiais ar hyd y coridor lle'r oedd fy swyddfa, heb gipedrych ar fy enw ar y drws. Roeddwn i mor falch ohono pan ddois i yma gynta', a'm rhieni hefyd: 'Mae gan Mairwen stafell iddi'i hun yn yr ysbyty newydd, ychi, a ffôn a phob dim!' Dyn a'm helpo, doedd hi'n ddim ond cell fach gyfyng, wedi'i dodrefnu â bwrdd a dwy gadair, a dwsinau o ffeils llwydion yn gorchuddio'r muriau. Doedd hi'n golygu dim imi bellach, ond bod 'na ryw atgof adfydus, rhyw drem aneglur ar erchylltra, yn gymysg â hi yng ngwaelod fy meddwl, nad oeddwn i ddim am ei ddeffro; roedd o'n arwain at y daith ddirgelaidd yn y bỳs oedd wedi mynnu mynd â fi mor bell o'm ffordd. Mam a Dad ... doeddwn i ddim wedi meddwl amdanyn nhw trwy'r dydd; doeddwn i wedi meddwl am neb ond Piers.

A dacw Meg eto! Hen hogan ffeind ... Edrychodd Meg arna'i, neu'n hytrach heibio imi, achos welodd hi mono'i. Cythrodd yn ei blaen, ei meddwl ar ei gwaith. Un fel'na ydi Meg; pwysa'r byd ar ei hysgwyddau bob amser. Y tro nesa' y gwelwn i hi, mi ddwedwn: 'Hei, Meg! Ydw'i'n anweledig neu rywbeth?'

Trwodd at y llifftiau, a hanner difaru fy mod i wedi dod cyn belled; gallwn fod ar fy ffordd adre yn yr hen gar bach cyn hyn. Ond roedd Piers yn fy nhynnu i; doedd dim cartre arall imi ar y ddaear, ond lle'r oedd o. Brenda ... doedd Brenda ddim yn sefyll rhyngom ni bellach. Roedd hi'n caru Trefor. Tyfodd yr argyhoeddiad ynof yn rymus mai felly yr oedd hi. Doedd dim angen imi anobeithio wedi'r cwbl. Llifodd llawenydd trwof, ac o'r diwedd gollyngodd yr hunllef ei afael ynof. Yn sydyn roedd yr ysbyty'n solet o'm cwmpas: patrwm y teils plastig ar y llawr a'r sglein ar y paent a'r stondin melysion yn y gongl, lle'r oedd gwraig glên yn gwerthu Smarties i blentyn. Cefais gipolwg ar nyrs fach yn diflannu i lifft, a'i nabod fel Bethan, merch i'm cymdoges. Roedd 'na ryw newid ynddi hefyd, ond doeddwn i ddim yn sicr be': doedd fy nghof i ddim yn iawn o hyd. Mi gofiwn toc.

Wrth imi fynd o'r lifft dyma fo'n fy nharo i: roedd Bethan mewn gwisg *staff nurse*. Dyrchafiad sydyn ... a doedd hi ddim yn ifanc iawn i'r fath gyfrifoldeb? Pryd ddaru hi ddechrau ar ei chwrs nyrsio? Ond fedrwn i ddim cofio; doedd yr ymdrech ddim ond yn ail-greu dryswch yn fy meddwl.

O flaen drws Piers edrychais ar ei enw a chrynu gan faint fy nghyffro. Roedden ni wedi dweud pethau creulon, ond allai neb ddatod y ddolen oedd rhyngom ni. Curais. Doedd dim ateb, er fod rhimyn o olau'n dangos o dan waelod y drws. Curais eilwaith, ac o'r diwedd trois y dwrn yn ddistaw bach.

Eisteddai Piers wrth ei ddesg yn astudio adroddiadau ar gleifion. Chododd o mo'i ben; chlywodd o mo'r drws yn dychwelyd yn dawel i'w le. Aeth ymlaen i bendroni uwchben y manylion, gan danlinellu ambell un. Ochneidiodd a rhoi'r ddalen o'i law, ac estyn un arall. Roedd o wedi ymgolli'n llwyr yn ei waith, a wyddwn i ddim sut i dynnu'i sylw. Roedd hi'n bechod i dorri ar ei draws.

'Piers,' sibrydais. Ailddarllenodd Piers eitem yn yr adroddiad a sgrifennu nodyn byr. Euthum at ymyl y bwrdd. Roedd ei ben wedi'i blygu dros yr adroddiadau, ac yng ngolau'r lamp gallwn weld sawl blewyn arian yn ei wallt tywyll. Rhyfedd: doeddwn i erioed wedi sylwi arnyn nhw o'r blaen. Aeth pang o dynerwch trwof. Roeddwn i wedi bwriadu sôn wrtho am ... am be'? Fedrwn i ddim cofio, wrth edrych ar y gwyn anhygoel yn nüwch ei wallt. Teimlwn gwlwm o eiddigedd a chwerwder yn fy nghalon o hyd, heb wybod i sicrwydd beth oedd wedi'i greu. Brenda, cofiais. Ie, Brenda: doedd hi ddim yn caru Piers. Doedd neb yn ei garu fel yr oeddwn i.

'Piers,' meddwn, 'be sy'n bod? Rwyt ti'n brysur, ond dyro'r gorau i'r gwaith am funud. Edrych arna'i, Piers.'

Darllenodd Piers y ddalen olaf a'i gosod hi'n daclus efo'r lleill. Cododd ei ben ac eistedd yn syth, ond gyda'r fath osgo o flinder ac anobaith nes peri syfrdandod i mi. '*Rwyt ti wedi newid, Piers. Dwyt ti mo'r un un.*' Dyna a ddywedais i gynnau, ond doeddwn i ddim wedi meddwl am gyfnewidiad fel hyn. Amlygai golau'r lamp bantiau a rhychau newydd yn ei wyneb.

Chymerodd o ddim arno ei fod o wedi fy nghlywed i. Syllai'n

ddifywyd ar y wal gyferbyn. Beth oedd wedi digwydd iddo fo?

'Piers,' meddwn, a'm llais yn codi; doedd waeth gen i bellach pwy allai glywed wrth fynd heibio i'r drws. 'Pam nad wyt ti'n cymryd sylw ohono'i? Mi ddeud'is i bethau ciaidd gynna', ond dim ond am dy fod ti wedi brifo cym'int arna'i. Doeddwn i ddim yn 'u meddwl nhw. Ateb fi, Piers! Dwyt ti ddim yn 'y nghlywed i?'

Roedd ei law dde yn gorffwys ar y bwrdd. Estynnais fy nwy law fy hun er mwyn cydio ynddi. Ond allwn i ddim. Allwn i ddim cyffwrdd â fo. Dyna pryd y dëellais i'r gwir. Doedd o ddim yn fy ngweld i na'm clywed i am fy mod i wedi peidio â bod ar dir y rhai byw. Roedd agendor mawr wedi agor rhyngom. Gwyddwn o'r diwedd fy mod i wedi marw.

3. Trefor

Dydd Llun, 7 Tachwedd

Digwyddodd peth rhyfedd pnawn 'ma sy'n dal i aflonyddu arna'i.

Roeddwn i wedi bod â Brenda i weld yr arbenigwr. Bu colli'n plentyn cyntaf y llynedd yn siom chwerw inni'n dau, ac felly rydan ni'n pryderu braidd y tro hwn. Ond mae'r meddyg wedi'n sicrhau nad oes dim i boeni yn ei gylch hyd yn hyn, ond iddi gymryd gofal. Hwyrach y bydd raid iddi fynd i mewn i'r ysbyty beth amser cyn y geni, er mwyn iddyn nhw gadw llygad arni hi.

Mae Brenda'n gorffwys bob pnawn rŵan. Pan adawson ni'r clinig a mynd yn ôl i'r car, aeth i gysgu bron ar unwaith â'i phen ar fy ysgwydd, ac felly roedd hi pan aethon ni heibio i waelod yr allt sy'n arwain at yr ysbyty newydd. Ryw ddau ganllath tu draw i'r cyffordd, synnais weld merch yn sefyll ar fin y ffordd ar y chwith fel petai hi'n ceisio tynnu fy sylw. Pan oeddwn i'n ddigon agos i'w hadnabod hi, dychrynais gymaint fel y bu bron imi golli rheolaeth ar y car. Wrth iddo wyro, deffrôdd Brenda.

'Be' ddigwyddodd?' gofynnodd fel roeddwn i'n ei gywiro a thynnu i'r ochr.

'Yr hogan 'na ar ochr y ffordd,' meddwn. 'Roedd golwg truenus arni hi, fel petai hi'n galw am help.' Doedd wiw imi'i henwi, rhag ofn i Brenda gynhyrfu. Ond wrth gwrs, meddyliais, nid Mairwen oedd hi, ond rhyw eneth arall debyg iddi.

'Bobol annwyl.' Edrychodd Brenda dros ei hysgwydd, gan hanner-codi yn ei sedd. 'Wela'i neb,' meddai'n syn. Ebychodd wedyn gan ysgwyd ei phen: 'Does 'na neb yno!'

Edrychais innau, a theimlo fy llaw ar yr olwyn yn wleb gan chwys. Gwelais hi'n rhedeg trwy'r glaswellt ar ein hôl, ei llygaid gwyllt yn fawr yn ei phen a'i cheg yn agor yn ymbilgar. Yr eiliad nesa', doedd dim hanes ohoni.

'Rhaid mai dychmygu wnes i,' meddwn yn frysiog, gan ailgychwyn y car ar fy union. 'Tric o'r gola'. Mae'n ddrwg gen i, 'nghariad i. Wyt ti'n iawn?'

'Ydw, ond ...' Craffodd arna'i. 'Be' wel'ist ti, Trefor?'

'Dim. Cysgod rhyw berth, mae'n debyg.' Trois y sgwrs. Roedd Brenda wedi diodde' digon o achos Mairwen, ar ôl y digwyddiad brawychus yn yr ysbyty. Roedd hi'n gwbl ddieuog, ond bu'n ergyd iddi er hynny, ac mae pobl yn gallu bod yn greulon, heb wybod y gwir. Bu'n ergyd i lawer ohonom o ran hynny. Er inni briodi'n ddistaw iawn, a hynny ymhen blwyddyn ar ôl y trychineb, roedd 'na gwmwl droston ni o hyd. Ac alla'i ddim peidio â chofio mai ar y dyddiad hwn, y seithfed o Dachwedd, y lladdodd Mairwen ei hun yn ei swyddfa, dair blynedd yn ôl.

Y Ci

Gweneth Lilly

Doedd dim sgwrs rhwng y pedwar yn y car. Yn y sêt gefn, buasai
Meira a Pete yn ddistaw ers rhai munudau, hwyrach am eu bod yn
pendympian ar ddiwedd eu diwrnod gwaith. Ond roedd Nest yn
hapus. Roedd y cyffro o eistedd wrth ochr Bryn yn deffro'i synhwyrau
i bob dim arall: i symudiad esmwyth y car a hymian yr injan, i'r
golygfeydd cynefin yn agor o'u blaen ac i ysblander y machlud yn yr
awyr. Buasai wedi bod yn falch o drafaelio felly am oriau, yn gwylio'r
wlad a dwylo profiadol Bryn ar yr olwyn.

Roedd hi'n gyndyn i siarad, ond roedden nhw'n agosáu at Gapel
Hywyn. 'Bryn,' meddai'n swil braidd, 'rwyt ti'n cofio bod arna'i isio
mynd i lawr yng Nghapel Hywyn heno?'

Hanner-trodd ei ben ati â gwên bryfoclyd. 'Noson Anti Ceri.'

'Ie.' Chwaer hŷn ei thad oedd Anti Ceri, gwraig weddw a fwynhâi
ymweliad wythnosol ei hunig nith.

'Clyw, Nest. Be' am ddŵad i gael cinio efo mi yn rhywle distaw
am unwaith yn lle mynd i yfed te efo Anti Ceri?'

Llamodd calon Nest. Roedd hi wedi cael pryd gyda Bryn o'r blaen,
ond roedd y gwahoddiad annisgwyl hwn fel cipolwg ar baradwys.
Fflamiai'r cymylau'n fwy disglair bob munud mewn aur gloyw ac
ysgarlad, a thynnodd Bryn y gysgodlen fach i lawr wrth ddisgwyl ei
hateb.

'Alla'i ddim, Bryn,' meddai, mewn llais bychan. 'Mae hi'n fy
nisgwyl i.'

'Dim problem.' Fyddai dim byd byth yn broblem i Bryn. ''I ffonio
hi o'r dre i egluro dy fod ti'n cael dy gadw'n hwyr yn y gwaith – i
wneud ymchwil ar orchymyn un o'r bosus. Gwir bob gair.'

Gwenodd yn ddireidus a gwyddai Nest ei bod hi'n gwrido. Medrai
Bryn wneud i ginio bach diniwed mewn 'lle distaw' swnio fel gloddest.
Cipedrychodd Nest yn nerfus tua'r cefn, lle'r oedd Meira a Pete yn

llonydd iawn, a gwelodd ael dywyll Bryn yn codi'n watwarus; doedd o'n malio dim am neb. Gan eu bod nhw bron â chyrraedd pentref Capel Hywyn, siaradodd yn frysiog: 'Mae'n amhosib, Bryn. Mae'n ddrwg gen i. Mi fydd Anti Ceri wedi darparu pryd. Alla'i mo'i siomi.'

Chymerodd o ddim sylw. O weld nad oedd o ddim yn dechrau arafu, sylweddolodd Nest y gallai fflachio trwy'r pentref a'i chyrchu ymlaen i'r dref heb iddi hi fedru gwneud dim i'w rwystro. Un am ei ffordd ei hun oedd Bryn, ac roedd hynny'n un o'r pethau oedd wedi'i chyfareddu: ei fod o mor feistrolgar ...

Yn ddirybudd, gwyrodd y car yn enbyd ar draws y ffordd. Tynnodd Bryn yn galed ar yr olwyn, a daeth ebychiadau uchel o'r cefn fel y lluchiwyd pawb yn wysg eu hochr. Clywodd Bryn yn rhegi gan wasgu ar y brêc, a hwnnw'n sgrechian; cyrn ceir eraill ar y ffordd yn dwrdio'n ddigofus, ysgytiad arall wrth i'r brêc llaw grensian yn herclyd i'w le. Safodd y car.

Meira oedd y gyntaf i gael ei gwynt yn ôl. 'Be' ddigwyddodd?' galwodd.

Roedd Bryn yn sychu'i dalcen â hances.

'Rhywbeth o'i le ar y *steering*?' mentrodd Nest. Roedd Bryn yn yrrwr penigamp.

'Y ci gebyst!' meddai. 'Rhedeg i ganol y ffordd o rywle ... wel'is i mono fo nes roedd o bron o dan yr olwynion. Tasa 'na gerbyd wedi digwydd dŵad i'n cwarfod, gallai fod wedi achosi damwain erchyll. Y ffordd o 'mlaen i'n glir ... a'r munud nesa' dyna lle'r oedd o!'

'Dwyt ti ddim wedi'i daro fo, beth bynnag,' meddai Meira. 'Dyna beth od: wel'is inna' mono fo – a lle mae o rŵan?'

Hanner-cododd Pete ac edrych o'i gwmpas ar bob llaw. 'Dim hanes ohono fo,' meddai yn ei lais dwfn. Agorodd y drws wrth ei ochr a neidio allan.

'Gwylia'r ceir!' galwodd Meira ar ei ôl.

'Rhaid 'i fod o wedi rhedeg allan o'r lôn 'na ar y chwith,' meddai Bryn mewn tôn fwy normal.

'Dydi o ddim wedi mynd yn'i ôl yr un ffordd,' mynnodd Meira. Roedd tua chanllath o'r lôn gul i'w weld, yn gwbl wag. 'Wel'ist ti ddim i ble'r aeth o?'

'Naddo – dim ond gweld y bwystfil mawr du 'ma yn syth o 'mlaen
– 'i weld o'n sydyn yn erbyn y machlud yn dangos 'i ddannedd â'i
lygaid ar dân. Nest – mi gwel'ist ti o ...'

Bu eiliad o ddistawrwydd. 'Naddo,' meddai Nest yn chwithig.
'Wel'is i ddim.'

Syllodd Bryn arni a'i aeliau duon yn un bar syth. 'Be' ddeud'ist ti?
Wel'ist ti mono fo? Wyt ti'n ddall? Roedd o o flaen dy lygaid di ...
allet ti ddim *peidio* â'i weld o!'

Ysgydwodd Nest ei phen yn fud. Buasai wedi rhoi llawer am allu
ategu'r hyn a ddywedasai Bryn. Ond roedd ei ymddygiad wedi'i
gadael hi'n syfrdan. Yn yr eiliad cyn i'r car wyro mor annisgwyl,
roedd ei golygon hi ar y ffordd am eu bod nhw ar gyrion y pentref, ac
o fewn llathenni i'r arwydd 'Llwybr Cyhoeddus' lle y dymunai gael
ei gollwng o'r car. Gallai dyngu ar ei llw nad oedd dim ar eu ffordd
bryd hynny, nac yn y munud nesa', pan oedd Bryn yn ymdrechu efo'r
llyw a hithau'n llygadrythu trwy'r llen wynt gan drïo dyfalu beth ar y
ddaear oedd yn bod.

Roedd Meira'n eistedd ymlaen â'i phen rhwng y ddau, gan edrych
yn amheus o'r naill i'r llall, a sylweddolodd Nest yn annedwydd y
buasai ambell un yn ei lle yn cefnogi Bryn fel mater o deyrngarwch, a
dweud yr un stori â fo yng ngŵydd eraill, gwir ai peidio.

'Doeddet ti ddim yn edrych,' meddai Bryn yn frathog. Cododd ei
law at ei dalcen a'i thynnu i lawr dros ei lygaid; arwydd o ansicrwydd
oedd mor ddiarth i Bryn nes iddo ddyfnhau anesmwythyd Nest.

Cythrodd Pete yn ôl atynt ar draws y ffordd o'r dde, gan osgoi'r ceir
o'r ddau gyfeiriad. 'Dim i'w weld,' meddai. 'Dim olion ar y ffordd
na'r car, dim yn y ffos nac yn y cae ar yr ochor draw nac yng ngardd
y tŷ ar y chwith hyd y gwela'i.'

'Wel wir, Bryn!' meddai Meira. 'Fuost ti'n gwylio fideos erchyll
neithiwr – neu'n llymeitian yn ddistaw bach ymhlith y *test-tubes*
pnawn 'ma?' Hi oedd yr hynaf o'r tri a'r unig un oedd wedi nabod
Bryn am ddigon o hyd i'w gymryd yn ysgafn.

Trodd Bryn yn ffyrnig arni, a'r haul coch yn taro fflach fel gwreichion o'i lygaid. 'Clyw, mi gwel'is i o ...'i flew o'n sefyll i fyny, a'i ddannedd yn glafoerio. Be' wyddost ti amdano fo? Roeddet ti a Pete yn cysgu, a Nest ... mae Nest â'i phen yn y cymyla' byth a hefyd!'

Newidiodd Meira ei thôn. 'Na, doeddwn i ddim yn cysgu, ond mae'n wir nad oeddwn i na Pete yn medru gweld llawer o'r sêt gefn. A gallai'r haul isel yn ei llygaid fod wedi dallu Nest. Dyna be' ddigwyddodd, siŵr i ti. Ac mi ddychrynodd y ci a saethu i ryw guddfa am 'i fywyd.' O sylwi fod llaw Meira'n gwasgu'i hysgwydd fel petai'n ei rhybuddio, derbyniodd Nest hyn heb brotest, er iddi wybod nad oedd o ddim yn wir. Edrychodd ar Pete, a gweld ei wyneb tywyll yn llonydd ddwys. Iddo fo doedd y digwyddiad od ddim yn destun sbort. Ond allai neb ddisgwyl i fyfyriwr o ganol Affrica ymateb yr un fath â llanc o Brydain.

Roedd Bryn yn ailgychwyn y car. Agorodd Nest y drws yn frysiog a chamu allan. 'Mi hola'i am y ci,' meddai. 'Trugaredd na chafodd o mo'i daro. Diolch yn fawr am y lifft, Bryn. Da bo ...'

Heb roi cyfle iddi orffen canu'n iach i'r tri, roedd Bryn wedi gollwng y brêc. Cyflymodd y car yn ddi-oed a gwibio tua'r pentref ac o'r golwg rownd y tro.

Safodd Nest am funud gan lyncu'i phoer a theimlo dagrau'n llosgi tu cefn i'w llygaid. Roedd y digwyddiad rhyfedd wedi'i chyffroi hi. Y peth casaf o ddim oedd ei bod hi wedi digio Bryn ddwy waith drosodd, a thynnu'n groes er mai ei phrif ddymuniad oedd ei blesio. Roedd o'n meddwl ei bod hi'n dwp ac yn chwithig, a dichon ei fod o'n iawn.

Crynodd dipyn wrth edrych o'i chwmpas: roedd oerni noson o hydref yn dechrau gafael, a'r golau pinc yn newid yn raddol i lesni'r hwyr, wedi'i ddyfnhau gan oleuadau'r ceir a ddeuai'n llif cyson o gyfeiriad y dref. Roedd y ci du wedi diflannu mor ddirgelaidd ag y daethai, ond i ble? I'r coed, efallai, o bobtu i lôn Llaethdy Mawr, achos ar yr ochr draw i'r ffordd doedd 'na fawr o guddfa yn y tir agored gwastad ar fin y traeth. Ond yn ei chalon doedd hi ddim yn credu bod yna gi.

Trodd ei chefn ar y ffordd a dechrau dringo'r llwybr at fwthyn ei modryb. Oedd o'n bosibl ei bod hi wedi'i thwyllo'i hun, a chau'i

llygaid i rywbeth oedd yno mewn difri'? Doedd Bryn mo'r dyn i
'weld pethau'. Roedd o'n wyddonydd disglair, yn dal swydd bwysig
ac yn cael ei ystyried yn ddyn cyfrifol. Byddai'n gwneud sbort am ben
yr hyn a gyfrifai'n ofergoelion o bob math, astroleg a phethau felly. A
pheth arall anghynefin: welodd hi erioed ddim o'r blaen yn tarfu ar ei
hunanhyder; dyna un o'r pethau oedd wedi'i denu hi.

Adroddodd yr hanes wrth ei modryb.

'Yng ngwaelod lôn Llaethdy Mawr, wrth ymyl yr hen gafn?'
gofynnodd Anti Ceri.

'Ie. Mi wyrodd y car i'r dde, fel petai i osgoi rhywbeth oedd wedi
rhedeg o'r lôn, ond ...'

'Mae 'na gi yn fan'no,' meddai Anti Ceri. 'Hynny ydi, mae pobol
yn gweld ci yno o dro i dro.'

'Ci gwyllt yn byw yn y coed?'

'Na, nid ci byw. Mae o'n ymddangos yn sydyn o rywle, a diflannu.
Rwyt ti'n deud mai dim ond Bryn welodd o, ac felly mae hi fel rheol.
Mi wn i am dair gwraig yn dŵad adre o'r capel un nos Sul, ar adeg
machlud haul 'r un fath â heno, a dyma Jini Williams – roeddwn i'n
'i nabod hi'n iawn – yn gweiddi'n sydyn, "O, drychwch ar y ci 'na!"
yn union fel tasa hi'n gweld ci wedi cythru i ganol y ffordd a'r ceir yn
rhuthro mynd a dŵad o'i gwmpas o fel y byddan nhw ar noson braf.
"Lle mae o?" meddai'r ddwy arall, a sbïo heb weld dim. "Welwch
chi mono fo?" meddai Jini'n syn, "y ci mawr du 'na?" A dyna lle'r
oedden nhw'n edrych i bob man a methu'n lân â gwbod i ble'r oedd
o wedi mynd, a Jini Williams – dynas gall, cofia – yn deud, "Dacw
fo", lle nad oedden nhw'n gweld dim.'

'Mae o'n swnio'n debyg,' meddai Nest.

'A Robat Jones y bugail hefyd. Mi ddeudodd wrtha' i 'i hun 'i fod
o wedi'i weld o am fflach, fel mae llun ar y teledu weithiau i'w weld
am eiliad cyn diflannu.'

Doedd eu profiad nhw yn y car ddim yn unigryw, felly. Doedd hi
ddim yn ddall; doedd Bryn ddim yn dechrau colli arno'i hun. Ac eto
aeth ias trwyddi wrth iddi gofio disgrifiad ei chyfaill o'r bwystfil.

'Ydi o'n bosibl,' myfyriodd, 'bod 'na ddamwain wedi digwydd yn

y llecyn yna ... ci wedi'i ladd, ella, neu wedi achosi trychineb efo car?
Gallwn i feddwl 'i bod hi'n gongol go enbyd, yn enwedig cyn iddyn
nhw ledu'r ffordd.'

'Wel do, mi fuo 'na ddamwain,' meddai Anti Ceri'n gyndyn, 'ond
mae hi'n hen stori annifyr – greulon a dweud y gwir. Paid â meddwl
gormod am y peth, Nest bach. Wrth lwc, does neb ddim gwaeth y tro
hwn. Tyrd i gael dy de.'

Er nad oedd fawr o awydd bwyd ar Nest, wedi iddi ddechrau bwyta
mwynhaodd ddanteithion Anti Ceri. Ar ôl tipyn o sgwrsio am y teulu
ac ati, gofynnodd Nest: 'Beth ydi'r stori am y ddamwain, Anti Ceri?'

Petrusodd ei modryb, ond o'r diwedd ochneidiodd a dechrau ar
yr hanes.

'Mi ddigwyddodd y peth ryw ddeng mlynedd ar hugain yn ôl.
Mae dy dad yn cofio amdano fo'n iawn, er 'i fod o wedi gadael y
cartre erbyn hynny, fel finna'; roeddwn i'n nyrsio yn Lerpwl ar y
pryd. Ond mi fu llawer o sôn am yr anffawd, a dwi'n cofio'r bobol
yn iawn. Bernard Harris oedd yn ffarmio Llaethdy Mawr 'r adeg
hynny. Na, doedd o ddim yn ddyn o'r ardal, ond mi roedd 'i wraig o,
Gwladys Owen gynt. Roedd Bernard Harris yn ddyn gonest, sobor,
gweithgar, yn talu'i ffordd yn deg. Ond roedd gynno fo dymer gwyllt,
ac yn 'i wylltineb mi fyddai'n curo'i wraig. Yn yr oes honno doedd
gwragedd ddim yn mynd a gadael 'u gwŷr o achos clustan bach, na
chic o ran hynny, a pha'r un bynnag roedd Gwladys yn driw fel dur
i'w gŵr. Mi fyddai'n cuddio'i chleisia', neu'n hel esgus 'i bod hi wedi
cael damwain yn y tŷ neu'r buarth. Wrth gwrs, roedd y gweision yn
ama', a pherthnasa' agosa' Gwladys, ac mi sylwodd y doctor fod "Mrs.
Harris yn *accident-prone*", ond be' fedrai neb 'i neud? Doedd hi byth yn
cwyno, nac yn cyfadde' bod a wnelo'r gŵr ddim â'r anaf.

'Cofia, ar 'i ora' roedd Bernie Harris yn ddyn dymunol – ffeind,
hael, ac yn eitha' golygus i'r fargen. Pylia' duon roedd o'n gael, a phan
oedd hwylia' drwg arno fo mi âi'n gynddeiriog am ddim.

'Gelli feddwl na fydden nhw byth heb gi yn Llaethdy Mawr. Yn
y cyfnod cyn y trychineb, roedd yno ast o'r enw Nel, oedd yn fwy o
Labrador na dim arall. Rŵan, does gen i fawr i'w ddeud wrth glamp

o gi mawr du, ond maen nhw'n deud bod Labrador wedi'i drin yn
iawn yn ffeind ac yn gall tu hwnt.' (Daeargi oedd Topsi, ei gast hoff ei
hun, a oedd wedi marw ers ychydig wythnosau.) 'Beth bynnag, roedd
Mrs. Harris yn meddwl y byd o'r ast; mi aeth cyn belled â deud wrth
gyfeilles nad oedd gynni hi ddim gwell ffrind na Nel. Un diwrnod
dyma'i gŵr hi'n gwylltio'n gacwn am rywbeth a tharo'i wraig, ac mi
drodd Nel arno fo – chwyrnu a dangos 'i dannedd. Gafaelodd Bernie
ynddi a'i llusgo allan i'r cae, a'i saethu.'

Difarai Nest ei bod hi wedi pwyso ar ei modryb i adrodd hanes mor
annifyr. 'Roedd o'n frwnt efo'i anifeiliaid hefyd,' murmurodd.

'Nac oedd, dyna sy'n rhyfedd, ddim fel rheol. Ond pan fydda'r
cythral yn 'i gorddi, Duw a helpo unrhyw greadur a ddigwyddai
groesi'i lwybr. Wel, dyna oedd dechra'r diwedd i Gwladys Harris.
Mi dorrodd rhywbeth yn'i hi. Chododd hi mo'i phen ar ôl colli Nel.
Mi fu farw ymhen rhyw flwyddyn ... O, o achosion naturiol, doedd
dim amheuaeth am hynny. A chredi di mo hyn, ond fuo'r un gŵr
gweddw erioed yn fwy torcalonnus na Bernie Harris. Roedd o'n
hiraethu'n ofnadwy, a Gwladys druan yn angel iddo fo bellach. Felly
buo fo am ddeunaw mis neu fwy.

'Roedd hi'n ganol gaea' pan ddigwyddodd y ddamwain; yn dechra'
rhewi a'r haul yn machlud yn goch ar ddiwedd pnawn. Roedd Edwin
Owen – oedd, roedd o'n perthyn i Gwladys – yn cerdded adre o'i
waith ar hyd ochor y lôn fawr pan welodd o gar glas Bernard Harris
yn dŵad i'w gwarfod o, ac yn agosáu at gongol lôn Llaethdy Mawr.
Roedd 'na dipyn o drafnidiaeth ar y ffordd, pobol yn dŵad adre o'u
gwaith ac yn gyrru'n ofalus am fod cen o rew dros wyneb y lôn. Fel
doth car Bernie i'r fan lle'r oedd o i fod i ddechrau arafu ar gyfer y
tro i'r chwith i fyny'r allt at 'i gartre, mi stopiodd yn ddirybudd â'i
frêcs yn gwichian – mor sydyn fel y bu bron i'r car tu ôl iddo'i daro.
Mi lithrodd yr olwynion ar y rhew, a throsodd â'r car ar ei ochor.
Welodd Edwin erioed beth rhyfeddach, meddai fo: roedd o'n union
fel petai Bernie wedi brêcio'n sydyn i osgoi rhywbeth oedd yn cythru
ar draws y ffordd. Ond doedd 'na ddim byd yno.

'Edwin oedd y cynta' i redeg at y car a thrïo agor y drws i ryddhau

Bernie. Tynnwyd y creadur allan â'i wyneb yn waed i gyd (doedd pobol ddim yn gwisgo *seat-belt* yr adeg hynny). "Yr hen gi," meddai, a llewygu. Fel roedd hi'n digwydd bod, chafodd o mo'i frifo'n ddrwg iawn, ond mi fu farw yn yr ysbyty'r noson honno, o drawiad ar y galon.'

Er fod y stafell yn glyd, teimlai Nest yn oer. Swniai'r ddamwain yn erchyll o debyg i'r hyn a ddigwyddasai gynnau i Bryn. 'Yr hen gi?' meddai.

'Ie, dyna oedd geiriau olaf Bernard Harris. Mi ddoth ato'i hun yn yr ysbyty, ond ddeudodd o ddim gair o'i ben ar ôl hynny. Mi dyngodd Edwin ac un arall o'r dynion a'i tynnodd o allan o'r car 'i fod o wedi siarad yn berffaith glir, ac nad oedd 'na ddim amheuaeth o gwbwl ynghylch y tri gair. Yn y cwest mi fuo 'na beth holi am achosion y ddamwain. Roedd Mr. Harris yn yrrwr profiadol na chafodd o erioed ddamwain hyd y diwrnod hwnnw. Pan ddoth tro Edwin i ddeud 'i hanes, mi holodd y crwner o am y ci, ac mi dystiodd Edwin yn bendant nad oedd dim ci ar gyfyl y llecyn. Cytunodd y llygad-dystion er'ill â fo, a dyma benderfynu mai rhew ar y ffordd, a'r haul isel yn taro ar lygaid y gyrrwr, oedd achos y ddamwain, ac mai trawiad ar y galon, heb sicrwydd ei fod o wedi codi o'r ysgytiad, a laddodd Mr. Harris. Ond dyma iti beth od na ddoth o ddim allan yn y cwest. Pan chwiliodd y polîs y car i ddarganfod achos y trychineb, dyma ffeindio bod y brêcs a'r teiars a phob dim mewn cyflwr da, ond bod olion ewinedd ar y drws agosaf at y gyrrwr, fel petai rhyw fwystfil, tebyg i gi mawr, wedi'i grafu o'n ffyrnig â'i grafangau.'

Crynodd Nest wrth deimlo ias yn mynd trwyddi. 'Stori frawychus.'

'Cofia, ffarmwr oedd Bernard Harris, yn arfer mynd i farchnadoedd ac i blith anifeiliaid. Gallai fod 'na eglurhad digon syml a diniwed o'r olion ... rhyw gi afreolus yn neidio ar y drws mewn sioe neu rywbeth felly. Gan fod y prif ffeithia' yn eitha' amlwg, wnaeth neb ymholiada' ynghylch y crafu. 'R un modd efo'r geiria' 'na, "Yr hen gi". Mi fydda' i'n meddwl weithia' bod lladd Nel wedi pwyso'n drwm ar 'i gydwybod o. Ar wahân i effaith y weithred ar 'i wraig, roedd o'i hunan yn hoff o'r ast! Pan oedd hwyl dda arno, mi fydda'n rhoi

mwytha' iddi a'i galw'n "hen gariad" a phetha' felly. Peth garw ydi'r
gwylltineb 'na mewn dyn yn rhyddhau anian dreisiol gia'dd yn'o fo.'

Pendronodd Nest am funud neu ddau. Roedd digwyddiadau'r
noson wedi cynhyrfu cymaint arni â phetai hi ei hun wedi gweld y
bwystfil mawr du yn codi'n sydyn yn erbyn yr awyr goch, â'i lygaid
tân a'i dannedd miniog yn glafoerio. 'Ar ôl hyn y dechreuodd y bobol
er'ill weld y ci du?' gofynnodd.

'Y tair gwraig a Robat Jones? Ie. Mi fuo 'na ddamwain arall yn yr
un llecyn, ond chlyw'is i ddim sôn am y ci'r tro hwnnw.'

'Rhaid imi ddeud wrth Bryn, a'r ddau arall.'

'Rwyt ti'n dipyn o frindia' efo'r Bryn 'ma.'

Gwridodd Nest. 'Wel ydw. Mae o'n ddyn pwysig, ychi,
gwyddonydd disglair, arbenigwr yn 'i faes. Mae o wedi gwneud
llawer i ddatblygu'r Ganolfan yn barod; mae rhai pobol yn deud mai
fo fydd y pennaeth nesa'.'

'Mae o'n hŷn o lawer na chdi felly?'

'Dim ond deuddeg ar hugain ydi o.'

'Tipyn o wahaniaeth yn ych oed chi ... pedair blynedd ar ddeg.'

'Ond mae o'n fwy diddorol o lawer na bechgyn ifanc. Fydda'i
ddim yn teimlo wrth sgwrsio efo Bryn 'i fod o'n llawer hŷn na mi.
Ond peidiwch â phoeni, Anti Ceri; dydan ni ddim yn gariadon na
dim felly.'

'O, dydw'i ddim yn *poeni*,' meddai'i modryb.

Na, meddyliodd Nest, fi sy'n poeni. Ac eto, dwi'n gwybod y gall
Bryn fod yn un o'r dynion mwya' dymunol ar wyneb daear. Ar 'i
ora', meddai atsain cas: pan fydd hwyl dda arno fo.

'A beth oedd barn y ddau ifanc yn y sedd gefn?' gofynnodd Anti
Ceri.

'Wydden nhw ddim beth i'w feddwl. Dydi Meira ddim yn ifanc
wir, ychi; mae hi'n wraig briod at yr un oed â Bryn ac yn aelod
parhaol o'r staff, nid stiwdant yn gweithio yn y Ganolfan am 'chydig o
oriau bob wythnos dros dro fel Pete a fi. Roedd hi'n tynnu coes Bryn
i ddechra', ond mi dawodd pan welodd hi 'i fod o o ddifri'.'

'A Pete ... yr hogyn o Affrica?'

'Wn i ddim yn iawn be' oedd Pete yn 'i feddwl. Mi aeth yn ddistaw ... o gwrteisi at Bryn, ella. Mi ddeuda'i hanes y lleill 'ma'n gweld y ci du wrth Meira a Pete 'fory, a gweld be' fydd gynnyn nhw i'w ddeud am hynny.'

'Mae gennym ninnau straeon am ysbrydion ar ffurf anifeiliaid duon,' meddai Pete drannoeth. 'Mi glywais am un yn dod yn ôl fel panther du i aflonyddu ar ddyn oedd wedi gwneud cam â fo.'

'Rwyt ti'n deud "ysbrydion *ar ffurf* anifeiliad". Ysbrydion *dynol* ydyn nhw?'

Petrusodd Pete am eiliad cyn ateb. 'Ie.' Hwyrach, fel Cristion honedig a gwyddonydd, ei fod o'n gyndyn i gydnabod coel mor gyntefig.

'Ac ydi pobol ddieuog yn 'u gweld nhw?'

'Ydyn, ac yn gweld olion eu crafangau ar ddrws y tŷ yn y bore.'

'Ie, mae hynna'n ddiddorol,' meddai Meira. 'Wyt ti wedi deud wrth Bryn?'

'Naddo ... heb gael cyfle eto.' Doedd Nest ddim yn siŵr iawn sut i gyflwyno'r mân dameidiau o brofiad pobl eraill i Bryn. A fyddai o'n gwerthfawrogi cael ei osod yn yr un dosbarth o weledyddion gwledig â Jini Williams a Robat Jones y bugail, heb sôn am Bernard Harris? Tybiai Nest mai gwell fyddai ganddo gredu'i fod wedi gweld bod o gig a gwaed, ac mai dim ond twpdra neu ddiofalwch pawb arall oedd wedi'u rhwystro rhag ei weld hefyd. Byddai'n cyfrif unrhyw farn arall yn sarhad arno'i hun.

'Trin y peth yn ysgafn fyddai ora',' awgrymodd Meira, 'fel jôc fwy neu lai.'

Nodiodd Nest yn ansicr. Roedd yr ychydig funudau yn y car, a stori Bernard Harris a'i wraig, wedi'i chyffroi hi'n ddwfn. Buasai wedi dewis anghofio'r cwbl, ac eto allai hi ddim gwneud hynny am fod miri'r ci du yn bygwth y berthynas rhyngddi hi a Bryn.

'Nest,' meddai Meira'n dawel, 'wyt ti o ddifri' ynghylch Bryn?'

'Wn i ddim.' Ateb gwantan, ond cywir serch hynny; roedd ei theimladau hi'n ddryslyd iawn.

'Mi wyddost fod ganddo fo wraig?'

'Mae hi wedi'i adael o ers blwyddyn ac yn byw efo dyn arall.'

'Nac ydi. Mae hi'n byw efo'i rhieni a'i phlentyn.'

'*Plentyn?*' Doedd Bryn ddim wedi sôn am hwnnw. Yn ddisymwth, difarodd ei bod hi wedi dangos i Meira na wyddai hi ddim amdano.

'Dwi'n gwybod y bydd hyn yn sioc iti, ond mi adawodd y wraig Bryn am 'i fod o'n greulon wrthi hi.'

'*Creulon* ... Bryn? Dydw i ddim yn coelio.' Gallai Bryn fod yn oriog, yn ddiamynedd, tipyn yn grafog hyd yn oed, ond mewn gwirionedd roedd o'n ddyn cynnes, caredig.

'Dwi'n nabod y wraig oedd yn byw drws nesa' iddyn nhw. Roedd hi'n gweld ac yn clywed llawer yn anfwriadol ... clywed yr hogyn bach yn crïo'r ochor draw i'r pared, "O Dadi, paid â taro Mam!"'

'Dydi hynna ddim yn wir,' fflachiodd Nest. 'Tŷ ar ei ben ei hun sydd gan Bryn.'

'Ie, rŵan. Ond hyd at ddeunaw mis yn ôl roedden nhw'n byw mewn tŷ llai, un o bâr, yng ngwaelod y dre. Nest, dydw i ddim isio dy frifo di. A dydw i ddim yn gwadu am funud bod Bryn yn ddyn dawnus, dengar. Mae o'n medru swyno pobol. Ond mae'r anian greulon 'na ynddo fo, er mai dim ond ambell dro mae hi'n dod i'r amlwg. Dwi'n synnu braidd na faset ti dy hun wedi darganfod hynny erbyn hyn.' Yn amlwg, doedd Meira ddim yn cysgu yn ystod y sgwrs fer cyn y digwyddiad y noson cynt.

'Wn i ddim sut y gwyddost ti hyn i gyd.' Oedd o'n bosibl fod Meira'n eiddigeddus ... un ai am ei bod hi'n ffansïo Bryn ei hun, er gwaetha' pob ymddangosiad o briodas ddedwydd, neu am ei bod hi'n genfigennus o'i lwyddiant proffesiynol? Ac eto, doedd hi ddim yn hawdd cysylltu twmplen gyffyrddus braf fel Meira â chymhellion tywyll fel yna. Doedd hi erioed wedi dangos malais tuag at neb yng nghlyw Nest o'r blaen.

'Rydw i'n nabod Bryn ers dyddia' coleg. Roeddwn i a'i wraig yn ffrindia' penna' pan oedden ni'n stiwdants.'

'Sut un ydi hi?' Allai hi ddim peidio â gofyn.

'Glenys? Mae hi'n debyg iawn i ti. Eitha' tebyg o ran pryd a gwedd ... O, roedd hi'n eneth dlos yn nyddia' coleg.' Allai Nest ddim diystyru'r hiraeth a'r tosturi yn llais Meira wrth iddi ddweud hyn. 'Ac rydach chi'n debyg o ran natur.'

'Sut felly?' Ond roedd arni ofn yr ateb.

Edrychodd Meira'n drist arni cyn dweud yn ddistaw:

'Rydach chi'n hawdd eich brifo.'

'Isio pàs adre, Nest?'

'Diolch yn fawr, Bryn, ond ...'

'Ond be', a hitha'n noson mor fudr? Neidia i mewn.'

Ufuddhaodd Nest â theimladau pur gymysglyd. Buasai wedi croesawu cwmni Meira neu Pete heno, ond roedd y ddau wedi hen ddiflannu am eu cartrefi.

'Rwyt ti'n hwyrach nag arfer,' meddai Bryn wrth gychwyn y car.

Roedd hi wedi oedi yn y lab am hanner awr ddiwedd y pnawn i roi cyfle i Bryn fynd adre o'i blaen hi. Doedd hi ddim yn barod am sgwrs breifat â fo. Teimlai'r hen wefr wrth fod mor agos ato, y cyffro o bleser yn gymysg â phoen ... ond nid yr un cyffro llesmeiriol ag a deimlasai ar gychwyn y daith y noson cynt. Mwmiodd rywbeth am ddod o hyd i ffwng anghynefin ar blanhigyn yn un o'r tai gwydr, a chael trafferth i'w adnabod ar gyfer ei chofnodion. Roedd hynny'n wir fwy neu lai, ond doedd Bryn ddim i'w weld yn gwrando'n astud iawn ar fanylion ei heglurhad.

'Beth bynnag,' meddai, 'dydi hi ddim yn noson Anti Ceri. Thâl yr esgus yna ddim heno.'

'Nid esgus oedd o, Bryn. Rhywbeth wedi'i drefnu ymlaen llaw oedd o, na fedrwn i mo'i newid ar y munud dwytha'.'

'Rydan ni wedi bod dros y tir yna'n barod.'

Doedd hyn ddim yn gychwyn addawol i'r siwrnai, a doedd yr amser ddim yn hollol ffafriol i godi pwnc y ci. Ond roedd y distawrwydd yn chwithig hefyd, heb ddim i'w glywed ond curiad cyson y sychwr, sŵn yr injan yn canu grwndi wrth symud trwy'r cyfnos, a dŵr glaw yn tasgu o dan y teiars. Roedd ganddyn nhw chwe milltir o daith o'u blaen – ei chyfle olaf, efallai, i glirio'r awyr. O gofio cyngor Meira, ceisiodd Nest siarad yn ysgafn:

'Y ci du 'ma welsoch chi, Bryn: mae 'na sawl un wedi gweld rhywbeth tebyg yn y llecyn yna, yn ôl Anti Ceri, ac mae 'na o leiaf un ddamwain wedi digwydd am fod y gyrrwr wedi trïo'i osgoi o.'

Ddywedodd Bryn ddim, na thynnu'i olygon oddi ar y ffordd; parhâi'r glaw i syrthio ar osgo yng ngolau'r lampau mawr. Adroddodd Nest grynhoad brysiog o sgwrs Anti Ceri, ac eithrio hanes creulondeb Bernard Harris tuag at ei wraig; roedd y pwnc hwnnw'n rhy beryg. Haws dweud ei fod o wedi saethu'i ast hoff mewn ffit o wylltineb.

Ar y diwedd gofynnodd Bryn: 'Dweud wyt ti fy mod i wedi gweld bwgan?'

'Wel, dyna un enw arno fo, mae'n debyg.' Ond rywsut doedd Anti Ceri na neb arall wedi defnyddio'r gair, chwaith.

'Mi wyddost fod y rhan hon o Wynedd yn llawn o chwedlau anhygoel am gŵn mawr duon?'

'Felly roedd 'y nhad yn deud neithiwr, neu doeddwn i 'rioed wedi sylweddoli ...'

'Ci o gig a gwaed wel'is i, â'm llygaid fy hun, nid bwgan wedi codi o chwedloniaeth hen wragedd Capel Hywyn.'

Daliodd Nest ei thafod, a nesaodd y car at y pentre. Yn ddirybudd, trodd Bryn i'r chwith i fyny lôn gul goediog, rhyw hanner milltir cyn cyrraedd lôn Llaethdy Mawr.

'I ble 'dach chi'n mynd, Bryn? Ellwch chi ddim mynd yn ôl i'r briffordd ond i lawr allt Llaethdy Mawr ... Pam ydach chi ... ?'

'Pam?' gwatwarodd Bryn hi. 'Clywch yr hogan bach ddibrofiad. Mae hi'n dawel yma, on'd ydi, ac yn dywyll braf? O Nest, dwyt ti ddim mor ddiniwed â hynna!'

Ddim mor ddiniwed ag yr oeddwn i neithiwr, meddyliodd Nest. Er hynny, doedd hi ddim wedi disgwyl hyn. Yn sydyn, roedd sŵn yr olwynion yn rhuthro trwy byllau dŵr a phentyrrau o ddail crin, y glaw yn hysian i lawr a dawnsio'n ddafnau gloyw ar y llen wynt, y coed gwlybion yn y golau a'r düwch y tu draw iddo, i gyd yn troi'n hunllef iddi. Yn reddfol bron, tra oedd Bryn yn arafu'r car, yn tynnu ar y brêc llaw a throi'r injan i ffwrdd, roedd ei llaw chwith wedi estyn am y drws, a'i agor yn ddistaw bach. Trodd Bryn, a'i thynnu ato.

'Na,' meddai'n bendant. 'Plîs, Bryn.'

Chymerodd o ddim sylw. Roedd Meira'n dweud y gwir, meddyliodd; *mae* o'n greulon. Roedd rhan ohoni'n dal i ymateb er ei gwaethaf, ond roedd ofn yn gryfach.

'Be' sy'n bod arnat ti?' gofynnodd Bryn, wrth ei theimlo hi'n gwingo oddi wrtho. 'Roeddet ti'n ddigon parod o'r blaen!'

Llosgai ei gruddiau. 'Roeddet tithau'n wahanol bryd hynny.'

Llaciodd ei afael ynddi am eiliad, a cheisiodd hithau ei rhyddhau ei hun a neidio yn wysg ei hochr o'r car. Methodd, gan dynnu sylw Bryn am y tro cyntaf at y drws agored.

'Dos 'ta, y bits!' meddai trwy'i ddannedd. 'Dos allan o 'nghar i!'

Roedd y gwth yn un galed. Lluchiwyd hi allan i ganol y chwyn a'r dail crin ar ymyl y ffos. Cyn iddi gael ei gwynt a chodi ar ei gliniau, roedd o wedi ailgychwyn y car. Rhuodd yr injan. Gwrandawodd Nest ar y sŵn yn cilio. Safodd yn boenus gan bwyso ar foncyff coeden, a gweld y golau coch yn troi'r gongl am yr hen ffordd, a diflannu.

Bryn, meddai wrth y tywyllwch gofidus ynddi'i hun, Bryn. Allai hi wneud dim am funud ond igian crïo yn ei hadfyd, â'i dwylo briwedig dros ei hwyneb. Toc, daeth ati'i hun ddigon i wybod ei bod hi'n crynu trwyddi, ac yn wlyb diferol. Roedd ei bag wedi syrthio oddi ar ei hysgwydd yn y godwm, ond daeth o hyd iddo a doedd o ddim gwaeth. Erbyn hyn, er ei bod hi'n boenau i gyd i lawr ei hochr chwith, roedd hi wedi dod dros yr ysgytiad cyntaf. Edrychodd o'i chwmpas.

Doedd hi ddim yn hollol dywyll eto, ond roedd gwyll prudd noson o hydref yn cau am y wlad. Er fod gwreiddiau Nest yng Nghapel Hywyn, doedd hi ddim wedi byw yno ers ei babandod, a doedd hi ddim yn gynefin â phob cwr o'r plwyf. Ond gwyddai nad oedd hi'n bell o gartref ei modryb. Petai hi'n dilyn y lôn at yr hen ffordd, fe âi honno â hi i ben uchaf lôn Llaethdy Mawr, lle'r agorai llwybr at dŷ Anti Ceri. Fel y buasai Bryn wedi dweud: dim problem.

Gresyn iddo gofio'r ymadrodd, gan ei fod yn dwyn atgofion anghysurus. Dechreuodd gerdded, gan blygu'i phen at y glaw. Roedd hi'n nosi'n gyflym, a byddai'n rhaid iddi frysio i gyrraedd bwthyn ei modryb cyn i'r tywyllwch gau amdani. Dylai gyfri' ei bendithion wrth fynd, achos roedd hi wedi cael dihangfa ryfeddol wedi'r cwbl.

Ond wrth iddi ddringo'r lôn anial, roedd ei chalon yn drom Doedd dim tŷ yn agos, dim ond Llaethdy Mawr, rywle yn y caeau ar y dde. Ar y chwith iddi, cwynai'r coed yn ddistaw, yn lleng o gysgodion anesmwyth. Cyn bo hir cyrhaeddodd yr hen ffordd a theimlo agosrwydd y bryniau'n pwyso arni o'r chwith, ond roedd hon yn lôn fwy agored. Daeth car o'r cyfeiriad arall a chodi'i hysbryd â'i oleuadau am funud, ond wedi iddo fynd heibio, caeodd y gwyll amdani'n fwy trymllyd nag o'r blaen.

Roedd hi bron â chyrraedd lôn Llaethdy Mawr. Arafodd ei cherddediad. Meddyliodd am yr hen goed uchel o gylch y lle, am y llwybr unig ger eu godre yn arwain at fwthyn Anti Ceri, am ast yn cael ei llusgo i'r cae i farw, am bawennau duon yn crafangu drws. Daeth ofn cyntefig drosti, fel na fedrai symud cam ymlaen.

Wrth iddi sefyll yn ddiymadferth yn y glaw, clywodd siffrwd o'r tu draw i'r wal ar y dde. Trodd, a chanfod ffurf dywyll anifail yn neidio drosti. Glaniodd â thwrf bwystfil go drwm, a rhedeg yn syth amdani. Ci mawr du oedd o; gallai weld sglein ei gôt a'i ddau lygad. Fferrodd Nest, wedi dychryn gormod i ffoi na gweiddi. Caeodd ei llygaid. Y munud nesaf, bu bron iddi ddisgyn.

Roedd tafod cynnes yn llyfu'i llaw. Dechreuodd ei gwaed ail-lifo'n rhydd, ac ymlaciodd ei chorff trwyddo. Swniai anadlu byrwyntog y ci bron fel chwerthin isel; ac roedd o'n amlwg yn ysgwyd ei gynffon yn frwdfrydig, gan wasgaru dafnau o leithder i bob cyfeiriad.

'O 'nghariad i,' ebychodd Nest mewn llais anwastad, 'roeddwn i'n meddwl mai bwgan oeddet ti!'

Sbonciodd y ci a rhoi tro chwareus yn ei unfan, ond wnaeth o ddim ymdrech i neidio i fyny arni – wrth lwc; roedd o'n ddigon o faint i'w lluchio ar ei hyd. Roedd o'n ei chroesawu fel hen ffrind. Allai hi mo'i weld yn iawn yn y tywyllwch, ond anwesodd o a theimlo'i gôt yn wlyb domen fel hithau.

Nadodd y ci'n dawel, sŵn bach eiddgar, cyffrous. Yn amlwg roedd o'n un o'r cŵn deallus hynny sy'n ceisio cynnal sgwrs â'u cyfeillion dynol, ac yn medru cyfleu eu hystyr yn bur dda. Roedd o'n trïo mynegi cyfarchiad tebyg i 'Croeso! Dilynwch fi', achos fe redodd ychydig gamau o flaen Nest, ac wedyn yn ôl ati a tharo'i drwyn oer yn ei llaw. 'Dwi'n dŵad, 'y ngwas i,' meddai, a mynd ymlaen i gyfeiriad pen allt Llaethdy Mawr.

Arweiniodd y ci hi yn y modd hwn, gan redeg ychydig o'i blaen hi ac yna dod yn ôl amdani, at ben y lôn goediog, dywyll. Edrychodd Nest ar ei chysgodion trymllyd heb ddim o'r arswyd a deimlasai ychydig funudau yn ôl. Sylweddolodd yn sydyn y gallai Bryn fod yn iawn wedi'r cwbl wrth honni mai ci o gig a gwaed a welsai.

Cwynodd ei chydymaith yn isel, cystal â dweud, 'Tyrd yn dy flaen!' a'i thywys hi ychydig lathenni i lawr yr allt at lidiart yn agor ar y llwybr a arweiniai at dŷ ei modryb. Aeth y ci o'i blaen yn hyderus, a'i draed cyflym i'w clywed yn chwalu dail crin ac weithiau'n sblasio trwy fân byllau o law. Heb ei gwmpeini, gwyddai Nest na fuasai hi byth wedi cael digon o blwc i fentro drwy'r tywyllwch ar odre'r goedwig; roedd o fel y fagddu, a'r breichiau anweledig yn diferu glaw a dail marw. Gwyddai'r ci fod arni ofn; swniai'i nadau bach o'n galonogol, ac unwaith daeth ati a phwyso'i ysgwydd gadarn yn erbyn ei chlun. Anwesodd hithau'i ben a theimlo'i esgyrn nobl.

Toc gadawodd y llwybr gysgod y coed a thorri ar draws tir agored. Roedd o'n dechrau tyfu'n wyllt, ac yn amhosibl i'w weld yn y nos, a buasai Nest wedi hen golli ei ffordd heb arweiniad di-feth y ci. Gallai ei dychmygu ei hun yn crwydro'r tir garw ac yn cael ei dal gan ddrain a thwmpathau eithin a rhedyn. Ond roedd synnwyr a chydymdeimlad y ci yn rhyfeddol; rhaid ei fod o'n arweingi profiadol.

'Mi wn i lle'r ydan ni rŵan, 'y ngwas i,' meddai'n llawen. 'Dacw olau tŷ Anti Ceri!'

Atebodd y ci'n siriol yn ei iaith ei hun, a dyma'r ddau'n trotian yn falch i gyfeiriad y golau. Y ci oedd y cyntaf i gyrraedd y drws cefn. Roedd golau yn y gegin a hefyd yn y parlwr ffrynt. Trodd Nest y dwrn a chanfod nad oedd y drws ar glo.

'Tyrd i mewn, 'y nghariad triw i!' meddai. Roedd syniad wedi'i tharo: os ci crwydr oedd hwn, gallai gymryd lle Topsi a gwneud ei gartref gyda'i modryb.

Petrusodd y ci am funud, fel petai'n rhy swil i groesi'r rhiniog. Yn y golau o'r gegin, gwelodd Nest mai gast oedd ei chydymaith, yn denau a lleidiog, ond addfwyn ei gwedd. Byddai Anti Ceri yn anghofio'i rhagfarn yn erbyn cŵn mawr duon pan welai hi hon. O'r diwedd mentrodd i mewn, a chaeodd Nest y drws.

Roedd y gegin yn wag, ond yn llawn o oglau stiw da, ac yn ôl pob golwg roedd Anti Ceri wedi cael ei galw trwodd gan ymwelydd neu'r ffôn pan oedd hi ar ganol darparu pryd. Croesodd yr ast y llawr, gan adael olion traed budron ar y teils gloyw, a swatio i lawr o dan y bwrdd. Mae arni ofn y tŷ diarth, meddyliodd Nest. Ond mae hi'n gall ac yn gwrtais yma hefyd. Plygodd i lawr ati a dweud: 'Mi gei di dama'd a llyma'd mewn munud.'

Aeth Nest at ddrws y neuadd fach a galw ar ei modryb, rhag ei dychryn: 'Anti Ceri! Nest sy 'ma!'

Clywodd furmur llais ei modryb a thincial y ffôn wrth i'r derbynnydd gael ei roi yn ei le. Daeth Anti Ceri o'r parlwr a sgrechian wrth weld ei chyflwr: 'Nest ... 'y ngeneth bach i! Be' ddigwyddodd iti? Mae golwg truenus arnat ti!'

'Peidiwch â phoeni, Anti Ceri. Dwi'n iawn. Mi ges i hen brofiad go gas, ond dydw i ddim gwaeth. Mi ddois i ar draws cyfeilles ffeind dros ben, ac mae hi yn y gegin rŵan. Ddowch chi i'w gweld hi?'

'Wel, debyg iawn.' Agorodd ei modryb ddrws y gegin a dweud yn syn: 'Does 'na neb yma.'

Chwarddodd Nest. 'Gast ydi hi. Mae hi o dan y bwrdd. Mae arna'i ofn ein bod ni wedi baeddu'ch llawr glân chi.'

Cododd ei modryb y lliain bwrdd ac edrych oddi tano. Meddai mewn tôn od: 'Dydi hi ddim yma rŵan.'

'Rhaid 'i bod hi wedi rhedeg trwodd i'r neuadd ... ac i fyny'r grisia' ella, pan oeddwn i'n gweiddi arnoch chi.'

'Nac ydi. Edrych.' Pwyntiodd Anti Ceri at yr un rhes o olion pawennau mawr yn arwain at y bwrdd, ac yn peidio yno. I bob cyfeiriad arall, ymestynnai'r teils glas a gwyn yn loyw lân.

Colli'r Ffordd

Irma Chilton

Ar y dydd Sadwrn cyn y Nadolig, aeth Bet a Gwyn i'r dre. Roedd Gwyn yn ddigon hen i yrru'r car. Roedden nhw am brynu cnau a ffrwythau a melysion.

'Peidiwch ag aros yn hir yn y dre,' rhybuddiodd Mam wrth ffarwelio. 'Mae hi'n addo bwrw eira.'

Addawodd y ddau ddod adre'n gynnar.

Erbyn iddyn nhw gyrraedd pen y rhiw allan o'r pentre roedd y plu gwyn yn dechrau disgyn.

'A ddylen ni droi'n ôl?' gofynnodd Bet yn betrus.

'Na,' atebodd Gwyn. 'Bydd yr eira'n peidio cyn bo hir.'

Ond wnaeth e ddim.

Ymlaen â nhw i'r dre ond erbyn iddyn nhw orffen eu siopa a throi am adre roedd trwch o eira ar y ffordd ac roedd yn dal i ddisgyn.

Gyrrodd Gwyn yn ofalus allan o'r dre a throi trwyn y car at ffordd y bryniau. Disgynnai'r eira'n gyflym iawn. Prin y gallen nhw weld drwy'r sgrîn wynt. Ond ymlaen yr aethon nhw.

Ymhen tri chwarter awr a'r eira'n dal i ddisgyn, 'Wyt ti'n meddwl ein bod ni ar y ffordd iawn?' gofynnodd Bet. 'Fe ddylen ni fod yn dringo'r Sarn erbyn hyn.'

Pwysodd Gwyn ei droed ar y brêc. Arafodd y car ac aros.

'Dydw i ddim yn siŵr,' atebodd. 'Efallai imi fethu'r tro wrth Bont y Glyn a chymryd y ffordd at y rhostir. Fe af i allan i weld.'

Agorodd ddrws y car. Chwythwyd chwa oer i mewn. Crynodd Bet.

'Nid dyma'r ffordd adre,' meddai Gwyn. 'Mae'n rhy gul. Dydw i ddim yn adnabod y lle 'ma. Bydd yn rhaid troi'r car a mynd yn ôl.'

'Fedrwn ni ddim troi yma,' meddai Bet. 'Does dim lle. Bydd yn rhaid inni fynd ymlaen nes dod at fwlch yn y clawdd.'

Yn araf iawn, dechreuodd Gwyn yrru'r car yn ei flaen eto.

Gyda hynny, gwelsant fwthyn yn ymyl y ffordd. Edrychai'n glyd dan ei do gwyn ac roedd mwg yn codi o'r simne.

'Aros,' meddai Bet. 'Gad inni fynd i ofyn i'r bobl yn y bwthyn acw am help.'

Stopiodd Gwyn y car.

'Pwy sydd am fynd i ofyn, ti neu fi?' gofynnodd.

'Fe awn ni'n dau,' atebodd Bet. 'Efallai y cawn ni gynhesu wrth y tân. Dw i bron â rhewi.'

'A minnau hefyd,' meddai Gwyn. 'Dere.'

Roedd yr eira yn cyrraedd bron at eu pen-gliniau wrth iddyn nhw ymlwybro at y drws. Cnociodd Gwyn. Chafodd e ddim ateb. Cnociodd eto. Dim ateb. Cnociodd am y drydedd waith yn drymach nag o'r blaen. Dim ateb.

'Mae'n rhaid bod rhywun gartre,' meddai Bet.

'Gad inni fynd i edrych drwy'r ffenest.'

Drwy'r fenest gallent weld cegin y bwthyn. Roedd tân braf yn llosgi yn y grât. Eisteddai gŵr â phen moel o flaen y tân a'i gefn at y ffenest. Roedd gwraig dal mewn ffrog laes dywyll a brat wen yn gosod y bwrdd.

Tapiodd Bet ar wydr y ffenest. Aeth y wraig ymlaen â'i gwaith fel pe na bai'n clywed dim. Chododd y gŵr mo'i ben.

'Wyt ti'n meddwl eu bod nhw'n fyddar?' holodd Bet.

'Wn i ddim,' atebodd Gwyn. 'Cura eto.'

Curodd Bet yn drwm a chyda hynny, daeth merch ifanc i mewn i'r gegin a llond ei breichiau o gelyn. Trodd at y ffenest. Gollyngodd y celyn a chodi'i breichiau i'r awyr. Estynnodd ei bys tuag atyn nhw ac agor ei cheg fel pe bai hi'n sgrechen mewn braw ond chlywai Bet a Gwyn ddim sŵn.

Rhedodd y gŵr a'r wraig at y ferch a'i harwain yn dyner at y gadair esmwyth o flaen y tân. Chymerodd yr un o'r ddau y sylw lleiaf o Bet a Gwyn yn rhythu ac yn rhynnu wrth y ffenest.

Edrychodd y brawd a'r chwaer ar ei gilydd.

'Gwell inni fynd,' meddai Bet. 'Does dim croeso inni yma.'

'Nac oes,' cytunodd Gwyn. 'Dere.'

Troesant yn ôl at y car. Roedd yr eira wedi peidio â disgyn ac aeth Gwyn ati i lanhau'r ffenest gefn.

'Fe facia' i nes dod at le i droi,' meddai. 'Fydd hynny ddim mor anodd, nawr 'mod i'n gallu gweld yn gliriach drwy'r ffenest.'

Dyna a wnaeth a chyn hir cafodd droi wrth gât cae. Wedi troi fuon nhw fawr o dro cyn cyrraedd trofa Pont y Glyn a chymryd y ffordd am adre.

Cyn bo hir roedden nhw'n cynhesu yn y gegin ac yn adrodd yr hanes wrth Mam. Roedd hi'n synnu.

'Chlywais i erioed am fwthyn ar ffordd y rhostir,' meddai hi. 'Mae'n rhaid ei fod e wedi cael ei godi'n ddiweddar.'

'Doedd dim golwg tŷ newydd arno,' meddai Bet. 'Bwthyn oedd e, nid byngalo.'

'Mae'n ddirgelwch i mi,' meddai Mam a throi'r sgwrs.

Yn ôl yn y bwthyn ar y rhostir, roedd y fam a'r tad yn dal i gysuro'r ferch ar ôl y braw mawr a gafodd hi.

'Fe'u gwelais i nhw, do wir,' llefai hi. 'Fe'u gwelais i nhw'n eglur; dau fwgan mewn dillad od ac eira drostyn nhw'n sefyll y tu allan i'r ffenest ac yn ystumio fel pe baen nhw am ddod i mewn yma i'r gegin aton ni. Fe'u gwelais i nhw, do wir.'

'Twt, twt,' meddai'i mam, 'rwyt ti'n rhy hen i gredu mewn bwganod. Dydi merched ifainc deuddeg oed ddim yn credu mewn bwganod ...'

'Nac ydyn wir,' cytunodd y tad yn bwysig. 'Does neb yn credu mewn bwganod yn y flwyddyn 1890.'

Lleuad yn Ola'

Gwyn Thomas

Trearddwr, tref sylweddol yng Ngwynedd. Y mae'n nos Sadwrn yn nechrau mis Medi, yn wythdegau'r ugeinfed ganrif. Y mae'n hwyr, a'r tafarnau'n cau. Y mae Kevin a Raymond, y ddau'n ugain oed, yn cerdded o'r dref am eu cartrefi, sydd ar ystad dai ar gyffiniau'r dref – taith o filltir a hanner allan. Y mae'n noson leuad lawn.

'Roedd y bastard yna'n lwcus,' meddai Kevin, 'aeth o allan, do. Wy'st ti.'

'Y boi mwstash 'na,' meddai Raymond.

'Ia, hwnnw,' meddai Kevin. ''Sa fo wedi'i chael hi.'

'Tjap 'tebol hefyd. Ar y môr meddai'i fêt o wrtha fi,' meddai Raymond.

''Sa fo yn y môr taswn i wedi mynd allan ar ei ôl o,' meddai Kevin.

'Aeth o allan efo'r hogan na'n do – Deborah,' meddai Raymond. 'Fuost ti efo honno'n do?'

'Ro's i'r gora iddi hi. Rhy blydi ffansi,' meddai Kevin.

'Siâp da.'

'Siâp iawn,' Kevin. 'Eisio newid ei siâp hi o'n i.'

Chwarddodd y ddau.

Daethant at fan lle y mae mynwent, mynwent ar lethr heb fod yn serth, llethr sy'n rhedeg at i lawr o'r ffordd. Y mae hi ar un ochr i gwm. Y mae'r ystad dai, lle y mae Kevin a Raymond yn byw, ar yr ochr arall iddo. Y mae'r ddwy ochor hyn yn wynebu ei gilydd. Yng ngwaelod y cwm y mae afon, bur ddofn mewn mannau. Wrth ddod o'r dref at yr ystad dai, y mae'r ffordd yn mynd heibio i'r fynwent, ac i lawr at bont dros yr afon, ac yna'n codi eto i'r ystad.

''Sgen ti ofn?' gofynnodd Kevin.

'Ofn be?' holodd Raymond.

''Sgen ti ofn mynd i'r fynwant yma?'

'Rŵan!'

'Ia.'

'Rŵan,' meddai Kevin.

'Pam?'

'Jest meddwl.'

'Be sy 'na imi fod ei ofn o?' holodd Raymond.

'Ysbrydion 'de,' meddai Kevin, ac yna gwnaeth sŵn, 'ŷ----ŷ,' ffug-ddychrynllyd.

'Feri ffyni,' oedd sylw Raymond.

'Be amdani 'ta?' gofynnodd Kevin.

'Mynd i fynwant at ysbrydion! Paid â siarad yn wirion.'

'Ofn! Blydi petriffeid,' meddai Kevin.

'Ty'd 'laen 'ta.'

Cychwynnodd Kevin ddringo dros y ffens haearn.

'Does dim rhaid ichdi stryffaglio dros y ffens 'na, a chael sbeic i fyny dy din; mae'r giât yma'n agorad,' meddai Raymond.

Aeth y ddau trwy'r giât; Raymond yn gyntaf. Ar ôl mynd trwodd, gollyngodd y giât a thynnwyd hi'n gaead-glep gan bwysau oedd yn hongian wrth jaen.

'Blydi hel, watjia!' meddai Kevin yn flin. 'Jest iawn i'r giât yma gau ar fy llaw i.'

Cerddodd y ddau am ychydig.

'Wel, be ydi point hyn?' gofynnodd Raymond, gan siarad fymryn yn ddistawach nag arfer, am ryw reswm. 'Dau dwmffat yn cerddad rownd fynwant. 'Sa rhywun yn ein gweld ni 'san nhw'n meddwl ein bod ni'n boncyrs.'

''San nhw ddim ymhell ohoni hi chwaith,' cytunodd Kevin – yntau hefyd yn siarad fymryn yn ddistawach na'i arfer. Daliodd y ddau i gerdded nes iddynt ddod at fedd sylweddol.

'Sbia'n fan'ma,' meddai Kevin. 'Y bedd 'ma. Efo relings rownd o. Carrag fawr yn deud pwy sy 'ma, a llechan 'sa'n gwneud gwaelod da i fwrdd biliards drosto fo.'

'A bloda gwyn, cogio bach, mewn gwydyr crwn,' meddai Raymond.

'Roedd rhywun eisio gwneud yn saff na fasa hwn byth yn shifftio o'ma.'

'Neu hon,' meddai Raymond.

'Be ti'n feddwl?'

'Wel – hwyrach ma "hi" sy yma.'

'Mae hi'n fflat fel blydi brechdan bellach, efo'r holl bwysa 'ma,' meddai Kevin.

'Hei, gad imi weld. CER ... ID ...WEN. Ceridwen: ia Ceridwen rwbath ydi hi. Marw yn 1886, dwi'n meddwl,' meddai Raymond.

Yna dechreuodd Kevin afael yn un o'r pyst carreg oedd yn dal y reilings, a dechrau ceisio'i symud.

'Hei, be 'lly!' ebychodd Raymond.

'Ysgwyd hwn, yli. Mae o'n rhydd,' meddai Kevin, yn stryffaglyd o'i ymdrech.

'Paid â bod yn blydi ffŵl,' meddai Raymond, yn flin.

'Mi ddaw o'ma,' meddai Kevin.

'Hei!'

'Rydw i wedi codi un postyn.'

'Paid.'

'Gad imi.'

'Uffarn dân!'

Gydag ymdrech arbennig cododd Kevin y postyn carreg yr oedd wedi ei ryddhau a'i fwrw ar y llechen fawr oedd dros wyneb y bedd.

'Ti wedi cracio'r llechan fawr 'ma!' meddai Raymond.

'A malu'r gwydyr bloda,' meddai Kevin. Yna, wrth syllu ar y crac yn y llechen, ychwanegodd. 'Mi all Ceridwen ddŵad allan am dro bach rŵan.' Chwarddodd yn dawel.

'Blydi ffŵl!' oedd unig sylw Raymond. Yna ychwanegodd, 'Tyrd o'ma, rhag ofn i'r glas ddŵad.'

Ac aeth y ddau am adref.

Roedd Raymond adref ddau ddiwrnod yn ddiweddarach. Roedd ei fam yn arfer gwylio – neu hanner-wylio – Newyddion Cymru ar y teledydd. Yr oedd llais wrthi'n dweud fod y Prif Weinidog wedi mynd i Bruxelles i drafod dulliau o oresgyn terfysgaeth, ac yn y blaen. Yna daeth y newyddion Cymreig. Soniodd rhywun am alw am addysg ddwyieithog yn Nyfed. Ac yna daeth y geiriau, a hoeliodd sylw Raymond.

'Adroddiadau am fandaliaeth mewn mynwent mewn tref yng Ngogledd Cymru.'

Ar ôl pytiau o gerddoriaeth ac adroddiadau o Bruxelles ac ati, daeth y newyddion yn ôl at y fandaliaeth mewn mynwent. Yr oedd Raymond yn glustiau i gyd. Daeth llun dyn, a daeth llais:

'Noswaith dda i chi. Dros y Sul fe gafwyd adroddiadau am fandaliaeth mewn mynwent yn Nhrearddwr, yng Ngogledd Cymru. Dyma adroddiad ein gohebydd, Siân Vaughan Hughes.'

Safai Siân Vaughan Hughes wrth y bedd a ddifrodwyd gan Kevin, ac aeth llygad y camera i lawr a dangos y difrod, cyn codi a rhoi golwg lydan ar yr ardal, ac yna ddychwelyd at y gohebydd.

'Dywed trigolion Trearddwr eu bod wedi hen arfer â fandaliaeth yn y dref, ond y mae'r broblem wedi gwaethygu, medden nhw, yn ystod y flwyddyn ddiwetha. Mae yna graffiti ar waliau adeiladau cyhoeddus, a chynnwys buniau sbwriel yn cael ei daflu ar hyd y ffyrdd. Hyd yma dydi'r awdurdodau ddim wedi llwyddo i ddal y drwgweithedwyr. Anwen Williams fu'n dweud rhagor wrtha i am gwynion y bobol leol.'

Sefydlodd y camera ei lygad ar Anwen Williams.

'Wel, y llafna 'ma 'te, yn taflu nialwch hyd bob man yn oria mân y bora, wedi meddwi ac yn creu helynt, a neb yn eu dal nhw. Eisio'u chwipio nhw'n iawn sydd. 'Sa hynny'n eu setlo nhw. Cael pethau'n rhy hawdd y maen nhw.'

Dychwelodd y camera at Siân Vaughan Hughes:

'Yma, nos Sadwrn, fe wnaed difrod i fedd ym mynwent yr eglwys leol. Cafodd y gadwyn o gwmpas y bedd ei malu a dinistriwyd llechen ar y bedd ei hun. Y mae rhai'n credu mai dilynwyr rhyw gwlt dieflig sy'n gyfrifol. Dyma'r ficer lleol, y Parchedig Dafydd Evans.'

Symudodd y camera ar ŵr cadarn, gyda wyneb cryf, a pheniad o wallt llwydaidd cryf, gŵr a oedd tua thrigain oed.

'Mae malu bedd fel hyn yn halogiad bwriadol, achos nid malu llechen yn unig a wnaed, ond dryllio llun y groes ar y llechen hefyd. Ond nid dyna'i diwedd hi, oherwydd yr oedd y groes yna wedi ei rhoi ar y llechen yn hollol fwriadol yn y lle cyntaf.'

'Pam hynny?' holodd Siân Vaughan Hughes.

'Wel, roedd yna ryw goelion go ryfedd ynglŷn â'r wraig a gladdwyd yn y bedd yma, Ceridwen Ellis. Roedd pobol yn meddwl ei bod hi'n rhyw fath o wrach – witj 'te. Lol botes, wrth gwrs, ond dyna'r gred. Ac y mae yna sôn am bobol yn cyfrannu at gael y llechen yma ar ei bedd hi.'

'Cyfrannu ym mha ffordd, felly?'

'Fe wnaed casgliad i gael y llechen yma a'i gosod hi ar y bedd.'

'Gawson nhw sêl bendith y teulu i wneud hynny?'

'Wel, doedd yna fawr o deulu ... Rhyw fodryb yn rhywle yn Lloegr, ac yr oedd honno'n reit falch o gael gwared o'r cyfrifoldeb o wneud dim â'r bedd – nac â'i nith.'

'Ai awgrymu'r ydych chi fod yna ryw ystyr arbennig i'r difrod yma?' holodd Siân Vaughan Hughes.

'Wel ... y ... mae'n amlwg i mi fod yna ryw bobol – gyfeiliornus – yn gwybod am y Ceridwen yma, a'u bod nhw'n fwriadol wedi malu'r bedd fel arwydd o'u credoau paganaidd nhw eu hunain.'

Yna aeth y newyddion yn ei flaen, a darfu diddordeb Raymond yn yr hyn a ddywedid.

Yr oedd Kevin a Raymond allan yn eu tafarn leol yn fuan wedyn.

'Welaist ti, ar y teli Cymraeg ac yn y papur am ddim hefyd, am y bedd 'na?' holodd Raymond.

'Fod yna ryw witj wedi'i chladdu yno. Blydi rybish!' oedd sylw Kevin.

'A bod y garrag yna dorraist ti i fod i'w chadw hi i mewn.'

'Hy!' ebychodd Kevin.

''Swn i'n cadw golwg ar y fynwant yna 'swn i'n chdi,' meddai Raymond yn gellweirus.

'Dyna'r peth ola fydda i'n ei neud cyn clwydo bob nos a chau'r cyrtans ydi sbio drosodd o'r llofft ar y fynwant!' Ar ôl saib, ychwanegodd. 'Chlywais i erioed y fath rwtj.'

'Mae'r ficar yn deud dy fod ti'n treio codi ryw betha pagan – peth peryglus iawn medda fo.'

'Ia, wel dyna iti ddangos gymaint o lembo ydi hwnnw. Ti'n dallt rŵan pam mae'i eglwys o mor wag.'

Hunllef Kevin. Y mae hi'n noson loergan leuad. Y mae Kevin yn rhedeg i lawr o'i dŷ at yr afon. Yng ngwaelod yr allt, yn lle mynd dros y bont sydd yno, y mae'n troi oddi ar y ffordd ac yn dal i redeg, ar hyd y darn o dir glas sydd yno, at yr afon. Y mae'n methu stopio ac yn ei gael ei hun ynghanol yr afon mewn pwll. Y mae rhywbeth yn ei dynnu, ei dynnu i'r dŵr du. Yna, yn sydyn, y mae ar y lan yr ochor arall i'r afon ac yn dringo'r llethr yn brysur tua'r fynwent. Y mae'n sefyll wrth fedd, sef y bedd a ddinistriodd. Edrycha i lawr ar y llechen fawr a falodd. Yn araf, araf y mae darnau'r llechen yn dechrau gwahanu, gwahanu. Nofia wyneb gwyn, gwyn, hen iawn, a llygaid llym gwaedlyd ynddo i fyny'n araf o'r bedd, trwy'r crac yn y llechen, a oedd wedi lledu, lledu.

Deffrodd Kevin, 'Uffern dân!' meddai.

Yna y mae'n mynd at ffenest ei lofft, ac yn agor y llenni. Y mae hi, fel yn ei hunllef, yn noson loergan leuad, a'r cwm i gyd yn llawn o oleuni gwelw y lloer.

'Breuddwyd!' meddai Kevin.

Y mae'r fynwent ar y bryn gyferbyn – beddau duon, distaw, llonydd. Symudiad. 'Oes 'na rwbath yn symud?' meddyliodd Kevin. Rhywbeth du yn symud ymysg y beddau. 'Na!' protestiodd Kevin yn uchel, 'Dim byd.' Ond dacw fo eto, rhyw ffurf, rhyw ffigwr tywyll yn symud yn ei gwman ymysg y beddau. Y mae'n dod at y bedd a ddifrodwyd, ac aros yno. Yna, yn araf, y mae'n graddol sythu. Y mae'n ffigwr ac iddo siâp dynol, neu debyg i ddynol; ac y mae amdano, hyd y gallai Kevin weld, ddilladau llaes, llac, du. Y mae'n sefyll ar y bedd ac yn sythu i'w lawn faint, ac yn troi fel petai i wynebu Kevin. Yna y mae'n codi un fraich, yn araf, araf, a'i hestyn allan ac, fel y credai Kevin, yn ei chyfeirio ato fo. Yn glir iawn, clywodd Kevin lais fel pe bai wedi ei lusgo o grombil rhywbeth, yn floesg a dirdynnol, ond yn eglur yn dweud, yn araf, ei enw: 'Kev-in.' Caeodd Kevin ei lygaid, ac yna eu hagor wedyn, a syllu; ond doedd dim byd i'w weld yn y fynwent ond y beddau duon, distaw, llonydd dan olau gwelw y lloer.

Y mae'n 'noson allan' i Kevin a Raymond yn eu tafarn leol. Fel arfer, y mae'r lle yn swnllyd ac yn llon.

'Tyrd 'laen, 'chan; ti fel cnebrwn,' meddai Raymond. 'Yli, yfa hwn'na.' Cyfeiria Raymond at y gwydyr sydd ar y bwrdd o flaen Kevin. 'Yfa hwn'na ac mi a' i i nôl un arall ichdi.'

'Ddim i mi,' meddai Kevin, yn bendant.

'O, be sy? Rwyt ti fel'ma ers dyddia rŵan. Wyt ti'n sâl ne rwbath?'

'Be ti'n feddwl?'

'Wel, dwyt ti ddim yn chdi dy hun,' meddai Raymond.

'Mae pawb fel'ma weithia, siŵr iawn,' meddai Kevin.

'Wêl, os ti'n deud. Ond 'swn i'n chdi, 'swn i'n mynd i weld doctor.'

'Blydi cwac.'

Cododd Kevin ac ymlwybro at y drws, gan adael Raymond yn sbio ar ei ôl o'n hurt.

Y mae Kevin a Raymond yn cerdded am adref, yn hwyr, yn ôl eu harfer. Y mae hi'n ddechrau mis Hydref, ac yn noson leuad lawn. Y maen nhw'n awr yn mynd heibio'r fynwent.

'Ffansi tro bach rownd fan'ma eto?' gofynnodd Raymond yn chwareus.

'Paid â bod yn wirion.'

'Hm. Ofn?'

'Ofn be?'

'Ysbrydion 'de,' meddai Raymond, a dechrau gwneud sŵn chwerthin ffilmiau arswyd.

'Paid â bod yn gymaint o blydi ffŵl, wnei di.'

'OK, OK – dim ond jôc bach, 'chan,' meddai Raymond. 'Keep your hair on.'

Edrychodd ar ei ffrind, a newidiodd ei dôn yn syth wrth weld yr olwg ar ei wyneb.

'Fan'cw,' meddai Kevin.

'Yn lle?'

'Wrth y bedd hwnnw.'

'Be? Hwnnw wnest ti ei falu?'

'Rwbath du.'

'Rwbath du! Ti'n gweld petha. Cysgod sy 'na,' meddai Raymond.

'Nace,' meddai Kevin. Ac ar ôl saib dywedodd eto, 'Nace.'

'Kev ... Kev ... Be sy, be sy? Does na'm byd yna. Be sy?' gofynnodd Raymond.

Ond erbyn hynny, roedd Kevin yn rhedeg fel dyn o'i gof i lawr y ffordd am adref.

Ail hunllef Kevin. Y mae hi'n noson leuad lawn. Unwaith eto y mae Kevin yn rhedeg i lawr yr allt o'i dŷ. Unwaith eto, dydi o ddim yn mynd dros y bont, ond yn troi a rhedeg dros y tir glas at yr afon. Y mae o'n sefyll ar y lan, wrth bwll, ac yn edrych i'r dŵr du. Y mae yna rywbeth, neu rywun, i lawr yn ddwfn yn y dŵr. Yna y mae'n dechrau dod yn dyner, yn dyner i fyny o'r dyfnder. Geneth ifanc ydi hi, geneth ifanc dlos. Dechreua Kevin glywed yr un llais ag o'r blaen, y llais oedd fel pe bai wedi ei lusgo o grombil rhywbeth, yn floesg a dirdynnol, ond yn eglur yn dweud, yn araf ei enw, y tro hwn dair gwaith: 'Kev-in ... Kev-in ... Kev-in.' Y mae'r eneth ifanc yn nofio'n araf i fyny tua'r wyneb o'r dyfnder, ac yn gwenu. Y mae hi'n estyn llaw wen i Kevin ac yn ei wahodd. Y mae yntau'n estyn ei law ac yn gafael yn ei llaw

hi. Y mae ei llaw hi'n cloi'n dynn ac yn galed am ei law o, a'r wyneb
teg yn troi'n rhychau hen a'r croen arno'n dechrau darnio a phydru.
Unwaith eto daw'r llais di-gnawd yn dweud, 'Kev-in'. Dechreua'r bod
yn y dŵr dynnu Kevin, ei dynnu, ei dynnu, ei dynnu o dan y dŵr du.
Yn y tywyllwch gwlyb hwn, deffra Kevin, ac arswyd yn gafael ynddo.
Coda o'i wely, mynd at ffenest ei lofft, ac agor y llenni. Yng ngolau
di-waed y lleuad y mae'n gweld y fynwent a'i beddau duon gyferbyn.
Y mae'r lle'n gwbwl wag. 'Dim byd. Dim byd yna,' meddai Kevin yn
hyglyw wrtho'i hun. Yna y mae'n edrych i lawr at yr afon. Ar ei ochor
ef o'r afon, fel petai o wedi croesi drosodd o'r fynwent, y mae ffigwr
du â dillad llaes, llac amdano'n sefyll yn ei lawn faint, yn hir ac yn fain.
Yna, yn araf, y mae'n codi ei ddwy fraich a'u dal allan yn wahoddgar
at Kevin. Y tro hwn, nid rhan o hunllef Kevin oedd y llais gwag a
ddywedodd ei enw yn araf: 'Kev-in'.

Disgo, swnllyd. Daw geneth ifanc ddel draw at Raymond, sydd yn
sefyll yn y gwyll pelydrol, efo peint yn ei law.

'Haia,' meddai hi wrtho. 'Chdi ydi mêt Kevin 'de.'

'Ia,' meddai Raymond. 'A Deborah wyt titha.'

'Ew, tybad sut mae'r *hero*'r dyddiau yma?'

'Wel ddim yn ecstra, a deud y gwir.'

'O'n i'n meddwl nad o'n i ddim wedi'i weld o o gwmpas. Be sy 'lly?'

'Dio'm yn deud. Dydi o'n deud fawr o ddim byd wrth neb.'

'Kevin!' synnodd Deborah. 'Nefi, oedd Kevin yn siarad trwy'r
adeg; dio'm yn stopio i lyncu'i boeri.'

'Mae rwbath yn bod arno fo. Mae o'n 'cau mynd at doctor. Mae o
'di newid ... Falla y bydd o'n well – mae o 'di mynd i dŷ ei frawd yn
Manchester ers pythefnos. Dod yn ei ôl fory.'

'O, jest mewn pryd i Guy Fawkes,' meddai Deborah. 'Wel, cofia fi
ato fo, del.' A chyda'r geiriau yna ciliodd Deborah yn ei hôl i ganol y
synau grymus, y goleuadau ysbeidiol, a'r hanner tywyllwch.

Y mae'n hwyr y nos yn nechrau Tachwedd. Y mae hi'n noson olau leuad, ond nad ydi hi ddim yn noson glir. Y mae gwynt, er nad gwynt cryf, yn chwythu, ac y mae cymylau'n symud yn ysbeidiol dros wyneb y lleuad, gan ei gwneud hi'n olau a thywyll am yn ail. Y mae Kevin yn ei wely'n cysgu, a photel wisgi, wag, ar y llawr wrth ochor ei wely. Cwsg anesmwyth ydi cwsg Kevin, ac y mae o'n mynd a dod o ganol breuddwydion erchyll. Dydi o ddim yn sicir pryd y mae o'n effro a phryd y mae o'n cysgu. 'Yn y ffenast. Mae 'na rwbath yn y ffenast,' meddai'n gymysglyd. Yna dechreua'r llais gwag ddweud ei enw, yn araf ac arswydus: 'Kev-in ... Kev-in.'

'Dos o'ma,' meddai Kevin yn hyglyw.

Ond dal i lefaru y mae'r llais.

'Does arna i mo d'ofn di'r bitj,' meddai Kevin, gan ei orfodi ei hun i ymwroli. Y mae'n codi o'i wely, yn mynd gam a cham at y ffenest; yn aros yno, ac yna, gyda phenderfyniad sydyn, yn agor y llenni. Fel pe'n nofio'n dyner y tu allan i'r ffenest y mae geneth ifanc, dlos. Y mae ei gwallt melyn mawr yn chwifio'n dyner, fel gwymon mewn dyfnder dŵr. Y mae'r dillad ysgafn, gwyn sydd ganddi amdani'n swyo'n osgeiddig o'i chwmpas. Gwena'n ymbilgar, ymbilgar. Estynna ei breichiau allan at Kevin.

'Tyrd yma 'ta. Tyrd 'ta. Does gen i ... does gen i ... mo d'ofn di. Y mae'r ffenast yn gorad,' meddai yntau, gan geisio'i orau glas i gadw rheolaeth arno'i hun.

Yna, yn sydyn, y mae wyneb teg y ferch yn pydru'n benglog fudr, wedi ei hanner ddadgroenio. Y mae'r wisg wen yn troi'n ddilladach duon, hir; a'r breichiau gwynion yn troi'n grafangau esgyrniog, tywyll. Y mae hi'n llifo i mewn i lofft Kevin.

Miwsig, a hwnnw'n drymio i glustiau'r criw ifanc sydd yn y disgo. Y mae Raymond yn eistedd â'i ben yn ei blu, ar ei ben ei hun, ar gyrion y sŵn a'r goleuadau a'r dawnsio. Y mae'n clywed llais yn siarad yn ei glust.

'Haia Raymond,' meddai Deborah wrtho.

'Helo Deborah,' meddai yntau'n ddifywyd.

'O sori clywad am Kevin. O'n i'm yn meddwl ei fod o'n sâl fel'na,' meddai Deborah.

'*Heart attack*,' meddai Raymond.

'Cael hyd iddo fo'n llofft!'

'Ei dad o'n cael ei ddeffro'n y nos. Sŵn mawr. Erbyn iddo fo gyrradd llofft Kev roedd o ar lawr.'

'O!'

'Wedi codi o'i wely ac fel 'tasa fo'n pointio at y ffenast.'

'Glywais i fod y ffenast 'di malu,' meddai Deborah.

'Oedd. Rhyw ddiawl 'di taflu rwbath m'wn.'

'O mae'n dychryn rhywun 'tydi, hogyn cry fath â Kevin. Mae'n ddychryn mawr i chdi, a chitha'n fêts,' meddai Deborah.

'Fy mêt gora fi,' meddai Raymond.

'O, bechod,' meddai Deborah. 'Ond odda chdi'n deud tro dwytha gwelis i chdi nad oedd o ddim yn iawn.'

'Hyn oedd o 'de – yr *heart attack* 'ma ... A neb yn gwbod. Kev yn gwrthod mynd at doctor. Ddudis i.'

'Cnebrwn mawr?' meddai Deborah.

'Yr hogia i gyd yna,' meddai Raymond. 'Cnebrwn mawr iawn.'

Digwyddodd y sgwrsio hwn i gyd ynghanol y sŵn, a'r pelydrau o oleuadau, a'r dawnsio llawn bywyd, a'r tywyllwch.

Y noson honno, ar ei ben ei hun y mae Raymond yn cerdded adref. Wrth y fynwent, y mae'n aros. Y mae'n ochneidio, a dweud, 'Yr hen Kev. Blydi cês ... Y bedd hwnnw.' Y mae'n edrych tuag at y 'bedd hwnnw'. 'Hei,' meddai'n hyglyw wrtho'i hun, 'mae 'na rwbath ... du. Mae 'na rwbath du wrth y bedd.'

Awduron a Ffynonellau

Rhoddir bob tro yr enw sydd wrth y stori, boed enw iawn, enw barddol neu ffugenw; wedyn mewn cromfachau, enw arall lle bo'n berthnasol.

Lewis Morris (1701-65), darn o lythyr at ei frawd Richard, 4 Ionawr 1760; yn J. H. Davies (gol.), *The Letters of Lewis, Richard, William and John Morris of Anglesey (Morrisiaid Môn)*, Vol. II (cyhoeddwyd gan y golygydd, 1908).

Twm o'r Nant (Thomas Edwards, 1738-1810), dyfyniad o 'Hanes Bywyd Twm o'r Nant', a gyhoeddwyd yn *Y Greal* (1805). Golygwyd gan G. M. Ashton yn *Hunangofiant a Llythyrau Twm o'r Nant* (Gwasg Prifysgol Cymru, 1948).

William Williams (1738-1817). 'Ynghylch Ysbrydion a Drychiolaethau', llsgr. LlGC 19070, 'Pastai i'r Sawl a'i Profo', 1800.

Glasynys (Owen Wynne Jones, 1828-70), 'Y Plas a Gythryblid gan Rywbeth', sef rhan o ysgrif 'Chwilio am Arian Daear', yn *Cymru Fu*, gol. Isaac Foulkes (Hughes a'i Fab, 1862). Golygiad Saunders Lewis yn *Straeon Glasynys* (Y Clwb Llyfrau Cymraeg, 1943).

Gweirydd ap Rhys (Robert John Pryse, 1807-89), 'Bwgan Bryn Tirion', o lsgr. Bangor 1687, 'Buchedd neu Hanes Bywyd Robert ap Ioan Rhys (Gweirydd ap Rhys)'. Mae dwy fersiwn o'r stori yn y llawysgrif hon, yn union yr un fath o ran sylwedd ond yn gwahaniaethau ychydig o ran geiriad. Gellir darllen y fersiwn arall yn: Enid P. Roberts, *Hunangofiant Gweirydd ap Rhys* (Y Clwb Llyfrau Cymraeg, 1949).

Daniel Silvan Evans (1818-1903), 'Hir yw Aros Arawn' a 'Y Llaw Oer', yn *Ystên Sioned neu y Gronfa Gymmysg* (Hughes a'i Fab, 1882).

Daniel Owen (1836-95), 'Ysbryd y Crown', yn *Straeon y Pentan* (Hughes a'i Fab, 1895).

H. Elwyn Thomas (1856-1919), 'Ysbryd Hen Ddyn', yn T. M. Evans (gol.), *Hirnos Gauaf* (The Welsh Church Press and Printing Company, 1899).

Richard Hughes Williams ('Dic Tryfan', 1878?-1918), 'Mynd Adref', yn *Storïau Richard Hughes Williams* gyda Rhagymadrodd gan E. Morgan Humphreys (Hughes a'i Fab, 1932).

W. J. Gruffydd (1881-1954), 'Dygwyl y Meirw', yn T. H. Parry-Williams (gol.), *Ystorïau Heddiw* (Gwasg Aberystwyth, 1938). Cyhoeddwyd gyntaf yn *Y Llenor* I (1922).

Kate Roberts (1891-1985), 'Y Gwynt', yn *Rhigolau Bywyd* (Gwasg Aberystwyth, 1929).

Evan Isaac (1865-1938), 'Ymddangosiad Ysbrydion', yn *Coelion Cymru* (Y Clwb Llyfrau Cymraeg, 1938).

Awen Mona (Elizabeth Jane Davies-Rees, 1885-1972), 'Yr Hen Gynffon Deryn', yn *Helyntion Cwm Hir* (Gwasg Aberystwyth, 1944).

Meuryn (R. J. Rowlands, 1880-1967), 'Y Garreg Saethau', yn *Chwedlau'r Meini* (Gwasg Gee, 1946).

J. E. Williams (1888-1975), 'Clos y Fynachlog', yn *Straeon J.E.* (Llyfrau'r Dryw, 1947).

Elizabeth Watkin-Jones (1888-1966), pennod gyntaf *Y Cwlwm Cêl* (Gwasg Aberystwyth, 1947).

J. O. Williams (1892-1973), 'Y Rhwyfwr', yn *Straeon Wil a Storïau Eraill* (Gwasg Gee, 1950).

Rhiannon Davies Jones (g. 1921), 'Kitty Haf', yn *Llafar* 1951 (gol. Aneirin Talfan Davies) (Gwasg Aberystwyth, 1952).

Islwyn Ffowc Elis (1924-2004), 'Y Tyddyn', yn *Marwydos* (Gwasg Gomer, 1974). Cyhoeddwyd gyntaf yn *Llafar* Haf 1956 (gol. Aneirin Talfan Davies) (Gwasg Aberystwyth, 1956).

E. H. Francis Thomas (sef D. Tecwyn Lloyd, 1914-92), 'Cyffordd Dyfi' ac 'Ymwelwyr', yn *Hyd Eithaf y Ddaear a Storïau Eraill* (Gwasg Gomer, 1972). Cyhoeddwyd 'Cyffordd Dyfi' gyntaf yn *Taliesin* 15 (Rhagfyr 1967).

Roy Lewis (1922-88), 'Y Ferch wrth y Bont', yn *Dawns Angau* (Y Lolfa, 1981). Cyhoeddwyd gyntaf yn *Taliesin* 41 (Rhagfyr 1980).

John E. Williams (1924-2008), 'Wedi'r Ocsiwn', cyfieithwyd o lawysgrif yr awdur gan ei fab.

Geraint V. Jones (g. 1938), 'Yr Euog a Ffy ...', yn *Storïau'r Dychymyg Du* (Gwasg Gomer, 1986).

Gweneth Lilly (1920-2004), 'Dal yn Ffrindia'' a 'Y Ci', yn *Dynes mewn Du*[:] Saith Stori Ysbryd (Gwasg Gomer, 1987).

Irma Chilton (1930-90), 'Colli'r Ffordd', yn *Straeon i Godi Gwallt* (Gwasg Gomer, 1990).

Gwyn Thomas (g. 1936), 'Lleuad yn Ola'', yn *Drychiolaethau* (Gwasg y Bwthyn, [2009]).

CYFROLAU CENEDL

Yn awr ar gael yn y gyfres hon:

1. *Canu Twm o'r Nant.* Gol. Dafydd Glyn Jones. ISBN 978-0-9566516-0-0. Pris £15. Y casgliad safonol cyntaf oddi ar 1889 o waith 'pen bardd Cymru' (chwedl ei gyfaill Y Meddyg Du).

2. *Twm o'r Nant: Dwy Anterliwt. Cyfoeth a Thlodi a Tri Chydymaith Dyn.* Gol. Adrian C. Roberts. ISBN 978-0-9566516-2-4. Pris £15. Dwy o ddramâu'r athrylith o'r Nant, y naill heb ei chyhoeddi oddi ar 1889, a'r llall oddi ar yr argraffiad cyntaf, 1769!

3. *William Williams: Prydnawngwaith y Cymry.* Gol. Dafydd Glyn Jones. ISBN 978-0-9566516-3-1. Pris £10. Y llyfr Cymraeg printiedig cyntaf (1822) ar Oes y Tywysogion, ynghyd â detholiad o ysgrifau a cherddi'r gŵr amryddawn o Landygái.

4. *Emrys ap Iwan: Breuddwyd Pabydd wrth ei Ewyllys.* Gol. Dafydd Glyn Jones. ISBN 978-0-9566516-4-8. Pris £8. Gweledigaeth ddychanol y cenedlaetholwr mawr ym 1890 ar Gymru 2012.

5. *Beirniadaeth John Morris-Jones.* Gol. Dafydd Glyn Jones. ISBN 978-0-9566516-5-5. Pris £15. Detholiad o feirniadaethau ac ysgrifau'r beirniad Cymraeg mwyaf ei ddylanwad erioed.

6. *Rhywbeth yn Trwblo.* Gol. Dafydd Glyn Jones. ISBN 978-0-9566516-6-2. Pris £15. Casgliad o straeon ysbryd gan ein prif awduron.

Ar gael gan y cyhoeddwyr, y ddau becyn manteisiol:

PECYN TWM O'R NANT
Canu Twm o'r Nant a *Dwy Anterliwt*
£25 (yn lle £30)

PECYN LLANDYGÁI
Prydnawngwaith y Cymry
a chofiant yr awdur, *Un o Wŷr y Medra* (Gwasg Gee, 1999)
£20 (yn lle £27.50)

Dyma a ddywedwyd am gyfrol gyntaf y gyfres,

CANU TWM O'R NANT:

'Bellach dyma ddetholiad o ganeuon, areithiau ac ambell ddeialog o'r anterliwtiau a phrif waith barddonol Twm o'r Nant yn cael ei gyflwyno i ganrif newydd, gyda nodiadau manwl, geirfa a rhagymadrodd gwerthfawr.' – *Llafar Gwlad*.

'Mae Dafydd Glyn Jones wedi dethol yn ofalus o waith Twm o'r Nant – ei gerddi a'i anterliwtiau, ac mae'n ffynhonnell hollbwysig i unrhyw un yn astudio hanes neu lenyddiaeth Cymru.' – *Y Faner Newydd*.

'Dyma ddetholiad diddorol a chytbwys, wedi ei osod yn drefnus gymen. ... Cyflwynwyd rhagymadrodd eglur, hawdd ei dreulio, wedi ei rannu'n adrannau hylaw, ac sy'n trafod gwahanol agweddau ar y bardd a'i gyfnod. At hynny, cyflwynwyd nodiadau byr a pherthnasol ar ambell bwynt o dywyllwch yn y cerddi, a geirfa dra defnyddiol sy'n esbonio ystyr ambell air diarffordd. Nid oes esgus dros ddiystyru cerddi'r Bardd o'r Nant ragor.' – *Gwales.com*

'Cyfrol sy'n werth ei chael ac sy'n rhoi golwg o'r newydd ar weithiau ffraeth un o gymeriadau mawr ein cenedl.' – *Ffenn a Thyddyn*.

'Dyma fenter, i'w chanmol yn fawr, gan ysgolhaig ar ei liwt ei hun. Ni fu casgliad mawr o waith yr hen Dwm ar gael ers 1889. Detholiad yw hwn o ryw bedwar ugain cerdd, o'r pum cant a adawodd, a cheir arolwg, geirfa a nodiadau tra gwerthfawr. Addewir y bydd y gyfres yn dwyn i olau dydd weithiau clasurol na buont ar gael ers hydoedd.' – *Y Casglwr*.

'[Y] mae dewis cyflwyno gwaith baledwr ac anterliwtiwr fel hyn yn awgrymu y bydd y gyfres yn herio ein rhagdybiaethau ac yn ein gorfodi i ailgloriannu statws a chyfraniad rhai o feirdd ac awduron y gorffennol.' – *Llên Cymru*.

'Cymwynas fawr Dafydd Glyn Jones yw gadael i ddarllenwyr cyfoes ddod i adnabod Twm a gwerthfawrogi ei ddawn arbennig drostynt eu hunain. Cawn yn y gyfrol bwysig hon gywyddau, penillion mydryddol o'r anterliwtiau a cherddi rhydd cynganeddol. ... [C]ynigia inni sylwebaeth graff a miniog ar falchder a thlodi'r byd, a fyddai'n llesol inni ei hystyried heddiw. ... Mae cerddi'r gyfrol hon yn ddadlennol a grymus, ac mae eu hieithwedd yn syndod o ddarllenadwy a dealladwy. O ddiosg orgraff ddieithr y ddeunawfed ganrif, gall darllenwyr yr unfed ganrif ar hugain eu dilyn yn rhwydd, a phan fo'r ystyr neu'r gyfeiriadaeth yn anghyfarwydd ceir esboniad yn y nodiadau a'r eirfa i'n goleuo.' – *Y Traethodydd*.

CYFROLAU CENEDL

'Golygiad newydd yw pob un o destun a aeth yn brin drybeilig ac a ddylai fod ar astell lyfrau pawb diwylliedig. ... Dyma gyhoeddwr sy'n cyrraedd mannau lle nad aiff eraill.' – *Y Casglwr.*

'Arwydd o genedl sy'n falch o'i thraddodiad llenyddol yw ei pharodrwydd i gadw testunau a fu'n gerrig milltir pwysig yn y traddodiad hwnnw mewn print. Cyfres sy'n amcanu i wneud hynny yw Cyfrolau Cenedl o wasg Dalen Newydd. ... Bydd hon yn gyfres bwysig.' – *Llafar Gwlad.*

I ddilyn yn y gyfres hon:

Cerddi Morgan Llwyd. Y casgliad cyntaf erioed mewn un gyfrol.

Dramâu W. J. Gruffydd. 'Beddau'r Proffwydi' ar gyfer ei chanmlwyddiant, a 'Dyrchafiad arall i Gymro' – perthnasol bob amser.

Cerddi Goronwy Owen. Y casgliad cyflawn cyntaf oddi ar 1911!

Llythyrau Goronwy Owen. Y golygiad cyntaf oddi ar gasgliad J.H. Davies, 1924, sydd bellach yn llyfr eithriadol brin.

O Lwyfan yr Anterliwt. Golygfeydd o waith diddanwyr poblogaidd y 17-18 ganrif – Huw Morys, Huw Jones, Elis y Cowper, Siôn Cadwaladr, John Thomas ac eraill. Defnydd na bu ei fath, gan fechgyn ar y naw!

Drych y Prif Oesoedd. Golygiad newydd – y cyntaf oddi ar 1902! – o argraffiad 1740 yn gyfan.

Daniel Owen: Y Dreflan. Pob beirniad yn ei thrafod, ond neb yn ei gweld!

Daniel Owen: Gweithiau Byrion. Detholiad newydd o weithiau llai y gŵr o'r Wyddgrug.

Samuel Roberts: Cynhyrfwch! Cynhyrfwch! Casgliad newydd o weithiau'r radical mawr o Lanbrynmair.

Taith y Pererin. Mawr ei fri a'i ddylanwad yn ei ddydd. Gadewch inni ei weld!

Brut y Tywysogion. Diweddariad yn iaith heddiw o brif ffynhonnell Gymraeg hanes Cymru'r Oesau Canol.

Sieffre o Fynwy: Brut y Brenhinedd. Yr hen glasur celwyddog, camarweiniol mewn Cymraeg modern.

Gildas: Coll Prydain. Trosiad newydd o 'lyfr blin' ein hanesydd cyntaf!

Nennius: Hanes y Brytaniaid. Ffynhonnell cymaint o hanes a chwedl. Trosiad Cymraeg newydd.

Llythyrau'r Tywysogion. Dogfennau creiddiol hanes Cymru'r Oesau Canol, mewn cyfieithiadau Cymraeg newydd.

... A rhagor – yn cynnwys ambell syndod!

DALEN NEWYDD